DYFI JYNCSH.

Dyfi Jyncshiyn –
y ddynes yn yr haul

Gareth F. Williams

Gwasg
Gwynedd

Argraffiad cyntaf — Ebrill 2009

© Gareth F. Williams 2009

ISBN 978 0 86074 255 5

Mae'r cyhoeddwyr yn cydnabod cefnogaeth ariannol
Cyngor Llyfrau Cymru.

Cyhoeddwyd gan
Wasg Gwynedd, Caernarfon

I

WILLIAM OWEN, BORTH-Y-GEST
– Y GAMALIEL A'M DYSGODD
I WERTHFAWROGI HARDDWCH GEIRIAU

Diolch arbennig i Kenneth Wyn Robinson (eto),
ac i Maureen Rhys.

Cynhwysir ar y tudalennau canlynol y darluniau perthnasol i'r nofel y cafwyd caniatâd i'w hatgynhyrchu; gellir gweld holl ddarluniau Edward Hopper mewn lliw ar sawl gwefan drwy chwilio am enw'r arlunydd neu deitl lluniau unigol.

Cape Cod Evening (1939)

Compartment C,
Car 293 (1938)

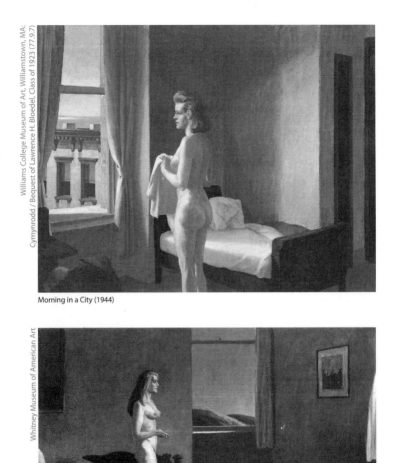

Morning in a City (1944)

A Woman in the Sun (1961)

Automat (1927)

Chop Suey (1929)

Office at Night (1940)

Nighthawks (1942)

'Duw a'm gwaredo, ni allaf ddianc rhag hon.'

T. H. PARRY-WILLIAMS

Cape Cod Evening, Edward Hopper, 1939

Petai'r tŷ hwn yng Nghymru, yna mae'n bur debyg mai rhywbeth fel 'Min y Coed' fyddai'i enw. Tyf coedwig dywyll y tu ôl iddo – mor agos nes bod brigau'r goeden gyntaf yn edrych fel petaen nhw'n crafu gwydr un o'r ffenestri. Ond wedi'i godi o bren astell yn y dull Americanaidd y mae'r tŷ, ac wedi'i baentio'n wyn ar wahân i'r fframiau duon o gwmpas y ffenestri a'r cwrs tamprwydd sy'n rhedeg ar hyd ei waelodion fel hem pais goch yn sbecian allan dan ffrog briodas.

O flaen y tŷ mae môr o laswellt melynwyn yn tyfu reit at garreg y drws, sy'n gwneud i'r cwpwl canol oed ymddangos fel petaen nhw'n golchi'u traed ynddo. Yn y darlun hefyd, mae 'na gi browngoch a gwyn nad yw'n annhebyg i gi defaid Cymreig. Saif y wraig dindrom ei hymddangosiad hefo'i breichiau wedi'u plethu o dan ei bronnau, a'i phen-ôl yn pwyso yn erbyn sil y ffenestr flaen; gwisga ffrog werddlas, weddol laes, dros ei phengliniau, ac mae'n edrych fel petai ei hamynedd yn frau fel edau wrth iddi aros am rywbeth – aros am ateb, efallai, gan ei gŵr, sy'n eistedd ar garreg y drws yn ceisio denu sylw'r ci. Mae'n amlwg fod yn well ganddo chwarae efo'r ci yn hytrach nag ateb ei wraig.

Na hyd yn oed ei chydnabod.

Ond mae yntau hefyd yn cael ei anwybyddu yn ei dro – gan y ci, sydd wedi troi'i ben i edrych i rywle'r tu hwnt i ffiniau'r darlun, fel petai wedi clywed rhyw sŵn neu wedi cael cip ar rywbeth llawer iawn difyrrach na'r ddau berson surbwch y tu ôl iddo. Neu, efallai, wedi synhwyro rhyw berygl nad yw'r gŵr a'r wraig eto'n ymwybodol ohono, oherwydd mae clustiau'r ci

11

wedi'u codi fel esgyll dorsal dau siarc, a'i gynffon allan yn syth ac yn stiff, a cheir yr argraff ei fod ar fin dechrau chwyrnu. Nid yw hyn yn peri syndod oherwydd tywyllwch gormesol a sinistr yw tywyllwch y goedwig a sleifia'n nes ac yn nes at y tŷ, a does wybod beth sy'n llechu yn ei dywch.

Go brin y cynigir lloches gan y tŷ hwn. Nid tŷ croesawgar mohono: nid oes llwybr yn arwain at ei ddrws, sydd wedi'i gau'n dynn. Mae llenni un o'r ffenestri wedi'u cau; mae llenni'r ffenestr arall, hefyd, bron â chwrdd, a does dim byd i'w weld trwy'r bwlch ond tywyllwch. Mae'r cwpwl y tu allan i'r tŷ yn rhy biwis a di-serch i estyn croeso i neb: maent yn rhy brysur yn ychwanegu at y tensiwn sydd yn amlwg wedi tyfu rhyngddynt ers blynyddoedd, a'r unig beth y maent yn ei rannu â'i gilydd bellach yw chwerwder, gan iddynt roi'r gorau i rannu hyd yn oed eu breuddwydion a'u gobeithion.

Norwich, 4 Medi 2005

Dwi newydd gael ar ddallt bod fy nhacsi ar ei ffordd.

Does dim isio i mi boeni, ochneidiodd y llais ar y ffôn. Mi fydd y tacsi'n cyrraedd ymhen deng munud. Am chwarter wedi naw. Fel ro'n i wedi'i drefnu efo nhw neithiwr.

Dechreuais ddiolch i'r ddynes oramyneddgar, gan ymddiheuro am swnian arni fel hyn (ro'n i wedi ffonio ddwywaith neithiwr, ar ôl yr alwad gyntaf, ac eto fore heddiw), ond torrwyd ar fy nhraws gan glic anghwrtais o'r pen arall.

Wel . . .!

Yng nghyntedd y tŷ yma y mae'r ffôn, ar fwrdd derw tenau, uchel, ac yn y drych hirgrwn ar y mur uwch ei ben gwelaf fy mod wedi gwasgu'r ffôn mor galed nes bod fy migyrnau'n ymwthio'n wyn dan gnawd fy nwrn.

Gwrthodais edrych ar fy wyneb nes oeddwn wedi rhoi'r derbynnydd i lawr yn ddiogel yn ei grud.

Bitsh!

Dwi rioed wedi gweld y ddynes ond mi fedraf ei dychmygu: rhyw slebog chwyslyd, dew, efo'r cnawd ar rannau uchaf ei breichiau yn hongian yn llac fel tagellau rhyw hen waetgi. A gallaf hefyd fy nychmygu fy hun yn ffrwydro i mewn i'r swyddfa fach fyglyd ac yn blagardio'r ast am ei diffyg cwrteisi.

Mi ddylwn i fod wedi gofyn i'r gnawas bowld efo pwy yn union roedd hi'n meddwl roedd hi'n siarad! Y *fi* ydi'r cwsmar – y fi, a phobol fel y fi, sy'n talu'i chyflog hi!

Ond be wnes i? Dechrau ymddiheuro iddi.

Aaaarrrgh . . .!

13

Mae'n braf cael sgrechian.

*   *   *

Mae fy nghês dillad wedi'i bacio ers neithiwr ac yn disgwyl yn amyneddgar amdanaf wrth y drws ffrynt. Wrth sbio arno fo, dwi'n fy nheimlo fy hun yn dechrau ymlacio.

Mae'r tacsi ar ei ffordd. Dyna ydi'r peth pwysicaf.

Rŵan, gallaf fentro sbio arnaf i fy hun yn y drych.

O, ydw, dwi wedi ymlacio. Gallaf wenu rŵan ar y ddynes dal, chwe deg dau oed sy'n sbio'n ôl arnaf. Ella ei bod hi ychydig yn fain, ond mae hynny'n ffasiynol y dyddiau yma, yn dydi? Ddoe, er enghraifft, yn y siop ddillad (oes raid iddyn nhw i gyd y dyddiau hyn gael y rwtsh yma sy'n cael ei alw'n fiwsig pop yn taranu dros y lle?), roedd yna ryw wialen bysgota o hogan yn trio dwn i'm faint o ddillad yn y ciwbicl drws nesa i mi, a dwi'n cofio meddwl y basa'n well o beth wmbrath i'r ffurat denau wario'i phres ar bryd iawn o fwyd. Dydi bod yn denau ddim yn gyfystyr â bod yn siapus, dim ots gen i be mae'r cylchgronau hurt yna'n ei ddweud, ac mae fy mronnau i – diolch amdanyn nhw – yn fy nghadw i rhag cael f'ystyried yn rhywun tenau. Maen nhw mor llawn ag erioed ac yn edrych yn dda dan y siwmper wen, dynn a brynais i ddoe. Ac erbyn heddiw mae fy wyneb unwaith eto'n gweddu i'm gwallt syth, brown golau, fel petai'r holl flew arian a ddiflannodd ddoe wedi mynd â sawl crych efo nhw.

Dwi'n edrych yn ifanc heddiw.

Dwi'n edrych yn grêt.

Yn ffab.

Gigl fach rŵan wrth sgwario yn y drych, gan wthio fy ngên allan a dal fy mhen ychydig yn ôl (sawl gwaith ydw i wedi gwneud hyn, tybed, ers i mi ddŵad yn ôl adra bnawn ddoe?) – cyn hanner troi a gwenu dros f'ysgwydd chwith.

*   *   *

'Mewn deugain mlynedd, John. Dim cynt, a dim hwyrach. Deugain mlynedd i neithiwr.'

'I'r dyddiad, ynta'r dwrnod?'

'Dw't ti ddim yn meddwl fy mod i o ddifri, yn nag w't? Mi ydw i, 'sti. I'r dyddiad – Medi'r pedwerydd, dwy fil a phump. Os byddan ni'n dau yn fyw ac yn iach.'

'Ella byddan ni'n fyw, ond go brin y bydd yr un ohonan ni'n cofio.'

* * *

Well i ti fod yn cofio, John Griffiths. *Dwi*'n cofio. Dwi'n cofio pob gair. Pob dim.

'Deng munud. Mi fydda i'n cael mynd mewn deng munud.'

Rŵan, swnia fy llais yn annaturiol o uchel, fel taswn i wedi siarad mewn tŷ gwag.

Ond mae'n braf cael siarad Cymraeg.

* * *

11, Coleridge Close . . . Dydi o ddim yn dŷ mawr, er y basa rhywun yn taeru ei fod o: mae geiriau fel 'spacious' a 'roomy' i'w gweld yn britho llenyddiaeth y gwerthwyr tai lleol bob tro y bydd un o'r tai eraill ar y stad fodern a digymeriad hon yn dŵad ar y farchnad. Tair ystafell wely (wel, na – dwy a hanner, a bod yn hollol onest), ystafell ymolchi, cegin, ystafell fyw a lolfa. Hancas bocad o lawnt yn y ffrynt a lliain bwrdd o un yn y cefn, ynghyd â sièd fach dwt, yn union fel pob un tŷ arall yma. Maen nhw i gyd yn dai swil, rywsut, fel tasan ni i gyd yn byw yn y gobaith y byddai gweddill y byd yn ein hanwybyddu, gyda phob un o'r strydoedd wedi'i henwi ar ôl un o feirdd Ardal y Llynnoedd, er bod cynefin y rheiny gannoedd o filltiroedd i'r gogledd o fan'ma.

Mi fasa Coleridge yn troi yn ei fedd tasa fo'n gwybod fod stryd mor ddiysbryd â hon wedi'i henwi ar ei ôl, fel y basa fo wedi casáu'r tirwedd undonog, gwastad a gwlyb sydd yn y rhan yma o'r wlad. Mi fasa *taclusrwydd* y lle wedi'i ddrysu'n lân, ac yntau wedi mopio cymaint ar hagrwch pendramwnwgl y llethrau yng Nghymbria.

A fasa fo'n siŵr Dduw o droi'i drwyn ar daclusrwydd y gegin yma.

'Lle i bob dim, a phob dim yn ei le.'

Mae hyd yn oed y botel hylif golchi llestri wedi'i gosod fel milwr bach unig ar silff y sinc, yn union rhwng y ddau dap dŵr. Wrth i mi roi fflic iddi â chefn fy llaw, syrthia gan gloncian yn blastig i mewn i'r sinc.

Ar ganol y bwrdd mae powlen ffrwythau ac un afal ynddi.

'Mi gei di aros lle rwyt ti, i bydru.'

Gofalu unwaith eto fod drws y cefn wedi'i gloi, y popty wedi'i ddiffodd yn y wal, y ffrij yn wag a'r drws yn llydan agored, gyda thywel a phowlen ar y llawr o'i blaen.

Cychwyn allan, ond yna troi'n ôl a chodi'r botel o'r sinc a'i rhoi'n ôl rhwng y ddau dap.

Mae fy nhocyn trên yn ddiogel yn fy mhwrs, y tu mewn i'm bag ysgwydd, sy'n hongian ar beg wrth y drws ffrynt.

Dwi'n meddwl . . . na, dwi'n siŵr.

A'm harian.

Arian Marian.

Gwell tshecio eto, rhag ofn, ac ydyn, maen nhw yma, yn lle maen nhw i fod. Sylwaf fod fy nwylo'n dal i grynu rhyw fymryn, ond nid fel roedden nhw ddoe wrth dynnu'r pres allan o'r Gymdeithas Adeiladu. Ac ro'n i'n teimlo'n swp sâl.

'Pum munud arall . . .'

* * *

Mi fydd gen i hiraeth ar ôl fy llofft. Hon, y llofft gefn, ydi ystafell oleua'r tŷ, ac mae cloriau fy llyfrau hefyd yn rhoi rhywfaint o liw i'r dodrefn tywyll a thrwm.

Yr holl lyfrau . . .

Ers sbelan go lew rŵan dwi ddim wedi gallu canolbwyntio

ar ddarllen dim ond un llyfr ar y tro, felly mae yna gryn dipyn yn gorwedd o gwmpas yr ystafell fel brechdanau sy wedi cael eu brathu, yn hytrach na'u bwyta. Dowch i mi weld – pwy sy yma i gyd, ar eu hanner? P. D. James (cha' i byth wbod rŵan pwy laddodd y gyfreithwraig), Fannie Flagg, Joanna Trollope, Kate Atkinson, Sebastian Faulks, Anne Tyler, Ian McEwan. Bywgraffiadau Thomas Hardy, Marie Antoinette, Sylvia Plath ac Emily Brontë. Dyddiaduron Alan Bennett a Samuel Pepys, traethodau Clive James, straeon byrion Katherine Mansfield, llyfrau hanes Starkey a Schama . . . A finna wedi bod yn symud o un i'r llall ac yn ôl ac ymlaen fel gwenynen anfodlon.

Methu cysgu ro'n i. Tan neithiwr. Mi gysgais i fel twrch neithiwr, a deffro i deimlo haul y bore yn cusanu fy wyneb. Heb wneud fy ngwely, arhosais yn noeth ar ôl cael fy nghawod gan feddwi, bron, ar gynhesrwydd cynnar yr haul a ffurfiai hirsgwar melyn a chlyd ar y carped rhwng fy ngwely a'r ffenestr.

Does yna ddim golwg o Harold Lloyd rŵan. Dyna be fydda i'n galw'r dyn drws nesaf – neu, yn hytrach, felly y bydda i'n meddwl amdano gan nad ydw i erioed wedi sgwrsio efo'r dyn – oherwydd ei debygrwydd i'r comedïwr mud hwnnw a arferai hongian fel pryf copyn oddi ar gloc uchel. Ond mae Harold a finna wedi dŵad yn dipyn o ffrindiau ers . . . o, dwi'n siŵr fod yna dair blynedd a hanner bellach ers i mi godi yng nghanol y nos a'i weld o'n piso'n hapus braf dros fy nghennin Pedr.

Noson olau leuad oedd hi, a finna wedi alaru eto fyth ar droi a throsi a gweddïo am gwsg. Codais efo'r bwriad o wneud panad a dychwelyd at ba bynnag lyfrau oedd yn agored wrth ochr y gwely, nes i mi bendwmpian o'r diwedd, rhyw awran neu ddwy cyn amser codi. Sefais yn y ffenestr yn sbio ar ddyn y lleuad yn dylyfu gên yn gysglyd.

Ac yno roedd Harold, yn ei ardd, yn ei byjamas, yn ei ŵn nos, yn ei slipas. Rhwng y ddau dŷ mae yna ffens fach isel a di-ddim sydd prin yn cyrraedd at bennau gliniau rhywun, ac roedd y llo wrthi'n piso dros hon ac ar ben fy mlodau.

Pam?

Duw a ŵyr. Dwi ddim yn credu mai sarhad ar flodyn cenedlaethol Cymru oedd o: mi fasa wedi trin unrhyw flodyn arall yn yr un modd. Yna edrychodd i fyny at fy ffenestr a'm gweld yn sefyll yno yn fy nghoban. Ro'n i'n gallu gweld ei sbectol o'n sgleinio yng ngolau'r lleuad.

O'r diwedd, syrthiodd y deigryn olaf fel diferyn o law tyner ar y ddaear. Safodd Harold yno a'i goc yn ei law, a sefais innau yno'n sbio i lawr arno, nes iddo'i hysgwyd i'm cyfeiriad fel tasa fo'n dweud 'nos da' cyn ei chadw o'r golwg, cau ei ŵn nos a cherdded yn ôl i mewn i'w dŷ.

*   *   *

Heblaw am fwmblan ambell i 'Helô' wrth ein gilydd pan fyddai'n amhosib osgoi gwneud hynny, dydi Harold a minnau erioed wedi siarad (nid peth anghyffredin ymysg trigolion Coleridge Close, gyda llaw). Mae ganddo wraig, ond digwydd a darfod megis seren wib wna honno gan amlaf, gan ruthro o'r tŷ i mewn i'w char bob bore ac yn ôl o'i char i mewn i'r tŷ ar ddiwedd pob prynhawn, fel rhywun sy'n enwog am y rhesymau anghywir yn ceisio osgoi'r *paparazzi*. Dridiau ar ôl i mi ei ddal yn bedyddio'r blodau, ro'n i'n digwydd bod allan yn tacluso'r ardd ffrynt pan gyrhaeddodd Harold a'i wraig yn eu car. Mwmblodd ei 'Helô' traddodiadol heb gochi na tharo winc arna i'n bowld, na hyd yn oed sbio i fyw fy llygaid.

Fel pe na bai unrhyw beth anghyffredin wedi digwydd, mewn geiriau eraill.

Ond ymhen llai na mis, y nos olau leuad nesaf, yno roedd o eto, ei sbectol yn sgleinio a'i biso'n creu bwa bach arian dros y ffens. Sefais reit yn erbyn y gwydr y tro hwn – roedd o *yn* gwisgo sbectol, wedi'r cwbwl, ac ella nad oedd o'n siŵr iawn y tro diwethaf a o'n i yno ai peidio. Na, gwelais ei fod o'n gwybod yn iawn: roedd o'n sbio reit arna i yn fy nghoban wen.

Disgwyliais iddo ysgwyd ei bidlan a'i chadw, fel o'r blaen, ond tyfu a wnaeth hi'r tro hwn. Edrychodd i lawr arni, a ninnau ein dau yn awr yn ei gwylio'n blodeuo, fel dau arddwr amyneddgar. Pan edrychodd Harold i fyny eto, gwthiais strapiau tila fy nghoban i lawr dros fy mreichiau. Codais f'ysgwyddau a theimlo'r defnydd yn crafu'n ysgafn dros fy nhethi wrth i'm bronnau ddod i'r golwg.

Yna dechreuodd fwrw glaw, caeodd Harold ei ŵn nos dros ei godiad a diflannu i mewn i'r tŷ. Codais innau strapiau fy nghoban a dychwelyd i'm gwely, at fy llyfr.

Y tro nesaf, ni ddaeth yr un gawod i dorri ar ei draws a gadewais innau i'r goban syrthio'r holl ffordd i lawr. Gadawodd i mi ei weld yn dŵad – ond roedd yn ddigon o ŵr bonheddig i wneud hynny dros ei lawnt ei hun yn hytrach na thros y ffens. Ac felly y bu hi nes i'r haf droi'n hydref; welais i mohono fo wedyn tan ar ôl iddyn nhw droi'r clociau ymlaen ddiwedd mis Mawrth. Chwe mis arall o sefyllian, un waith bob mis, yn sbio ar ein gilydd dros ardd a thrwy wydr, ein dwylo yn symud ffwl sbid dan ein boliau, a chwe mis arall eto'r llynedd ac eleni, fwy neu lai.

Mae gen i'r teimlad y bydd o yno heno – rydan ni wedi llithro i'r arferiad o wneud hyn ar nosweithiau Sadwrn, am ryw reswm – ond fydda i ddim.

Harold druan.

Am faint y gwnaiff o sefyll yno, ys gwn i, yn disgwyl a disgwyl, efo'i biji-bo yn sbecian allan o falog ei byjamas fel offeiriad bach tew yn stelcian yn nrws ei eglwys?

*   *   *

19

Ar ambell i fore braf, mi fydda i'n hoffi gorwedd yn fy ngwely am ychydig o funudau yn mwynhau'r ffordd y bydd yr haul ifanc yn symud ei olau'n araf dros y pared nes iddo oleuo'r darlun sydd gennyf mewn ffrâm ar y mur: *Cape Cod Evening* gan Edward Hopper.

O, haul y bore ar *Cape Cod Evening* . . .

Weithiau, bydd yr haul yn troi'r glaswellt melynwyn yn fôr o aur. Mor hawdd, ar foreau fel hyn, ydi dychmygu bod y cwpwl yn y llun yn gwenu yn hytrach na gwgu, ac nad oes ond eisiau i'r dyn sydd yn eistedd ar y rhiniog wthio yn erbyn y drws efo'i gefn, a bydd yr haul wedyn yn llifo i mewn i'r tŷ ac yn ei lenwi â chwerthin a chân.

Ond nid heddiw.

Er fy mod i wedi sefyll o flaen y darlun fel gwrach noethlymun yn bwrw swyn, cilio wnaeth yr haul heddiw cyn i'w oleuni fedru cyrraedd y mur. Diflannodd yn annisgwyl, fel actor swil yn dioddef o fraw llwyfan, ac mi ges i'r argraff – dim ond am eiliad neu ddau, ond roedd hynny'n ddigon – fod tywyllwch y coed wedi llifo'n dew dros y glaswellt gan orchuddio'r tŷ a mygu'r cwpwl a'r ci. Ac mai carped byw o gynrhon a phryfed genwair gwynion, dall oedd y glaswellt mewn gwirionedd.

Hirsgwar golau, gwag sydd ar y mur rŵan, oherwydd yn gynharach cipiais y darlun oddi ar y mur a'i osod yng ngwaelod y wardrob efo'r lleill, pentwr ohonyn nhw erbyn hyn wedi hanner ei guddio gan gotiau a ffrogiau, pob un darlun a'i wyneb i lawr. Lluniau Hopper ydyn nhw i gyd, a dwi wedi bod yn eu hel nhw dros y blynyddoedd. Ro'n i'n arfer mwynhau eu tynnu nhw i gyd allan a'u gosod mewn trefn arbennig dros y gwely fel cwilt lliwgar, a gadael i'm llygaid grwydro'n hamddenol o un llun i'r llall. Y cwilt yma oedd fy albwm lluniau, fy llyfr lloffion, fy nyddiadur di-air, pob modfedd ohono'n dudalen wahanol a phob darlun yn

20

bennod. Weithiau, byddwn yn gadael i'm llygaid brancio drostyn nhw rywsut rywsut, gan adael i'r atgofion sibrwd yn yr aer o'm cwmpas fel hen ysbrydion.

Ond yn gynharach heddiw roedd yn rhaid i mi gau'r drws arnyn nhw a'u condemnio i dywyllwch llychlyd y wardrob.

Wedi dweud hynny, mi wnes i wthio llyfr am Hopper i mewn i'm bag ysgwydd, llyfr sy wedi byw ar y cwpwrdd wrth ochor fy ngwely ers . . .

Wel, mae o'n hen, hen ffrind, d'wedwn.

Portraits of America.

Ta-ta, llofft . . .

*   *   *

Dwi newydd glywed corn car yn canu.

'Wel, o'r diwadd . . .'

Dyna fo eto, wrth i mi wingo i mewn i'm côt newydd.

'Dwi'n mynd rŵan. Dwi'n mynd. Dwi *yn* mynd!'

Er bod y tŷ yn lân o'i dop i'w waelod, teimla'r aer yn dew ac yn llawn llwch. A blynyddoedd o ochneidiau trymion.

Ydw i'n gwenu? Ydw, yn ôl y drych, yn gwenu wrth blygu am fy mag ac yn gwenu fel giât wrth agor y drws ffrynt a chamu allan a'i gau ar f'ôl, a dof yn agos iawn at sgipio'n blentynnaidd wrth frysio ar hyd y llwybr tuag at y tacsi. A dwi newydd fy nghlywed fy hun yn chwerthin yn uchel wrth ddringo i mewn i'r sedd gefn, chwerthiniad bach meddw nad oes arnaf eisiau ei fygu 'run tamaid.

'Marian Hartley? The station, right?'

Mae'r gyrrwr hefyd yn gwenu – fy chwerthin, hoffwn i feddwl, wedi ei ysbrydoli.

Nodiaf yn eiddgar.

'Going somewhere nice then?' yw ei gwestiwn nesaf, wrth dynnu'i wregys diogelwch amdano.

'Oh, yes!'

Ond lle, dwi ddim am ddweud. Gigl fach arall cyn troi fy

21

wyneb oddi wrtho a sbio allan drwy'r ffenestr ar yr holl dai cyfarwydd yn llithro heibio. Un neu ddau o wynebau cyfarwydd hefyd. Dwi newydd weld un arall o drigolion dienw Coleridge Close yn hanner codi'i law wrth i mi hwylio heibio iddo fo, ei wep o'n bictiwr wrth sylweddoli mai fi ydi perchen yr wyneb hapus sydd yn serennu arno o sedd gefn y tacsi.

'Let's hope the weather improves for you.'

'Yes . . . I'm sorry, what? Oh, yes . . .'

Dwi'n gweld rŵan be sy ganddo fo: mae weipars y car yn crafu'n seimllyd dros wydr y ffenestr flaen. Erbyn meddwl, mae gen i frith gof o'r bore'n llyfu fy wyneb pan frysiais o'r tŷ. Ydi, mae hi wedi cau efo glaw mân; mae'r awyr yn llwyd-wen a'r toeau'n sgleinio'n llithrig, ac mae'r glaw i'w weld yn glir yn erbyn paent du pont y rheilffordd wrth i ni nesáu at yr orsaf.

'Actually, I was quite hoping it would rain today,' dywedaf yn dawel.

Mae llygaid y gyrrwr yn neidio i'r drych.

'It rained the last time, too, you know,' dywedaf wrtho. 'Very heavily.'

*   *   *

Rŵan, a ninnau bron iawn â chyrraedd yr orsaf, mae'r traffig wedi cynyddu'n aruthrol a dwi newydd ddal y gyrrwr yn rhegi dan ei wynt wrth i un o fysys melyn y ddinas yma dynnu allan o'i flaen yn ddirybudd.

Gwna'r melyn i mi feddwl am liw'r glaswellt yn *Cape Cod Evening*. Dychrynais go iawn, ben bore heddiw, pan ddiflannodd yr haul. Pan drodd y glaswellt yn y darlun yn . . .

Na.

Dwi ddim isio meddwl am hynny rŵan. Hen ffansi wirion.

Ond dyma ni, wrth yr orsaf fwy neu lai, a daw'r wên yn ei

hôl wrth i'r goleuadau newid i wyrdd wrth inni eu cyrraedd
. . . a diawl, dyma'r un peth yn digwydd eto . . . *ac eto*! – dair
gwaith, un ar ôl y llall, y coch yn troi'n goch a melyn, yna'n
wyrdd, a chwarddaf yn uchel gan guro fy nwylo, wrth fy
modd, pan welaf fan Securicor yn gyrru i ffwrdd wrth i ni
gyrraedd gyferbyn â'r brif fynedfa gan alluogi fy nhacsi i
gymryd ei le fel llaw yn llithro i mewn i faneg gyfarwydd.

Gwên fach gwrtais gan y gyrrwr wrth iddo ddringo allan.

Sori, ond dwi wedi ecseitio'n lân.

Sgrialaf innau allan ac aros iddo dynnu fy mag o'r bŵt.
Mae hwn yn haeddu tip, a rhoddaf un hael iddo a chwifio fy
mysedd arno'n chwareus wrth droi a cherdded oddi wrtho, i
mewn i'r orsaf. Mae gan fy nghês dillad olwynion a handlen,
a dilyna wrth fy sodlau fel ci ufudd. Dwi mor falch rŵan fy
mod i wedi bod yma ddoe: fasa gen i mo'r mynadd heddiw i
wyro fel garan o flaen un o'r ffenestri tocynnau yn siarad
drwy'r gwydr trwchus fel taswn i'n ymweld â rhywun ar
Death Row.

Mae gen i dros ddeugain munud i'w lladd – bendigedig.

Panad, felly.

Cappuccino, fel mae'n digwydd. Ond dwi'n gorfod
bustachu i eistedd wrth gownter uchel ar un o'r stolion
plastig 'na sy'n mynnu troi fel meri-go-rownd simsan o dan
ben-ôl rhywun.

Teimlais law fusneslyd yn cau am waelod fy mraich a'm
llonyddu.

'All right now?'

1969, os ydw i'n cofio'n iawn. Un o glasuron y band Free.
Unawd gitâr wych gan Paul Kossoff, mab David Kossoff (y
dyn bach straeon beiblaidd hwnnw) yng nghanol y gân. Dwi
wedi ffeindio, ers ddoe, fod y pethau rhyfeddaf yn dod yn ôl
i mi.

Ond pwy ydi'r brych yma?

Dyn ychydig iau na fi, rywle yn ei bumdegau hwyr, gyda chorun moelbinc a sbectol drwchus. Iddo fo, mae'n siŵr, y fi ydi'r ieuengaf ohonom ein dau. Mae'n gwisgo anorac oren, lachar, a gwelaf fod ganddo sach deithio gynfas, drom yn gorffwys yn erbyn y cownter wrth ei draed.

'That's our wonderful rail network for you. Not content with poisoning us with their coffee, they also have a go at breaking our necks. Dead passengers can't complain, you see.'

Mae o'n dal ei law allan rŵan, yn amlwg yn disgwyl i mi ei hysgwyd.

'Reg Lawrence,' medd y brych.

O'r arglwydd . . .

A! Ysbrydoliaeth . . .

'Maggie Smith,' meddaf wrtho, gan gyffwrdd ei law â blaenau fy mysedd.

Ddylai rhai pobol ddim gwenu, a dyma i ni enghraifft berffaith. Alla i ddim sbio ar ei ddannedd melyn o wrth iddo fo ddweud:

'Really? Like the actress?'

Agoraf un bag bychan o siwgwr brown a'i wagio dros ewyn y cappuccino wrth ei ateb.

'Also, I daresay, like a great many other women who happen to be named Margaret Smith.'

Dydi o ddim yn siŵr iawn sut i ymateb i hyn, yr hen Reg; mae'r wên felen wedi llithro rhyw fymryn. Gwenaf innau rŵan hefyd, ond yn swta-gwrtais, gwên fach dynn a ddylai ddweud wrtho'n ddigon plaen nad oes ar Margaret Smith eisiau eistedd yma'n gwamalu efo fo. Os oedd o wedi fy ngwylio'n brasgamu i mewn i'r orsaf, yna mi welodd o wên wahanol iawn yn goleuo fy wyneb. Gwên a gipiodd ei sylw, a'i ffansi. Gwên dynes yn yr haul. Mae'n siŵr ei fod o wedi gwylio pob un o'm camau hyderus, bod ei lygaid wedi fy nilyn wrth i mi archebu a thalu am fy nghoffi. Rŵan, mae o'n methu'n glir â dallt lle'r aeth yr holl sirioldeb cynnar hwnnw, pam fod y ddynes hwyliog hon wedi troi'n dalp o rew ac yntau ond wedi cyffwrdd â'i braich er mwyn ei harbed rhag gwneud ffŵl go iawn ohoni ei hun drwy syrthio fel dynes feddw oddi ar ei stôl.

Gallaf deimlo'i lygaid arnaf wrth i mi gusanu ewyn y cappuccino, fel tasa fo'n disgwyl i mi ailgynnau'r sgwrs drwy ganmol neu feirniadu'r coffi. Wrth gwrs, wna i mo'r ffasiwn beth. Cymeraf sip arall cyn dodi'r mŵg i lawr yn ofalus ar y cownter, a sbio o gwmpas yr orsaf fel un sydd â'i meddwl ar bob mathau o bethau pwysicach na'r sawl sydd yn hofran yn ddisgwylgar ddim ond ychydig fodfeddi i'w chwith.

Unrhyw eiliad rŵan . . . unrhyw eiliad . . . a! – dyna fo, sŵn neilon rhad yn ryslan wrth i Reg Lawrence droi oddi wrtha i ac ailgydio yn ei bapur newydd.

Dwi eisiau gwenu eto, ond well i mi beidio rhag ofn iddo ddigwydd fy ngweld a dechrau malu awyr efo fi eto. Ond doedd y frawddeg yna a'i lloriodd o wedi llithro'n berffaith oddi ar fy nhafod? Pob un gair, pob sill, wedi'u hynganu'n hollol glir, a'r tôn a'r pwyslais yn taro deuddeg. Yn union fel taswn i wedi bod yn ei hymarfer ers wythnosau. Basa unrhyw gynulleidfa wedi chwerthin a chymeradwyo'n iach petai hi wedi cael ei dweud ar lwyfan, ac fe fyddai wedi'i chymharu â mynegiant chwerw Bette Davis a Tallulah Bankhead yn adolygiadau'r wasg.

* * *

Mi fydda i'n siarad hen ddigon heno 'ma. Dyna un rheswm pam nad oes gen i'r un bwriad, heddiw, o gynnal unrhyw fath o sgwrs efo Reg Lawrence na neb arall. Yn enwedig sgwrs ystrydebol dau ddieithryn mewn gorsaf – lle rydym yn mynd, pam a beth yw ein cynlluniau ar ôl cyrraedd, a phryd fydd yn rhaid i ni ddychwelyd at ein bywydau bach diflas.

Ofnadwy o beth fasa sgwrsio efo hwn, dim ond er mwyn bod yn gwrtais, a chael ar ddeall ei fod o'n pasa dal yr un trên â mi, ac yn mynd i'r un lle, yr holl ffordd.

Mi wnes i joban reit dda, dwi'n meddwl. Dwi newydd sbecian arno fo rŵan, ac mae o'n eistedd efo'i gefn oren ataf, yn amlwg wedi llyncu clamp o ful.

Ardderchog.

Dwi wastad wedi mwynhau'r cyflwr hudol hwnnw o fod yn anhysbys sydd i'w gael mewn meysydd awyr a gorsafoedd rheilffordd, ac yn tueddu i fod yn ddiamynedd efo'r bobol hynny sy'n mynnu ei chwalu'n rhacs jibidêrs drwy fwydro a mân siarad. Mi fydda i'n mwynhau eistedd efo fy mhanad a gwneud dim ond gwylio pobol yn mynd o gwmpas eu pethau.

Mae'n braf cael gwneud hynny rŵan: gadael i'm llygaid grwydro'n araf drwy'r orsaf, dros yr oedwyr a'r crwydriaid, y grwpiau, yr unigolion a'r rhai unig, y cariadon a'r ffrindiau a'r cyplau priod. Mae'r adeilad fel un cylchgrawn anferth – rhywbeth i'm difyrru dros banad, ond hefyd rhywbeth y gallaf ei adael ar ôl pan ddaw'r amser i minnau godi a cherdded i ffwrdd, yn un o'r dyrfa fy hun ac efallai – pwy a ŵyr? – yn cael fy ngwylio yn fy nhro gan rywun tebyg i mi.

A rŵan mae'r amser hwnnw wedi cyrraedd, yn greulon o gyflym. Ac ydi, *mae* Reg wedi pwdu, oherwydd mae o newydd fynd allan efo'i sach deithio ar ei gefn heb hyd yn oed sbio arna i, y diawl annymunol iddo fo, efo'i hen drwyn yn y gwynt.

'Wel, "ti-di" iddo fo felly, yndê, Marian?'

'Ia, Nain. Ti-di iddo fo.' Saib fechan, bryfoclyd, yna: 'Twll 'i d . . .'

'A-a!' meddai Nain ar fy nhraws.

Chwarddaf wrth godi a chydio yn fy mag, a'i chychwyn hi o'r lle panad. Ac ro'n i'n iawn: mae sawl un yn fy ngwylio'n cerdded tuag at fy nhrên; gallaf deimlo'u llygaid yn fy nilyn drwy'r orsaf, drwy'r giatiau ac ar hyd y platfform lle erys y trên amdanaf. Mae'n gymharol wag hefyd, diolch byth, ond tybed faint o amser sydd gennyf cyn i'r seddau o'm cwmpas fod wedi'u llenwi? A chyda sut bobol, ys gwn i? Mae fy mag yn ffitio'n dwt yn yr ystorfa, a dewisaf sedd sydd yn wynebu'r tu blaen. Does yna ddim golwg o'r anorac oren yn unman.

Mae'n hen bryd rŵan i mi dynnu fy nghôt, ac wrth i mi wneud hynny rhy'r trên herc fechan a chychwyn yn araf o'r orsaf wrth i ddyn bach pwysig ymddangos wrth f'ochr a gofyn am gael gweld fy nhocyn. Gwenaf arno a chael gwên fach nerfus yn ôl, fel petai hwn heb arfer gweld pobol yn gwenu.

Dwi wedi cychwyn.

Plygaf fy nghôt a'i rhoi ar y sedd wrth f'ochor. Côt law ddu, loyw sydd yn swishian yn uchel wrth i mi gerdded. Mi ges i goblyn o drafferth cael hyd iddi ddoe, a dod yn agos iawn at dorri fy nghalon wrth grwydro o un siop ddillad i'r llall a gweld yr un olwg loaidd yn dŵad dros wynebau'r genod hanner pan yna sy'n addurno'r siopau swnllyd yma'r dyddiau hyn. O'r diwedd cefais hyd i siop fach dywyll mewn stryd gefn – siop sydd, yn ôl ei broliant, yn arbenigo mewn dillad mwy 'esoterig'.

Esoterig o ddiawl.

Dydi hi ddim yn union be ro'n i ei heisiau – yn cyrraedd at waelodion fy nghluniau yn hytrach na'u topiau – ond mae'n weddol agos. Prynais bâr o jîns duon yn yr un siop. Roedd gan y ferch lympiau o fetel yn sownd yn ei gwefusau, ei ffroenau a gwaelodion ei chlustiau, ac wrth drio'r jîns mewn ciwbicl bach cul efo cerddoriaeth esoterig (wrth gwrs) yn uchel o'm cwmpas, cefais ffit o'r gigls wrth feddwl am ei mam neu ei chariad neu bwy bynnag yn dal magned cryf i fyny pan oedden nhw eisiau iddi ddŵad atyn nhw.

Ond, rhaid dweud, mae'r gôt yn swishian yn fendigedig wrth i mi gerdded, gystal â'r hen un bob tamaid. Ac mae'r jîns yn edrych yn dda amdana i hefyd. Mae mor braf cael gwisgo rhai.

Yn yr un stryd gefn, dywyll deuthum o hyd i siop faco – yno fel tasa hi wedi cael ei gwthio i'r man hwnnw o olwg y byd. Yno y prynais baced o sigaréts Gitanes – rhywbeth nad ydw i wedi'i wneud ers . . . wel, mi ges i newid o hanner coron y tro diwethaf i mi brynu rhai. Dwi ond yn gobeithio na fydda i'n sâl fel ci ar ôl tanio'r un gyntaf, a difetha pob dim.

* * *

'It was as if a curtain had fallen, hiding everything I had ever known. It was almost like being born again.'

Dwi newydd ddweud hynna'n uchel. Hynny ydi, clywais lais rhywun yn adrodd y ddwy frawddeg yna a sylweddoli mai fi fy hun oedd wrthi. Mae'n eitha peth nad oes 'na neb yn eistedd o'm cwmpas.

Ond dwi ddim wedi meddwl am y geiriau yna ers blynyddoedd. Dwi'n rhyfeddu fy mod i'n dal i'w cofio. O nofel Jean Rhys, *Voyage in the Dark*, maen nhw'n dŵad – llyfr oedd gen i yn fy mag ddeugain mlynedd yn ôl. Hwnnw a *Portraits of America*, wrth gwrs. Roedd gen i un arall hefyd, ond ar y foment alla i ddim yn fy myw â chofio beth oedd o. Dim ots; mi ddaw o'n ôl i mi yn hwyr neu'n hwyrach. Mi ddaw pob dim yn ôl heddiw, dwi'n gwybod, efo'r niwl yn teneuo o'u cwmpas nhw fel mwg o hen drên stêm mewn ffilm ramantus.

* * *

Mae'r trên yma wedi dechrau cyflymu rŵan. Drwy'r ffenestr gwelaf aceri o iardiau seimllyd a hyll, a chefnau tai hyllach fyth, ac mae'r glaw yn gadael streipiau gorweddol ar y gwydr. Hyd yn oes os ydach chi'n ymweld â dinasoedd harddaf y byd, mae'n rhaid i chi weld yr hagrwch yma os ydach chi'n teithio yno ar drên. Gerddi cefn blêr a diolwg; ffenestri sydd mor ysglyfaethus nes bod rhywun yn diolch am fethu gweld i mewn trwyddyn nhw; pyllau dŵr duon a sinistr eu golwg efo Duw a ŵyr beth yn llechu dan eu hwynebau. Dillad llwydaidd yn hongian yn llipa . . .

O'r diwedd mae'r strydoedd cefn yn troi'n dai unigol, nes i'r tŷ olaf droi'n dŷ fferm. Mae'r llwydni'n troi yn wyrddni, a'r ceir a'r lorïau'n troi'n wartheg a cheffylau.

A dyma fi rŵan yn dechrau canu'n dawel:

> To everything – turn, turn, turn,
> There is a season – turn, turn, turn,
> And a time to every purpose under heaven.

The Byrds.
1965.

Compartment C, Car 293, Edward Hopper, 1938

Dengys y stribyn awyr sydd i'w weld drwy ffenestr y trên fod yr haul un ai'n codi neu yn machlud: amhosib yw dweud ai tua'r dwyrain ynteu tua'r gorllewin yr ydym yn edrych.

Cawn y teimlad fod y trên yn llonydd – wedi aros mewn gorsaf fechan wledig, efallai, neu o leiaf fod y trên yn symud yn ddigon araf i wneud i'r olygfa tu allan i'r ffenestr edrych fel darlun. Yn y cefndir mae coedwig a bryn, ond dim ond eu siapau tywyll sydd i'w gweld dan yr awyr oren yr adeg yma o'r dydd. O'n blaenau mae pont garreg fechan, fel bwa dros afon wen a bas ei golwg. Lle braf i gael picnic neu i bysgota am frithyll, fe deimlwn, neu ddim ond i eistedd efo'n traed yn y dŵr yn codi llaw yn ddiog ar y teithwyr yn y trenau.

Ond cefndirol yn unig yw'r olygfa yma, oherwydd merch ifanc benfelen yw prif destun y darlun hwn. Yn wir, nid yw hi'n cymryd unrhyw ddiddordeb yn y bont na'r afon na'r awyr oren, sy'n gwneud i ni feddwl ei bod wedi'u gweld droeon yn barod. Eistedda yng nghornel ei sedd – y gornel bellaf oddi wrth y ffenestr – gyda'i choesau wedi'u croesi a'i sylw wedi'i hoelio ar y llyfr sydd ganddi ar ei glin. Os llyfr hefyd. Efallai mai ffeil o ryw fath sydd ganddi – rhywbeth proffesiynol, swyddogol hyd yn oed, oherwydd mae rhagor o bapurau ar y sedd wrth ei hochr, a llyfryn glas sydd yn edrych fel llyfr nodiadau.

Mae gormod o wyrddni yn yr adran yma o'r trên, gormod o lawer: gwyrdd yw'r sedd, y carped, y paent ar y muriau a'r nenfwd, a hyd yn oed y gysgodlen ar y ffenestr. Ond mae'r wraig ifanc mewn glas. Ffrog las at ei phengliniau, a het las yn taflu'i chysgod dros ei hwyneb. Mae gan hon steil, steil Ingrid

Bergman-aidd, a hoffem petai hi'n codi'i phen a dangos ei hwyneb i ni'n llawn, oherwydd teimlwn yn gryf fod yma harddwch sydd yn cyd-fynd â'r steil. Yn sicr, mae ei chorff fel corff model: ei choesau'n siapus a'i bronnau'n llawn dan ei ffrog.

Ydi hi'n briod? Ydi, neu o leiaf mae hi wedi dyweddïo, oherwydd drwy graffu gallwn weld awgrym o fodrwy ar y bys priodas sydd bron iawn o'r golwg dan dudalen agored y ffeil ar ei glin. Mae ei llaw dde'n gorffwys ar y sedd wrth ei hochr, wrth ei chlun, ac o'r golwg o dan weddill y ffeil. Rhwng ei bysedd, hwyrach, mae beiro yn taro rhythm bach tawel ar y papur arall hwnnw sydd yn cael ei ddal rhag llithro oddi ar y sedd gan gornel y llyfr nodiadau.

Na, does gan hon mo'r amynedd na'r awydd i edrych allan drwy'r ffenestr nac ychwaith i fyny arnom ni. Mae ganddi ddiwrnod llawn o waith o'i blaen – ia, mae'n rhaid mai ben bore yw hi yn hytrach na diwedd y dydd, oherwydd mae'r ferch yn rhy drwsiadus i fod eisoes wedi gwneud diwrnod o waith.

Ac rydym yn falch mai'r wawr sy'n torri y tu allan i'r ffenestr, oherwydd fe wyddom y bydd y ferch yn cau'r ffeil cyn bo hir, yn cadw'i beiro a'i phapurau a'i llyfr nodiadau, ac o'r diwedd yn codi'i phen a dal ei hwyneb i fyny i oleuni'r haul.

Norwich i Drebedr, 4 Medi 2005

Faint o amser sydd yna ers i ni adael Norwich? Deng munud? Ia, ar y mwyaf. Ond eisoes mae'r trên yn arafu gan ochneidio'n hir ac ymostyngol. Edrychaf o'm cwmpas a gweld y sŵn yn cael ei adlewyrchu ar wynebau fy nghyd-deithwyr. Gwelaf ambell i wefus yn tynhau, aml i ben yn cael ei ysgwyd a thua phymtheg watsh yn derbyn sylw chwim. Teithwyr rheolaidd ydyn nhw, dwi ddim yn amau, wedi hen arfer â phenderfyniad rhwydwaith y rheilffyrdd i wneud eu bywydau mor anodd â phosibl.

Y fi ydi'r unig un sy'n sbio o gwmpas ychydig yn ddryslyd. Pam ydan ni wedi aros yma, ys gwn i? Dwi wedi darllen a chlywed am gyflwr truenus y gwahanol rwydweithiau, a baswn i wedi disgwyl cael moethusrwydd yr Orient Express am y pris a delais i ddoe am fy nhocyn. Sut goblyn mae pobol yn gallu fforddio teithio fel hyn yn rheolaidd – bob dydd, rai ohonynt? A sut maen nhw wedi llwyddo i wneud hynny cyhyd, gan dderbyn un gawod o newyddion drwg ar ôl y llall, heb godi mewn gwrthryfel a chrogi'r rheolwyr o'r pyst agosaf? Ia, iawn – mae Adran C, lle dwi'n eistedd rŵan, yn eithaf gwag ar y foment, ond byddaf yn gwylio'r teledu weithiau a gwn mai dim ond ffliwc ydi hyn a fy mod i'n lwcus iawn i gael sedd yn y lle cyntaf. Mae trenau'r Cyfandir a rhai America, deallaf, yn bethau cyfforddus, glân, tawel a phrydlon – ac yn gymharol rad hefyd. Mae'r staff yno'n gwrtais, a'r teithwyr yn cael eu trin fel pobol yn hytrach na heidiau o wartheg. Be sy'n *bod* arnon ni yn y wlad yma, deudwch? Rydan ni mor oddefgar nes ein bod ni'n ffinio ar fod yn llywaeth.

O – dyma ni'n symud eto . . .

Na.

Un herc fechan, a ffwl stop arall. 'For God's sake . . . !' medd rhywun o'r tu ôl i mi. Lle mae'r dyn bach pwysig hwnnw a ofynnodd am gael gweld fy nhocyn newydd i ni adael Norwich? Ond dim ond codi'i ysgwyddau'n ddi-hid a wnâi taswn i'n ei weld a'i holi. Lle ydan ni, beth bynnag? Yng nghanol nunlle, hyd y gwelaf. Cae gydag afon fechan yn byrlymu dan bont garreg, hynafol a llwyd. Caeaf fy llygaid a dychmygu fy mod yn gallu clywed y dŵr yn baglu dros y cerrig, ogleuo'r eithin sy'n tyfu yma ac acw ar lannau'r afon, a theimlo blaenau gwlybion y glaswellt yn anwesu gwaelodion fy nghoesau fel cusanau bach llaith.

Agoraf fy llygaid yn sydyn.

Dwi newydd gael y teimlad rhyfeddaf, ac wrth rythu allan drwy'r ffenestr teimlaf yn fwy a mwy sicr fy mod i wedi gweld yr olygfa yma o'r blaen. Ond hwn ydi'r tro cyntaf erioed i mi deithio ar y trên rhwng Norwich a Threbedr. Pam ydw i'n teimlo fel hyn, felly – bron fel taswn i i *fod* i weld y bont a'r afon a'r bryniau coediog yn y cefndir, fod y trên wedi aros yma'n un swydd dim ond er mwyn i mi sbio allan a'u gweld, a theimlo fel hyn?

Ac wrth i mi sbio, mae'r cymylau llwydion yn cau unwaith eto dros wyneb yr haul, a'r trên yn rhoi herc arall. Ymhen eiliadau mae'r bont a'r afon wedi llithro'n ôl o'r golwg.

* * *

O'm cwmpas mae rhagor o sbio ar watshys ac ysgwyd pennau, ac fel criw o gowbois yn estyn am eu gynnau mae nifer o'm cyd-deithwyr yn tynnu eu ffonau symudol o'u pocedi. Mae gen i un o'r rheiny yn rhywle: dwi'n meddwl mai yng nghwpwrdd bach dashbord y car y mae o. Dwi ddim yn credu fy mod i erioed wedi'i glywed yn canu. Llenwir yr adran yma o'r trên yn awr gan ddryswch o leisiau gwahanol yn dweud yr un peth, fwy neu lai, cyn i bob ffôn gael ei ddiffodd fesul un, a rhythm olwynion y trên dros y cledrau yn dod yn ôl i'r amlwg unwaith eto.

Ddeugain mlynedd yn ôl roeddan ni o leiaf yn gwybod *pam* fod y trên wedi methu mynd ymhellach. Roedd hi'n stido bwrw go iawn, nid rhyw wlybaniaeth tila fel sy'n poeri yn erbyn y ffenestri rŵan. Dwi'n ei gofio fo'n sgubo drostan ni i gyd wrth i'r trên hercian i mewn i Ddyfi Jyncshiyn, yn ymosod arna i wrth i mi gamu i lawr ar y platfform, y dafnau'n swnio fel cenllysg ar fy nghôt ac yn gwlychu fy nghoesau drwy ddefnydd fy jîns nes bod cnawd fy nghluniau'n pigo a chosi. Ei dwrw wrth iddo ddawnsio ar y platfform, ar do a ffenestri'r ystafell aros, a sŵn y môr y tu ôl iddo fel tasa fo'n ei annog. Arogl y dillad gwlybion, arogl a blas y Gitanes, yna blas y gwin a'r brechdanau letys ac wy.

A'r trên yn ochneidio fel morfil oedd wedi'i olchi i'r lan ar draeth digroeso. Fel morfil mawr du yn y tywyllwch . . .

Porthmadog, 1946

. . . fel y bwystfil oedd wedi llyncu Taid. Hwnnw oedd rŵan yn bytheirio'n fodlon gan boeri gwreichion a mwg i bob cyfeiriad.

Dechreuais strancio'n afreolus.

'Argol, be ydi'r matar efo'r hogan fach?' clywais un llais yn dweud.

'Marian?' meddai llais Mam.

Mwncïais i fyny corff fy nhad. Dywedodd droeon, wrth adrodd y stori wedyn, fy mod wedi dŵad yn agos iawn at ei dagu wrth gau fy mreichiau mor dynn am ei wddf.

'Marian?' meddai. 'Be sy, pwtan?'

Ond ro'n i wedi claddu fy wyneb yng ngwddf Dad ac roedd yn rhaid i Mam fynd a sefyll y tu ôl iddo er mwyn siarad efo mi. Cafodd gryn drafferth i'm perswadio i fentro

sbecian arni dros ysgwydd Dad, a mwy o drafferth deall beth
oedd yn bod arna i.

'Dwi isio mynd adra,' dwi'n cofio dweud.

Mae gennyf frith gof o allu gweld Moel y Gest yn y cefndir
efo'r awyr yn las, las y tu ôl iddo, a nifer o wynebau dieithr
yn sbio arna i, yn chwerthin ac yn gwenu. Ond mae bron pob
wyneb yn ddieithr i blentyn tair oed, ac ro'n i'n flin efo nhw
i gyd am wenu fel hyn a Taid newydd gael ei lyncu.

'Dwi isio mynd adra.'

Gallwn glywed y bwystfil yn hisian yn uchel y tu ôl imi.

'Ond ma' Taid yn tshampion!' chwarddodd Mam. 'Yli,
dacw fo . . .'

Gwrthodais â'i chredu.

'Marian, mae o'n codi'i law arnat ti. Drycha. Tro hi rownd,
Gwil, wnei di, iddi gael gweld Dad.'

Dechreuodd Dad droi.

'Na . . .!'

Gwnes fy ngorau i wimbladu i mewn i'w ysgwydd wrth
iddo droi nes fy mod i bellach yn wynebu'r injan stêm. A
dyna lle roedd Taid, yn sefyll yn y caban ac yn wên o glust i
glust wrth godi'i law arna i. Dringodd i lawr ac yn ôl i fyny
ac yna i lawr eto, sawl gwaith, fel io-io, nes i mi ddechrau
derbyn o'r diwedd ei fod o'n iawn. Daeth ataf, a dwi'n cofio
cyffwrdd â'i ofyrôls a'i siaced ddenim feddal, yn ogleuo fel
arfer o olew a mwg, a'i ben solet a chynnes o dan ei gap lein.

Yna gwenais.

Mae fy nghof yn mynnu bod nifer fawr o bobol ar
blatfform stesion Port y diwrnod hwnnw, a'u bod nhw i gyd
wedi dechrau cymeradwyo'n uchel pan wenais i ar Taid, a
bod Dad wedi fy nghodi'n uchel fel pêl-droediwr yn dal
cwpan yr FA, er mwyn i mi fedru troi'n araf yn ei ddwylo, yno
yn yr haul, a gwenu arnyn nhw i gyd fesul un.

Norwich i Drebedr, 4 Medi 2005

'Roedd gen ti wên fach fendigedig pan oeddat ti'n fach.'

Felly roedd pawb yn dweud – gyda'r awgrym pendant, wrth i mi dyfu'n hŷn, fod y wên wedi hen ddiflannu am byth gan adael golwg ddigon surbwch ar ei hôl. Welais i mohoni erioed: gwgu fel hen bregethwr Methodistaidd cul ydw i yn y llun stiwdio swyddogol ohonof yn fabi. Chafodd fy rhieni mo'u camera eu hunain – 'Box Brownie' mewn cas cynfas brown a gwyn – nes bod fy wyneb wedi newid ei siâp, a'r wên bellach yn un ansicr a swil.

Roedd y 'wên fach fendigedig' honno wedi mynd am byth.

Fel y cymeradwyo.

Am flynyddoedd credwn mai'r wên a sbardunodd y cymeradwyo.

Ond na. Y cymeradwyo a ddenodd y wên.

* * *

Dychwelodd yr haul yn aml dros y blynyddoedd, ond heb y cymeradwyo. Efo'r glaw y deuai hwnnw: os oedd hi'n bwrw'n anghyffredin o drwm, swniai'r glaw ar y to fel miloedd o ddwylo'n curo yn erbyn ei gilydd. Ond wrth gwrs, doedd yna ddim haul pan ddigwyddai hynny, dim haul i'm goleuo wrth i mi foesymgrymu gerbron fy nghynulleidfa addolgar.

Dechreuais roi'r gorau i'r moesymgrymu wrth dyfu'n hŷn, ond ro'n i'n dal i fwynhau sefyll yn yr hirsgwar cynnes a ddeuai drwy ffenestr fy llofft ar foreau heulog. Dysgais pa mor braf ydi sefyll yno'n noeth, yn gwasgu'r carped efo bodiau fy nhraed wrth deimlo'r haul yn fy ngoglais drwy'r gwydr.

Doedd yna ddim carped ar gyfyl llawr ystafell aros Dyfi Jyncshiyn, wrth gwrs. Ond pan ddeffrais i'r bore hwnnw ddeugain mlynedd yn ôl a gweld yr haul yn llifo i mewn drwy'r ffenestr fach fudur honno, fe'm datglymais fy hun

36

oddi wrth gorff swrth cyw athro a mynd a sefyll ynddo, fy mhen yn ôl a'm llygaid ar gau.

Troais yn araf yn y cynhesrwydd a'i ddal yn rhythu arnaf. Deuthum yn agos iawn at foesymgrymu. Efallai'n wir y baswn wedi gwneud hynny tasa'r cyw athro ddim wedi edrych i ffwrdd yn frysiog.

Y fo oedd yr un swil, nid y fi. Cochodd John Griffiths at ei glustiau.

Ond yna diflannodd y golau a'r cynhesrwydd wrth i besychiad ddŵad o'r tu allan a difetha pob dim.

'Y ffycin hŵr!' meddai Maldwyn.

A rhoes slap galed i mi, reit ar draws fy wyneb.

* * *

Dwi'n siŵr, taswn i'n codi rŵan a mynd i'r lle chwech, y baswn i'n gweld olion ei fysedd yn goch ar fy ngrudd. Gallaf deimlo'r croen yn llosgi.

Maldwyn . . .

Roedd o wedi gyrru'r holl ffordd o Borthmadog i Ddyfi Jyncshiyn, ar ôl fy ngwylio i'n mynd ar y trên yn Port. Duw a ŵyr pryd y cychwynnodd o, na phryd y cyrhaeddodd o Ddyfi Jyncshiyn chwaith, na be yn union welodd o drwy ffenestr yr ystafell aros. Welodd o ddim caru yn sicr – roedd hynny wedi digwydd oriau ynghynt. Ond mae'n siŵr ei fod o wedi gweld dau gorff noeth yn gorwedd ynghlwm yng ngoleuni haul y bore bach. Efallai hefyd ei fod o wedi fy ngweld i'n codi a chofleidio'r haul, ac yn anwesu cnawd fy mol lle roedd rhywfaint o had John Griffiths wedi'i gremstio ers y noson cynt.

'Haia, John Griffiths.'

Ro'n i'n teimlo mor dda pan ddywedais hynny, wedi hoffi'r ffordd roedd o wedi cochi ar ôl i mi ei ddal o'n rhythu arna i. Ond yna daeth y pesychiad fel sgrech ddirdynnol. Wedi i Maldwyn fynd, cefais gip arnaf fy hun wedi fy adlewyrchu yn ffenestr y trên a meddyliais fy mod yn sbio ar hen ddynes, fel petai pedwar degawd wedi gwibio heibio mewn un noson. Edrychwn fel hen gadach oedd wedi cael ei orddefnyddio. A phan euthum yn ôl i mewn i'r ystafell aros, dechreuodd y cyw athro brotestio mai neithiwr oedd ei 'dro cyntaf' o, fel taswn i wedi cipio rhywbeth gwerthfawr oddi arno a'i dorri'n deilchion ar lawr yr ystafell aros.

A 'ffycin hŵr!' ddywedodd Maldwyn, a rhoi slasan i mi ar draws fy wyneb.

* * *

Mae hen gariadon fel fampirod, yn tydyn? Maen nhw'n aros yn ifanc, go damia nhw, tra bo pawb arall – yn enwedig chi eich hun – yn heneiddio a chrebachu; maen nhw'n parhau yn fythol wyrdd yn eich cof tra bo'ch tlysni chi'n gwywo a disgyn fel dail oddi ar frigau coeden.

Mae gwallt John Griffiths, felly, yn dal yn ddu ac yn drwchus, ei ysgwyddau'n syth a'i stumog fel bwrdd smwddio, a'i lais eto i gael ei grasu gan y blynyddoedd. Am yr hogyn ifanc hwnnw y bydda i'n chwilio heno yn Nyfi Jyncshiyn, er fy mod i'n sylweddoli mor hurt ydi hynny mewn gwirionedd.

Hwyrach y bydd o wedi clywed fy nghôt yn swishian wrth i mi gerdded ar hyd y platfform. Bydd yn troi'n araf a'm gweld yn dŵad tuag ato, a baswn i wrth fy modd tasa fo'n cochi at ei glustiau.

'*Haia, John Griffiths. Haia unwaith eto.*'

Ac yna mi fydd yn amser perfformio'r ddrama. Fy nrama i, a fi ydi'r dramodydd, y gyfarwyddwraig a'r seren. Mae'r sgript gen i yn fy mhen, wedi'i hailsgwennu a'i thrydydd-sgwennu a'i hymarfer mewn sibrydion drwy'r holl nosweithiau di-gwsg hynny y bûm i'n trosi a throi trwyddyn nhw.

Ac enw'r ddrama ydi *Morning Sun on a Cape Cod Evening*.

Alla i ddim gwitshiad.

Do'n i ddim wedi bwriadu gwastraffu llawer o amser yn meddwl am John Griffiths. Fy mwriad, pan ddringais ar y trên yn Nyfi Jyncshiyn i fynd i'r Amwythig y bore hwnnw, oedd ei wthio i gwpwrdd yng nghefn pellaf un fy meddwl a chau'r drws arno'n glep bob tro y byddai'n bygwth brathu'i ben allan ohono. Ond doedd ar y mwnci ddim eisiau aros y tu mewn i 'run cwpwrdd. Fel rhyw fath o Houdini, dihangodd ohono ymhen dim – funudau ar ôl i'r trên gychwyn o Ddyfi Jyncshiyn. Rhuthrodd yn wyllt drwy fy meddwl, fel ysbeiliwr aflafar a chwantus. Caeodd ei geg ryw fymryn ar ôl i mi gyrraedd Llundain – pen y daith y diwrnod hwnnw – fel tasa rhuthr a maint y ddinas wedi torri rhyw gymaint ar ei grib: wedi'i ddychryn, hyd yn oed, a'i anfon i chwilio am loches y tu mewn i'w gwpwrdd efo'i gynffon rhwng ei goesau.

Ond yn raddol dechreuais ei glywed yn gweiddi arnaf o'r ochr arall i'r drws, yn galw f'enw efo'i lais yn wan ac yn fregus, rywsut, fel tasa fo'n cael ei gario ataf gan wynt y mynydd. Ac wrth i heddiw nesáu, doedd ond eisiau iddo fo sibrwd f'enw i mi neidio'n wyllt o'm hanner cwsg. Mae un sibrydiad wedi bod yn ddigon i'm cadw ar ddihun am oriau, yn symud o lyfr i lyfr, yn darllen, darllen, darllen, nes i gwsg ddŵad o'r diwedd.

Hyd yn oed wedyn, mae o wedi gallu sleifio i mewn i'm breuddwydion, weithiau ddwy neu dair noson yn olynol. Deuai pan chwyddai'r môr o'm cwmpas fel anghenfil mawr du, weithiau dim ond ei law oedd yno yn fy nhynnu allan o'r dŵr . . . droeon eraill yn fy nhynnu i lawr, yn is ac yn is, drwy'r tywyllwch llonydd ac oer.

Weithiau, hefyd, does yna ddim golwg o'r môr yn fy mreuddwydion. Dyma pryd y bydd cusanau John Griffiths yn dawnsio fel glöynnod byw dros fy nghorff, o'm gwddf i lawr i'm sodlau, a dyma pryd y bydda i'n deffro efo'r gwlybaniaeth rhwng fy nghluniau a blas yr heli'n dew ar fy nhafod a'm gwefusau.

* * *

Ia, amdano fo y bydda i'n breuddwydio bob tro. Byth am yr hen Faldwyn druan. Mae Maldwyn wedi aros yn ufudd yn ei gwpwrdd, gan ddŵad allan dim ond pan gaiff ei wahodd – a dydi hynny ddim wedi digwydd yn aml iawn dros y blynyddoedd.

Do'n i ddim wedi disgwyl iddo fy nharo y bore hwnnw yn Nyfi Jyncshiyn. Na'm rhegi chwaith – Maldwyn, a edrychai o'i gwmpas yn euog pan lithrai ambell i 'ddiawl' neu 'flydi' prin o'i geg. Llamodd oddi wrthyf wedyn a meddyliais am eiliad ei fod o am ffrwydro i mewn i'r ystafell aros ac ymosod ar John Griffiths, ond aeth yn ei flaen ac allan tuag at y llwybr a arweiniai at Landyfi.

Welodd John Griffiths y slasan? Dyna un o'r pethau dwi eisiau eu gofyn iddo fo heno 'ma. Anodd oedd dweud pan ddychwelais i'r ystafell aros. Roedd o'n eistedd ar y fainc, wedi gwisgo amdano a thollti panad oer i mi o'i fflasg, a dwi'n cofio teimlo'n falch ei fod o wedi gwisgo: dwi ddim yn meddwl y baswn i wedi gallu wynebu ei noethni mor fuan ar ôl Maldwyn, a'm boch yn dal i losgi a'm dwylo'n dal i grynu.

Lle aeth Maldwyn wedyn? Dim ond pan o'n i ar f'ail drên y bore hwnnw y meddyliais amdano'n gyrru fel ffŵl yn ôl i Port er mwyn achwyn amdanaf wrth fy rhieni. A cheisio *peidio* â meddwl am beth fyddai wedi digwydd petai fy rhieni wedi penderfynu mynd i lawr i Ddyfi Jyncshiyn efo fo, a gweld yr hyn a welodd o.

Gweld eu merch a'i breichiau i fyny yng ngolau'r haul fel petai hi'n ei addoli. Yn hollol noeth. Yn ddigywilydd. Yn bowld.

A dyn hollol ddiarth, yntau hefyd yn noethlymun groen, yn gorwedd ar y llawr yn syllu arni.

Rŵan, dwi'n gallu gwenu wrth feddwl am y peth. Giglan yn uchel, hyd yn oed, gan beri i'r ddynes sy'n eistedd ddwy sedd i fyny oddi wrtha i droi a sbio arnaf yn ddryslyd. Ond ar y pryd roedd yn fy mhoeni gryn dipyn, dwi'n cofio, ac ro'n i'n swp sâl wrth feddwl am ffonio adref y noson honno.

A dyna oedd yr unig dro i Maldwyn greu unrhyw emosiwn ynof, ar wahân i syrffed. 'Mae o'n dipyn o gatsh,' meddai genod y swyddfa pan glywon nhw Maldwyn droeon yn gofyn i mi fynd allan efo fo, a phan ildiais iddo o'r diwedd roedd yn amlwg fod fy rhieni, hefyd, yn meddwl ei fod yn 'dipyn o gatsh'. Basa Maldwyn – o, ro'n i'n gallu darllen meddyliau'r ddau ohonyn nhw – yn gwneud byd o les i rywun fel y fi. Yn fy nofi, i bob pwrpas.

'Ma'n amlwg fod yr hogyn wedi mopio'i ben efo chdi,' gwenodd Mam, yn amlwg yn edrych ymlaen at fod yn fam-yng-nghyfraith i Maldwyn ac yn nain i ffrwyth ei lwynau. Oedd, roedd hi bron â thorri'i bol eisiau bod yn nain, wedi rhoi'r ffidil yn y to efo Sulwen, fy chwaer, sydd ddeng mlynedd yn hŷn na fi, ac a oedd erbyn y dyddiau hynny wedi hen ddiflannu'n hapus braf i mewn i geubal y Llyfrgell Genedlaethol.

Ond roedd fy nhad yn fwy gofalus. Roedd o'n fy nabod yn well, dwi'n meddwl, yn fwy cyfarwydd â'm styfnigrwydd nag oedd Mam, ac er ei fod o efallai'n cytuno bod Maldwyn yn 'gatsh', synhwyrai hefyd nad o'n i'n hoff iawn o'r syniad mai fi fyddai'r un i deimlo fel tasa hi wedi cael ei dal.

A rŵan, a finnau'n eistedd wrth fwrdd ar drên efo'm gên yn fy llaw a'm llygaid yn syllu heibio i'r glaw mân ar y gwyrddni a'r llwydni undonog yn cyrraedd a mynd, dwi'n ôl yn sièd Dad yng ngwaelod yr ardd gefn efo'm ffroenau'n llawn o arogl glo a choed a baco a pharaffîn. Rydym ein dau'n eistedd ar stolion pren go uchel, gan edrych braidd fel Val Doonican ac un o'i westeion ar fin canu deuawd. Ond smocio rydym, Dad a fi, yn nrws y sièd gan na chawn ni wneud hynny yn y tŷ – y fo efo'i Senior Service a minnau efo'm Gitanes, ac mae fy nghof yn trio dweud wrthyf mai noson go wyntog oedd hi oherwydd unwaith eto clywaf dincian prysur y gwifrau yn erbyn mastiau'r cychod yn yr harbwr, dim ond tua hanner canllath i ffwrdd o ble rydym yn eistedd yn smocio ac yn siarad.

'Ydi Maldwyn am alw amdanat ti heno 'ma?'

'Yndi, decini.'

'Lle'r ewch chi?'

'Dwn i'm. Nunlla arbennig, mwn.'

Ochneidia Dad, a rhoi chwerthiniad bach. 'Mari, Mari, rw't ti mor . . .'

'Be?'

'Dwn i'm. Mor . . . jest y chdi, yndê.'

Dewisaf gam-ddallt. 'Chwara teg, *does* 'na nunlla arbennig i fynd y ffordd hyn, yn nag oes?'

'Coliseum?'

'Ma'n well gin i fynd i'r pictiwrs ar ben fy hun.'

Mae Dad yn nodio ar hyn, wedi fy nghlywed yn ei ddweud droeon, a phlycio darn o faco oddi ar flaen ei dafod efo'i fys a'i fawd.

'Ers faint dach chi'n canlyn rŵan?'

Y fi sy'n ochneidio'n awr.

'Dad, 'dan ni ddim *yn* canlyn.' Meddyliaf am eiliad. 'Wel, *dwi* ddim, beth bynnag,' ychwanegaf gyda chwerthiniad swta.

'Ma' Maldwyn yn hen hogyn ddigon clên,' medd fy nhad, a rŵan mae'r sièd a'i haroglau i gyd yn llithro i ffwrdd oddi wrtha i a dwi'n ôl ar y trên i Drebedr oherwydd alla i ddim cofio sut gwnes i ymateb i hyn. Codi, mae'n siŵr, a diffodd fy sigarét yn yr hen dun baco Old Holborn cyn cychwyn yn ôl am y tŷ i newid ar gyfer noson arall eto fyth o . . .

. . . o ddyheu am gael bod yn ôl adra, ar ben fy hun yn fy llofft, un ai yn fy ngwely neu arno, yn darllen rwtsh a gwrando ar y radio. Oedd, roedd Maldwyn yn hogyn clên, ond dim ots pa mor hoffus oedd o, mi ddois i'n agos iawn at ei gasáu yn ystod yr wythnosau olaf yna adra. Ac ro'n i *yn* ei gasáu o y bore hwnnw yn Nyfi Jyncshiyn, ac ar y trên rhwng yr Amwythig a Llundain addunedais y baswn yn dweud wrth Dad iddo fy nharo.

Basa Dad yn hanner ei ladd o.

Ond fu dim rhaid i mi ddweud yr un gair, oherwydd ddywedodd Maldwyn ddim am yr hyn welodd o – a heblaw am gip arno yn angladd Mam dros ddeng mlynedd ar ôl hynny, welais i mohono fo wedyn. Priododd cyn ddiwedd y chwedegau.

Yn y cyfnod cyn imi adael Port i fynd i Lundain, dwi'n cofio Mam yn dweud, 'Mi wnest ti'n ddigon clir nad oeddat ti'i isio fo.' Do, ond roedd o'n dal yn gwrthod gwrando am hydoedd ar ôl i mi orffen efo fo. Daeth acw un noswaith a mynd ar ei liniau a gofyn i mi ei briodi. 'Ffyc off, Maldwyn,' ddywedais i wrtho, ond doedd hyd yn oed hynny ddim yn ddigon clir.

A mynnodd ddŵad i Ddyfi Jyncshiyn.

Llundain, 1965

Ro'n i ychydig yn bryderus felly pan gyrhaeddais Lundain o'r diwedd – cyrraedd cyn sylweddoli fy *mod* i wedi cyrraedd, ac mai rhai o faestrefi'r ddinas oedd y gorsafoedd bychain yna y gwibiai'r trên drwyddyn nhw am dros chwarter awr cyn cyrraedd go iawn.

Pobol.

Dyna'r peth cyntaf dwi'n ei gofio am y lle – pobol ym

mhob man. O bob lliw a llun, hefyd. Roedd yn rhaid i mi frysio at fainc ac eistedd arni. Ar ôl dim ond pum eiliad, roedd yn rhaid i mi gael fy ngwynt ataf. Caeais fy llygaid am eiliad a gwrando ar synau'r holl draed yn prysuro i bob cyfeiriad, a dwi'n cofio meddwl: fel hyn y basa afon sych yn swnio.

Ac roedd gan bob un smic ei adlais arbennig ei hun.

Roedd y nenfwd yn uchel, uchel a meddyliais am y Floral Hall yn y Rhyl, am ryw reswm. Oherwydd y sŵn, o bosib, a'r holl adar y to a cholomennod a wibiai'n ôl ac ymlaen uwchben y cannoedd, y miloedd a forgrugai oddi tanynt.

'Dwi *yma!*' dywedais . . . a mwyaf sydyn, doedd arna i ddim *eisiau* bod yma. Roedd y trên o'm blaen efo'i ddrysau i gyd yn llydan agored. Mor hawdd fasa codi oddi ar y fainc a chythru'n ôl i mewn i'r trên fel llygoden fach ofnus yn diflannu i mewn i'w thwll. Baswn i'n ôl adra yn Port erbyn amser gwely, gyda'm pethau i gyd o'm cwmpas a'r hen synau cyfarwydd, diniwed, hoff yn fy nghlustiau yn lle . . . *hyn.*

Be o'n i'n ei *wneud* yma, beth bynnag? Be o'n i'n *dda* yma?

'Dwi ddim yn perthyn yma,' sibrydais.

Yn fy mhoced roedd y papur decpunt a'r ddau bapur pumpunt roedd Dad wedi'u stwffio yno'n slei wrth fy nghofleidio ar blatffform stesion Port. Fy nghofleidio'n dynn, dynn. Rhywbeth nad oedd o wedi'i wneud ers blynyddoedd. Rhywbeth nad o'n i wedi gadael iddo'i wneud, y fo na Mam.

'O, Mari – rw't ti mor . . .'

'Be?'

'Dwn i'm. Mor . . . jest y chdi, yndê.'

Ac yna, yn ddistaw yn fy nghlust rhag ofn i Maldwyn glywed (oedd, roedd hwnnw yno'n hofran):

'Ma' isio sbio dy ben di.'

Codais oddi ar y fainc, cydio yn handlen fy mag a

44

cherdded i ffwrdd tua'r allanfa, fy nghôt yn swishian, swishian, swishian ar strydoedd y ddinas.

* * *

Wnes i erioed freuddwydio y baswn i'n profi'r ffasiwn hiraeth. Roedd yn rhan ohonof, o'r eiliad y cyffyrddodd blaen fy nhroed dde â'r platfform prysur hwnnw, wedi gweld ei gyfle pan giliodd John Griffiths a Maldwyn i gefn fy meddwl, ac yna wedi neidio amdanaf. O, roedd yna ofn hefyd, a swildod, a nerfusrwydd Gulliver yng ngwlad Brobdignag, ynghyd â'r teimlad afresymol fod pawb yn sbio arna i gyda chymysgedd o ddirmyg a difyrrwch, fel tasan nhwythau, hefyd, yn gofyn, 'Be ar y ddaear ma' *hon* yn dda yma?'

Ond yr hiraeth oedd y cryfaf. 'It was as if a curtain had fallen, hiding everything I had ever known,' meddai'r ferch ar ddechrau nofel Jean Rhys. Ond sylweddolais nad oedd gan hyn unrhyw obaith o fod yn wirionedd i mi. Efallai fod y llen wedi symud, ond ddim digon. Roedd bwlch go fawr o hyd rhwng ei waelodion a'r llawr. Bwlch digon mawr i weiddi 'chi' arno, fel basa Mam a Dad yn ei ddweud.

Drumnadrochit (Llundain), 1965

Y trafferth cyntaf gefais i oedd trio dallt map y Tiwb. Yn ôl y pishyn papur oedd gen i'n saff yn fy mhwrs, roedd angen imi fynd o Euston i South Kensington, a gallwn weld lle roedd fan'no ar y map. Gallwn weld Euston hefyd. Ond roedden nhw mewn gwahanol liwiau.

Be gythral oedd hynny'n ei olygu?

Sefais am rai munudau o flaen y map anferth, yn syllu arno'n llywaeth ac yn magu'r casineb mwyaf ofnadwy tuag at bawb arall oedd yn prysuro heibio – am y rheswm syml eu bod nhw i gyd yn amlwg yn gwybod lle roedden nhw'n mynd, a sut oedd mynd yno. I'm chwith roedd rhesaid o giatiau isel gydag **X** mawr, metel rhyngddyn nhw; er mwyn cael yr **X** yma i ddatgloi, rhaid oedd gwthio tocyn i mewn i safn un o'r giatiau, a'i blycio allan o'i phen-ôl wedyn ar ôl i'r **X** droi a'ch gadael trwodd. Gwelais ei bod yn bosib cael tocyn wrth un o'r ffenestri bychain, cul oedd i'r chwith o'r giatiau. Roedd hefyd yn bosib cael gwybodaeth – cael *help* – gan bwy bynnag oedd yr ochr arall i'r gwydr.

Yr ochr draw i'r giatiau roedd y grisiau symudol. Sefais am ychydig yn gwylio'r bobol yn diflannu o'r golwg i lawr un ac yn ymddangos fesul tipyn i fyny'r llall, eu hwynebau i gyd yn hollol ddifynegiant, hyd yn oed y rheiny oedd yn amlwg hefo'i gilydd: roedd o fel tasa bod ar un o'r grisiau symudol hyn yn eu parlysu nhw, ond unwaith roedden nhw wedi camu oddi arnynt, dychwelai'r bywyd i'w cyrff a'u hwynebau unwaith eto.

Ac o'r gwaelodion deuai sŵn rhuo pell ac ambell i awel boeth, anghynnes, fel tasa'r dyfnderoedd yn ffau i ryw anghenfil mawr, a meddyliais am yr injan drên honno a lyncodd fy nhaid yn stesion Port erstalwm.

Daeth y blinder mwyaf ofnadwy drostaf. Gwyddwn nad oedd y nerth gennyf i sefyll mewn rhes a thrio dallt pa bynnag wybodaeth a gawn gan yr Oracl Ddelffig anweledig yr ochr arall i'r ffenestr. Ofnais hefyd y baswn wedi dechrau crio taswn i'n ffeindio fy mod yn methu'n lân â gwneud unrhyw beth call efo'r wybodaeth honno.

Do'n i ddim eisiau mynd i lawr y grisiau yna i grio.

I'r dde i mi roedd yr allanfa a'r stryd, heulwen ac awyr dipyn iachach na'r un oedd yn aros amdanaf wrth waelod y grisiau. A phobol, a bysys, a thacsis. Byseddais yr ugain punt yn fy mhoced, ugain punt Dad.

* * *

'On holiday, love?'

'No. I live here.'

Sbiodd gyrrwr y tacsi arna i'n od, a do'n i ddim yn synnu

chwaith, chwarae teg iddo. Roedd o wedi treulio'r rhan fwyaf o'r daith o Euston yn dangos gwahanol lefydd enwog i mi, ac ro'n innau wedi eistedd yno'n nodio a gwenu. Ond roeddynt i gyd yn afreal, rywsut, fel taswn i adra yn y Coliseum yn eu gwylio nhw i gyd ar un o'r ffilmiau bach twristiaeth yna oedd yn aml yn cael eu dangos efo newyddion Pathe cyn y brif ffilm. Do'n i ddim yn teimlo fel fy mod i *yma*.

Ond yma ro'n i, fy nhraed bellach yn solet ar bafin Sussex Gardens ac yn gwylio'r tacsi'n gyrru i ffwrdd, y tu allan i Drumnadrochit, enw oedd yn ddigon hawdd i Gymraes fel y fi ei ddweud ond a barodd gryn drafferth i'r gyrrwr tacsi.

'I think it's Scottish,' dywedais. Ro'n i'n gwybod yn iawn mai enw Sgotaidd oedd o.

'Och aye,' atebodd y gyrrwr.

Cês.

Roedd hi'n braf, dwi'n cofio, a sefais am funud yn mwynhau'r haul ar fy wyneb efo'r teimlad fod holl law trwm y noson cynt wedi disgyn oes yn ôl. Fel sy'n gallu digwydd weithiau yng nghanol dinas brysur, roedd Sussex Gardens yn dawel a chysglyd. Tai uchel oedd o'm cwmpas, y rhan fwyaf ohonyn nhw'n westai bychain.

Yr enwog Sussex Gardens.

Dim ond am fod fy rhieni wedi clywed am y lle yr o'n i yma. Doedden nhw erioed wedi bod yma'u hunain, ond roedden nhw wedi clywed canmol mawr i nifer o'r gwestai gan wahanol bobol o Port oedd wedi aros yma – yn ystod gwyliau'r Diolchgarwch, am ryw reswm. 'Maen nhw'n gartrefol iawn, ac yn groesawgar,' meddai Dad, yr arbenigwr mawr. 'Ac ma' amryw ohonyn nhw â chysylltiadau Cymraeg,' cyfrannodd Mam.

O, *yippee*! dwi'n cofio meddwl pan glywais i hyn. Ond am unwaith aeth hi ddim yn ffrae acw, er fy mod i'n ysu am gael dweud mai'r peth olaf ro'n i ei eisiau oedd ail gartref, a minnau'n dŵad yma er mwyn trio creu bywyd newydd i mi fy hun. Ffycin Sussex Gardens, meddyliais yn chwerw yn fy ngwely'r noson honno, fy mhen yn llawn delweddau o ryw gocŵn bach o Gymreictod, rhyw Batagonia yng nghanol prifddinas Lloegr, efo'r llety'n cael ei gadw gan rhyw Fusus Jones oedd yn gyfnither i rywun neu'i gilydd a fyddai'n siŵr Dduw o fod yn nabod Dad a Mam yn dda, ac a fynnai fy llusgo i gapel neu glwb cymdeithasol Cymraeg a'm cyflwyno i sawl Maldwyn arall.

Aeth hi ddim yn ffrae oherwydd fy mod i wedi brathu fy nhafod. Ro'n i wedi blino ar ffraeo efo nhw erbyn hynny. Ond deallais fod ardaloedd mwy Cymreig byth i'w cael yn Llundain: baswn wedi gallu fy ffeindio fy hun mewn lle gwaeth o lawer taswn i wedi protestio a sbarduno fy rhieni i wneud rhagor o waith ymchwil.

'Drumnadrochit' . . .

Deallais wedyn mai pentref ar lannau Loch Ness yw Drumnadrochit, ac mai yno roedd hen gartref Mr McGregor, y perchennnog. Y fo a'm croesawodd – os mai dyna'r gair iawn. Roedd y drws pren, solet ar gau. Cenais y gloch. Oedd hi'n gweithio? Cenais hi eto, ond dim ond newydd roi blaen fy mys arni oeddwn i pan agorodd Mr McGregor y drws cyn i mi gael y cyfle i dynnu fy mys yn ôl; dyn eiddil ei olwg oedd o, yn fyrrach na fi o dipyn ac yng nghanol ei chwedegau. Dwi'n cofio meddwl am luniau ro'n i wedi'u gweld o Geronimo, o edrych ar ei wyneb crychiog, neu o'r bardd Gwenallt: wyneb hir a digalon yr oedd sawl bywyd caled wedi'i fynychu dros y blynyddoedd.

Oherwydd hyn, daeth ei wallt fel dipyn o sioc. Roedd o wedi'i dorri yn steil y Beatles a'i liwio'n annaturiol o ddu. Edrychai'r cyfan yn od ac anghyson, bron fel tasa'r dyn wedi'i wisgo mewn dillad hogyn o'r ysgol gynradd, fel Jimmy Clitheroe.

Yn lle hynny, roedd o wedi'i wisgo mewn digalondid – neu dyna'r argraff ges i. Ochneidiai'n aml fel tasa fo'n berchen ar ryw ofid cyfrin. Ches i ddim gwên o groeso, er bod ei eiriau'n ddigon clên. Fe'm holodd ynglŷn â'm siwrnai mewn llais trymaidd oedd ar yr un pryd yn llawn cydymdeimlad, gan wneud i mi feddwl am drefnydd angladdau'n siarad â pherthynas rhywun oedd ar fin rhoi'r rech olaf. Hwyrach mai hiraeth ofnadwy am adref sy gynno fo, meddyliais – 'pining for the glens', fel petai. Teimlais yn siŵr, taswn i'n dechrau hymian alaw 'The Skye Boat Song', y basa'r creadur yn beichio crio.

'This is the parlour,' meddai gan agor drws yr ystafell honno, ar y chwith wrth i chi ddod i mewn drwy'r drws ffrynt. 'As you can see, it has a television and a piano.' Fel tasa fo'n datgan bod y parlwr yn gartref i ddwy arch. 'And the books, of course.' Cefais gip ar silffoedd llyfrau yn y gornel, yn llawn o lyfrau clawr meddal. 'Borrow, read and then return, please. And should you buy any you have no further use for, we'll give them a good home.' Nodiais, gan sylwi wrth iddo gau'r drws fod yna arogl rhyfedd yn yr ystafell oedd yn f'atgoffa o'r olew clofs a rwbiodd Mam ar gig fy nannedd un tro pan ges i'r ddannodd, a bod copïau o *Monarch of the Glen* a *The Stag at Bay* Landseer ar y waliau.

Roedd f'ystafell ar y llawr uchaf. Gwisgai Mr McGregor drowsus tartan o'r un lliw coch â'r carped trwchus ar y grisiau a wnâi iddo edrych fel tasa fo wedi tyfu allan o'r carped. Dilynais ef i fyny, yn falch o adael iddo fo gludo fy mag; erbyn hyn roedd y gwin yr oeddwn wedi'i yfed y noson cynt efo John Griffiths, ynghyd â'r noson hwyr a chwsg annaturiol ar lawr caled ystafell aros Dyfi Jyncshiyn, wedi dechrau dweud arnaf. Teimlwn yn siŵr hefyd fod fy ngwynt yn drewi – do'n i ddim yn synnu ar ôl y gwin, yr holl sigaréts, a'r coffi uffernol yr oeddwn wedi'i yfed ar y trên – felly sefais yn ddigon pell oddi wrth Mr McGregor wrth iddo agor drws yr ystafell fel warden carchar yn datgloi cell y condemniedig.

Doedd hi ddim yn ystafell fawr iawn, ond roedd hi'n fwy nag ro'n i wedi'i ddisgwyl. Gwely sengl, cist ddroriau, cwpwrdd dillad, ac uwchben y gwely lun pen ac inc o ryw gastell Albanaidd ar lan llyn anferth. Wrth y ffenestr roedd bwrdd go nobl, a chwpwrdd bychan wrth ei ochr gyda theciall a chwpanau a ballu arno, ac roedd yna gadair bren galed i gyd-fynd a'r bwrdd. Roedd 'na hefyd gadair wiail las ac arni glustog mawr, melyn a meddal ei olwg. Roedd yr ystafell ymolchi a'r lle chwech, ochneidiodd Mr McGregor, ar y landin, efo digonedd o ddŵr poeth, felly doedd dim rhaid bwcio ymlaen llaw os oeddwn i'n teimlo fel cael bath – a phan ddywedodd o'r gair hwnnw, sylweddolais fy mod i bron â marw eisiau un. Os nad *angen* un.

Eisteddodd Mr McGregor ar erchwyn y gwely. Rhythodd ar y llawr a'i freichiau ar ei gluniau, gan gnoi ei wefus isaf. O blydi hel, be? meddyliais. Edrychai fel tasa fo'n chwilio am ffordd o dorri rhyw newyddion echrydus, ond yna dechreuodd restru'r hyn a alwai yn 'a few dos and don'ts, Marian, if you'll bear with me'. Y peth pwysig i'w gofio oedd nad y fi oedd yr unig un yma, a do'n i ddim i gadw twrw drwy chwarae fy radio'n uchel ac yn y blaen. Gwely a brecwast yn unig oedd yn cael ei gynnig yma, ond roedd croeso i mi ddefnyddio'r gegin fach i baratoi byrbryd neu frechdanau gyda'r nos – roedd bara a menyn cymunedol yn y bin bara a'r ffrij – ond i mi ofalu peidio â gadael unrhyw lanast ar f'ôl, ac ysgrifennu f'enw ar ba bynnag fwydydd roedd arna i eisiau eu cadw yn y ffrij.

'And I think that's it,' meddai. Meddyliodd am hyn, cyn nodio'n araf. 'Aye, that's the lot.'

Safodd gan rwbio cledrau'i ddwylo ar ei drowsus lliwgar

a sbio o'i gwmpas fel tasa fo newydd ddeffro a ffeindio'i fod o wedi cerdded yno yn ei gwsg. Yna trodd ataf.

'I hope you'll be happy here, Marian,' meddai mewn tôn a awgrymai mai gobaith gwan iawn oedd hwn. 'That is, we hope. Me, and Jenny. That's the wife. Mrs McGregor,' gorffennodd, bron fel tasa fo'n trio'i atgoffa'i hun pwy oedd y Jenny hon roedd o newydd ei chrybwyll. Edrychodd ar y gwely cyn smwddio'r eidardown lle roedd o newydd fod yn eistedd efo'i law, nodio a mynd allan gan gau'r drws yn ddistaw ar ei ôl.

'Wel,' dywedais eto, 'dyma fi . . .'

Eisteddais ar y gwely, lle bu pen-ôl tartan Mr McGregor eiliadau yn unig ynghynt, efo'm côt amdanaf o hyd a'm dwylo wedi'u plethu ar fy nglin. Roedd fy mag wrth y ffenestr, yr unig eitem gyfarwydd mewn ystafell hollol ddieithr. Roedd y tŷ yn llonydd o'm cwmpas fel tasa fo'n dal ei wynt yn disgwyl gweld beth fyddai'r hogan ryfedd hon yn ei wneud nesaf.

Yr hyn wnaeth hi oedd codi a mynd at y ffenestr. Dyma pryd y sylweddolais fod yr ystafell yng nghefn y tŷ. Cefnau adeiladau anhysbys oedd i'w gweld drwy'r ffenestr – swyddfeydd, tybiais, ac un adeilad hir, browngoch a edrychai fel bragdy o ryw fath.

Faint o'r gloch oedd hi? Ychydig wedi hanner dydd. Ddylwn i fynd allan, meddyliais. Echnos, adra, ro'n i wedi fy ngweld fy hun yn cyrraedd yma ac yn mynd yn ôl allan ar f'union, heb ddadbacio na dim byd, yn methu gwitshiad i gael bod yng nghanol 'Swinging London' a gweld yr holl lefydd oedd tan heddiw yn ddim ond stribedi piws, oren, melyn, coch, gwyrdd a glas tywyll ar y bwrdd *Monopoly* – do'n i ddim mor siŵr am y rhai glas golau a brown. Ond dyma fi rŵan yn teimlo'n gyndyn iawn o fynd i lawr y grisiau ac allan i'r stryd.

Teimlwn yn hytrach fel dringo i mewn i'r gwely a thynnu'r dillad dros fy mhen.

'Ty'd, hogan. Callia!'

Euthum am fath.

Y Merched yn yr Haul:

Morning in a City, Edward Hopper, 1944
Morning Sun, Edward Hopper, 1952
A Woman in the Sun, Edward Hopper, 1961

Anodd yw peidio â meddwl am y rhain fel merched unig. Mae hyn, wrth gwrs, yn wir am y mwyafrif o gymeriadau Hopper: os nad ydynt yn unig, yna maent yn ffigurau unigol wedi'u dal mewn ennyd o unigrwydd. Ond teimlwn unigrwydd y merched hyn yn gryfach, rywsut – dwy ohonynt yn sefyll yn noeth yn yr haul ac un mewn dim ond coban denau, yn eistedd ar ei gwely.

Mae'r tair dan do, rhwng muriau ystafelloedd digon llwm a digysur eu golwg. Ystafelloedd gwely yng ngwir ystyr yr enw: lleoedd i gysgu ynddynt, a fawr o ddim byd arall, ystafelloedd sydd ar eu gorau mewn tywyllwch. Dim ond mewn un darlun – *A Woman in the Sun* – y gwelir lluniau'n addurno'r muriau. Nid yw'r un o'r gwelyau'n edrych yn gyfforddus iawn, ychwaith, nac yn groesawgar: eto, rhywle i gysgu yn unig.

Does yr un o'r merched yn ymwybodol ohonom ni, yr edrychwyr. Y llygadwyr. Y sbeciwyr. Ond cawn y teimlad rhyfedd na fuasent yn hidio'r un iot petaent yn ymwybodol ohonom; efallai eu bod wedi blino gormod i boeni bod sawl llygad yn rhythu ar eu noethni. Neu efallai eu bod ormod ar goll yn eu bydoedd eu hunain i hyd yn oed sylweddoli ein bod ni yno o gwbl. Eto, maent yn gweld pethau na welwn ni fyth mohonynt, y tair yn edrych allan drwy ffenestri ar olygfeydd sydd wedi'u cuddio oddi wrthym ni, a chawn y teimlad annifyr nad ydym yn bwysig iddynt o gwbl. I'r tair yma, dydym ni'n neb.

Dydyn nhw ddim yn ifanc, y merched hyn yn yr haul; teg fyddai dweud eu bod i gyd wedi gweld dyddiau gwell. Nid yw'r un o'r ddwy sydd yn noeth yn ymfalchïo nac yn ymffrostio yn ei noethlymundod: mae'n rhan ohonynt, dyna'r cwbl, ac mae'r ddwy wedi derbyn mai fel hyn y maent bellach. Does ganddynt mo'r awydd na'r egni i geisio gwella'u hunain.

Sylla'r tair allan drwy eu ffenestri, i mewn i'r haul, gyda'u meddyliau ymhell fel petaen nhw'n meddwl tybed a fydd heddiw yn gychwyn ar rywbeth newydd a chyffrous yn eu bywydau. Saif yr un bengoch (yn *Morning in a City*) â dilledyn yn ei dwylo, ar ganol ei blygu, efallai, cyn i rywbeth y tu allan i'r ffenestr gipio'i sylw, neu cyn i'w meddwl ddechrau crwydro. Neu ydi hi, efallai'n ddiarwybod iddi'i hun, yn ei chuddio'i hun rhag yr haul? Mae'r dilledyn, sylwn, yn cuddio gwaelodion ei bronnau a rhan uchaf ei chluniau.

Un benfelen yw'r ddynes yn *A Woman in the Sun*, ei gwallt ychydig yn dywyllach na'r stribyn melyn, hirsgwar o heulwen ar garped ei hystafell. Sigarét sydd ganddi hi rhwng ei bysedd, ond nid yw wedi'i thanio eto; aeth ei meddwl ar grwydr cyn iddi danio un gyntaf y dydd. Ar yr olwg gyntaf mae'r ddynes hon yn ymddangos yn llawn hyder, ond arhoswch: ai mwgwd yw'r hyder hwn, wedi'r cwbl? Tenau iawn yw cysgod ei choesau ar y carped y tu ôl iddi: bregus, hyd yn oed. Coesau dryw. Efallai fod hon, hefyd, yr un mor archolladwy â'r ddynes yn *Morning in a City*.

Eistedda'r olaf o'r tair ar ei gwely, yn *Morning Sun*. Gwisga goban neu bais binc golau, ac mae colur ar ei hwyneb; mae hon bron iawn yn barod i wynebu'r dydd. Cawn y teimlad nad yw'n edrych ymlaen ato rhyw lawer: hwn yw'r wyneb mae am ei gynnig i'r diwrnod, un caled a difynegiant. Mwgwd arall.

Efallai fod yr haul yn cynnig rhywfaint o obaith, ond nid yw'r un o'r tair yma'n dibynnu rhyw lawer ar hynny.

Mae'r merched yn yr haul yn hen gyfarwydd â chael eu siomi.

Norwich i Drebedr, 4 Medi 2005

Maen nhw wedi dechrau heidio yn eu holau rŵan, yr atgofion. Fel cymylau o adar swnllyd, rhai ohonyn nhw ddim ond yn cosi fy wyneb efo'r plu ar flaenau eu hadenydd, eraill yn fy mhigo'n giaidd.

Eraill wedyn yn setlo ar f'ysgwyddau, a'u crafangau'n cloi y tu mewn i'r cnawd. Y rhain sydd yn sgrechian yn fy nghlust, '*Lle wyt ti wedi bod* . . . ?'

Ro'n i'n meddwl mai fel hyn y basa hi.

Ro'n i wedi meddwl hefyd y baswn i, efallai, yn eu croesawu. Y basa'n braf eu cael nhw yma efo fi. Ond dwi ddim mor siŵr erbyn hyn.

Y peth ydi, does gen i fawr o ddewis. Dŵad wnawn nhw rŵan.

Ac yn barod, dwi'n gallu clywad oglau olew *patchouli*.

Llundain, Medi 1965

Es i ddim pellach na Piccadilly – ond hei, chwarae teg rŵan, roedd hon yn dipyn o fenter ynddi'i hun, ar y cychwyn. Do, mi fentrais i geubal y ddinas at yr angenfilod swnllyd, a theimlo'n reit goci wrth ymadael â'r trên yn Piccadilly. Wnes i ddim sylweddoli pa mor bell dan y ddaear yr oedden ni nes i mi rythu ar y grisiau symudol anferth oedd yn aros amdana i.

Ar y stepiau o gwmpas y cerflun o Eros roedd sawl criw o bobol ifainc yn eistedd, pob criw gyda radio o ryw fath, nid bod angen radio ar neb gan fod cerddoriaeth bop i'w chlywed yn morio'n uchel drwy ddrws agored pob un siop, bron. Roedd nifer fawr o'r hogia'n edrych fel Brian Jones o'r

Rolling Stones, neu'n gobeithio eu bod nhw'n debyg iddo fo ar ôl talu am steilio'u gwalltiau'r un fath â fo. Gwnâi'r lleill eu gorau i edrych fel Mick Jagger neu Keith Richards, eu gwalltiau fel teisi gwair a'u coesau'n denau mewn jîns duon, tyn, a'u traed mewn botasau duon, pigog. Gwisgai'r rhan fwyaf o'r genod sgerti cwta, heb hidio'r un tamaid a oedd eu coesau'n gweddu i'r fath ddilledyn ai peidio, ac roeddynt i gyd yn gwneud eu gorau i efelychu rhywun neu'i gilydd – gwelais sawl Dusty Springfield, Sandie Shaw, Marianne Faithfull, Kathy McGowan a Chrissie Shrimpton. Roedd pawb, hyd y gwelwn, yn smocio. Eisteddais innau ar un o'r grisiau yn trio edrych fel fy mod yn perthyn yno, yn gwrando ar The Animals yn canu 'We've Gotta Get Out of This Place' ar un radio i'r chwith i mi, a The Yardbirds a 'Heart Full of Soul' yn dod o un arall ar y dde. Smociais ddwy sigarét Gitanes cyn codi a cherdded i ffwrdd, a'm côt yn swishian.

Chymerodd neb 'run tamaid o sylw ohonof.

Teimlai'r pafin yn rhyfedd o boeth dan fy ngwadnau, fel tasa'r miloedd o draed a gerddai drosto wedi'i gynhesu. Roedd y lle i gyd yn drewi o oglau bwyd wedi'i ffrio a theimlais fy stumog yn troi. Ar wahân i un KitKat ar y trên, do'n i ddim wedi bwyta dim byd ers i John Griffiths rannu ei frechdanau letys ac wy efo mi neithiwr, ond er bod bron bob yn ail ddrws yn arwain i gaffi neu fwyty, fedrwn i ddim meddwl am fwyta. Roedd hi'n rhy glòs yma, dyna pam: do'n i ddim wedi meddwl y basa hi mor glòs ac annifyr. Wrth geisio osgoi colomen oedd wrthi'n pigo'r pafin fel tasa hi'n benderfynol o dorri'i phig, trawais yn erbyn hogyn ifanc oedd yn gwisgo siaced Iwnion Jac.

'Sori . . .'

Gwenodd arnaf, gwên araf a llac, a phwyntio ataf fel tasa fo'n fy nabod o rywle ond heb fod yn siŵr iawn pwy o'n i.

'He-eyyyyy . . .' cychwynnodd, ond cydiodd ei ffrindiau

56

ynddo gerfydd ei geseiliau a'i lusgo i ffwrdd. Pan edrychais yn ôl dros f'ysgwydd, roedd y tri ohonyn nhw'n dawnsio ar y pafin fel tasan nhw dan do yn rhywle. Tria di wisgo'r siaced yna yn y Ship neu'r Ship and Castle ar nos Sadwrn, washi, meddyliais.

Ro'n i bron â marw eisiau tynnu fy nghôt ond wir, roedd yn amhosib cael digon o le i wneud hynny heb roi waldan i rywun neu'i gilydd; doedd wiw i mi aros yn llonydd am eiliad neu ddau neu byddai rhywun wedi taro yn f'erbyn i, ac ro'n i'n gorfod cerdded mor ofalus â phetawn i'n gyrru car drwy draffig trwm. Yn y diwedd dihangais i mewn i siop oedd yn gwerthu pob mathau o geriach Llundeinig – tlysau Big Ben a St Paul's, cadw-mi-gei fel blychau post, sticeri mawrion ac enwau strydoedd enwog arnyn nhw (yn enwedig King's Road a Carnaby Street), posteri, mygiau, blychau llwch a chardiau post. Prynais dri chardyn post: un i Mam gyda'r llun yn dangos Piccadilly yn oleuadau i gyd, un i Dad gyda llun o PC Dixon o Dock Green arno, ac un i Sulwen yn dangos yr Amgueddfa Genedlaethol. Taswn i wedi dod o hyd i un efo llun o fynwent Highgate arno, mi faswn i wedi prynu hwnnw a'i anfon i Maldwyn efo 'Wish you were here!' wedi'i sgwennu ar ei gefn.

O'n, ro'n i wedi dechrau ei gasáu erbyn hynny, ac wedi fy mherswadio fy hun ei fod o eisoes wedi rhuthro i'n tŷ ni er mwyn achwyn wrth Dad a Mam am eu hwran o ferch – 'y ffycin hŵr!' – ac roedd y syniad o ffonio adref heno yn fy ngwneud yn swp sâl erbyn hyn. Ro'n i wedi addo gwneud hynny am hanner awr wedi saith, ar ôl iddyn nhw ddŵad adref o'r capel, ond roedd oriau tan hynny.

Yn y cyfamser . . .

* * *

'Est ti i'r *pictiwrs*?'

'Wel . . . do . . .'

'Gwilym, glywist ti hynna? Yr holl betha sydd i'w gweld yno, ac mi a'th Marian i ista mewn rhyw hen bictiwrs tywyll.'

Mwmblan tadol yn y cefndir. Gallwn ddychmygu Dad yn rhowlio'i lygaid, yn ei gadair efo'r *Sunday Express*. Ond ro'n i wedi dechrau teimlo'n well yn barod. Tasa Maldwyn wedi bod yno'n achwyn, yna basa Mam wedi dangos hynny'n glir gyda'i brawddeg gyntaf.

Nid fod ei llais yn byrlymu â chynhesrwydd, chwaith. Ei geiriau cyntaf ar ôl codi'r ffôn oedd, 'Wel? Sut w't ti, 'ta?' – geiriau oedd yn ddigon clên ynddynt eu hunain ond a ddibynnai gryn dipyn ar dôn llais. Gofynnodd Mam y cwestiwn yn nhôn rhywun oedd yn bell o fod yn hapus efo'r sefyllfa, ond a oedd wedi gorfod derbyn nad oedd 'na affliw o ddim byd y medrai ei wneud i'w gwella.

'Mi wna'th hi ddechra bwrw,' dywedais innau, 'funuda ar ôl i mi fynd allan. Mi ges i fwy na llond bol o'r glaw ddoe, diolch yn fawr.'

Chwarddais, ond swniai'n ffug iawn i'm clustiau. Doedd hi ddim wedi bwrw, wrth gwrs, ond sut fedrwn i ddweud wrthyn nhw fy mod i wedi teimlo'r panig mwyaf ofnadwy pan gamais yn ôl allan i brysurdeb Piccadilly ar ôl talu am fy nghardiau post?

A'm bod wedi dengid i mewn i'r sinema fel ffoadur yn y Canol Oesoedd yn chwilio am nawdd mewn eglwys?

'Rw't ti'n swnio wedi blino,' meddai Mam, ar ôl fy holi am Drumnadrochit.

'Yndw. Dwi am fynd i 'ngwely'n o lew heno 'ma.'

'Mi faswn i'n meddwl, wir, a chditha wedi bod yn ffwcio fel cwningan drw'r nos.'

Ddywedodd hi mo hynny, wrth gwrs. 'Mi faswn i'n meddwl, wir, ar ôl neithiwr,' oedd ei geiriau, ond mae'r euog wastad yn ffoi heb neb yn ei erlid.

Yna daeth saib cyn iddi ddweud: 'Roedd dy dad a finna wedi rhyw obithio . . .'

'Pidiwch, Mam. Plis.'

'Ma' gynno fo dipyn o feddwl ohonat ti, 'sti.'

Rŵan amdani . . .

'Ydach chi wedi siarad efo fo heddiw 'ma?'

'Mi ffoniodd o tua diwadd y bora,' meddai Mam. 'Bechod. Oedd raid i chdi fod mor gas efo fo, Marian?'

Taflodd hyn fi. 'Sori . . . ?'

'Dwi ddim yn meddwl fy mod i isio ca'l gwbod be yn union ddudist ti wrth fo, ond roedd o'n swnio fel 'sa fo wedi cymrd ato'n o arw, bechod.'

'Bechod'. Un o hoff eiriau Mam – dynes â'r gallu i gydymdeimlo'n ddwys â phawb a phopeth. Pawb ond y fi, meddyliwn yn chwerw weithiau. Roedd yn bechod pan fyddai'r eira'n disgyn (nid bod hynny'n digwydd yn aml iawn yn Port), ac yn bechod pan fyddai'n dechrau dadmar. Yn bechod pan fyddai'r dref yn cau efo twristiaid bob haf ac yn bechod pan fyddai'n bwrw gormod iddyn nhw fedru bod allan yn mwynhau'r ardal, a gallwn ddychmygu bod sawl 'bechod' wedi'i ddweud neithiwr wrth i Mam feddwl amdana i'n gaeth i'r glaw a'r gwyntoedd yn Nyfi Jyncshiyn.

Ond be goblyn oedd Maldwyn wedi'i *ddweud*?

Siaradais yn ofalus. 'Do'n i ddim yn gas efo. Ddim felly.'

'Doedd dim rhaid i'r cradur yrru'r holl ffordd i Ddyfi . . .' dechreuodd Mam, ond torrais ar ei thraws.

'Nag oedd, yn hollol. Doedd dim *isio* iddo fo neud hynny chwaith. Dwi wedi gorffan efo fo, Mam, ers wsnosa – dach chi'n gwbod hynny. Ma' Maldwyn yn gwbod hynny hefyd, ond 'i fod o'n gwrthod derbyn. Doedd gynno fo ddim hawl dŵad yno ar f'ôl i . . .'

'Poeni amdanat ti oedd yr hogyn, yndê? Fel roedd dy Dad a finna.'

'Ond sgynno *fo* ddim hawl i boeni amdana i, Mam! Dwi'n ddim o'i fusnas o rŵan.' Fûm i erioed *yn* fusnas iddo fo, meddyliais. 'Mi ges i goblyn o sioc o'i weld o ben bora heddiw. Y fo oedd y person dwytha ro'n i wedi disgwl 'i weld yno . . .'

'Ma'n siŵr.'

' . . . a'r person dwytha ro'n i *isio*'i weld yno hefyd.'

'Marian . . .'

'Na, Mam. Os o'n i'n gas efo fo, yna does gynno fo neb i'w feio ond y fo'i hun. Ac roedd mwy o lawar i'r peth na dim ond poeni amdana i, yn doedd? Dŵad yno er mwyn trio fy mherswadio i fynd yn ôl adra efo fo wna'th o. Mae fel tasa fo'n methu'n glir â derbyn bod 'na ddynas ar y ddaear 'ma sy ddim isio bod yn wraig i'r ardderchog Maldwyn Parri . . .'

'Ia, ôl-*reit*, Marian!'

Siaradodd Mam yn eitha siarp, a thewais gan deimlo – fel y gwnawn bob tro y clywn i'r min hwn yn llais Mam – ddeng mlynedd yn iau.

'Rhyngot ti a dy betha,' meddai. 'Ma' gin dy dad a finna gryn feddwl o Maldwyn, fel ti'n gwbod. Ond 'na fo, ddudan ni ddim mwy am y peth.'

'Diolch.'

''Mond isio i chdi fod yn hapus ydan ni, Marian.'

'Ia, Mam, wn i,' ochneidiais.

Tawelwch am rai eiliadau, fel tasa hi'n disgwyl sicrhad gen i fy mod i'n hapus yn barod. Yna meddai: 'Ma' dy dad yn hofran yma fel cudyll coch ers meitin, isio gair efo chdi. Mi siaradwn ni eto'n o fuan, del, ôl-reit?'

'Iawn, Mam. A pidiwch â phoeni amdana i, ocê? Dwi'n tshampion. Mi fydda i'n tshampion hefyd . . .'

'Helô . . .?'

Y cudyll coch rŵan. Be oedd yn bod ar Mam? mylliais.

Doedd hi ddim wedi gwrando ar fy ngeiriau olaf – fel tasa hi *eisiau* cael esgus i boeni amdana i.

'Sori, Dad – be?'

Roedd fy nhad wedi dweud rhywbeth tra o'n i'n myllio.

'W't ti wedi'i weld o bellach?'

'Pwy?'

'Dixon, yndê.'

Gwenais. Roedd Dad wrth ei fodd efo'r gyfres *Dixon of Dock Green* ar y teledu – dyna pam y prynais i'r cerdyn post iddo – ac wastad yn pregethu y byddai'r wlad yma mewn gwell cyflwr o beth myrdd tasa pob plismon fel George Dixon.

'Do, fel ma'n digwydd. Isio i mi gofio atoch chi'n fawr. Cadwch 'ych golwg ar y post dros y dyddia nesa.'

'O . . .?'

'Dduda i ddim mwy. Gwrandwch, rŵan – diolch am y pres 'na. Dach chi ar fai.'

'Dw't ti ddim wedi deud dim byd wrth Dilys amdano fo?' sibrydodd mewn panig. Roedd Mam yn amlwg wedi mynd allan o'r ystafell.

'Naddo. Ond doedd dim isio i chi.'

'Wel, ro'n i'n digwydd bod yn meddwl *fod* isio,' meddai. Yna cododd ei lais: Mam yn ei hôl. 'Mi gyrhaeddist ti'n saff, felly, ar ôl dy holides yn Nyfi Jyncshiyn?'

'Ia, ia, go dda . . .'

'Gwranda, wna i mo'th gadw di, ne' mi fydd y bil ffôn nesa gawn ni'n ddigon mawr i alw chi arno fo.' (Roedd yna ffôn cyhoeddus yng nghyntedd Drumnadrochit ac roedd Mam wedi fy ffonio'n ôl fwy neu lai'n syth, felly nhw oedd yn talu am yr alwad yma.) ''Mond isio deud, gan ein bod ni'n sôn am Jiorjis, yndê, mi wnes i daro ar George Einion gynna.'

'O, ia . . .?'

'Mi ddychrynodd o am 'i fywyd pan ddudis i wrtho fo lle roeddat ti, a pham.'

Un oedd yn ei ffansïo'i hun fel dyn mawr ym myd y ddrama oedd George Einion, cyn-athro a ysgrifennai ddramâu ar gyfer cymdeithasau lleol. Rhyw bethau ddigon sych oedden nhw, yn llawn areithiau hirion, gorddisgrifiadol, a ffarsys oedd â'r gallu rhyfedd i fod yn hollol ddihiwmor.

'Roedd am i mi ddeud wrthat ti ei fod o'n dy edmygu di'n fawr, yn meddwl dy fod yn gneud peth dewr iawn.'

'O . . .?'

Roedd yna 'ond' yn perthyn i'r frawddeg yna, teimlais. Ac ro'n i'n iawn.

'Ond o ystyriad nad w't ti wedi ca'l fawr o hyfforddiant nag unrhyw brofiad actio . . .'

'Wn i, wn i,' dywedais ar ei draws. 'Roedd o hefyd yn meddwl fy mod i'n gneud rhwbath dwl iawn.'

'Wel, ddudodd o mo hynny, yndê. Ddim cweit. Ond ma' Llundain yn *closed shop* i radda helaeth iawn, medda fo, os nad w't ti wedi bod mewn rhyw ysgol bobol fawr . . .'

'O, be ma' George Einion yn 'i wbod?' gwylltiais. 'Fuodd o yma erioed, yn trio gneud rhwbath ohoni?'

'Mae o *yn* gwbod am y petha 'ma, Marian.'

'Nac 'di, Dad – *meddwl* 'i fod o'n gwbod mae o.'

Daeth y sgwrs i ben yn o fuan wedyn. Es i fyny'r grisiau i'm hystafell dan regi ffycin George Einion i'r cymylau, a phobol fel y fo oedd mor barod i biso ar ben rhywun bob gafael.

Yna teimlais yn flin am orffen y sgwrs ar nodyn mor swta. Roedd clywed eu lleisiau nhw wedi fy ngwneud yn fwy emosiynol nag ro'n i'n barod, a phan eisteddais ar y gwely dychwelodd yr hiraeth fel ci bach eiddgar yn neidio ar fy nglin eisiau mwythau.

Ac efo'r hiraeth daeth y dagrau.

Norwich i Drebedr, 4 Medi 2005

Efallai, tasa Dad ddim wedi dweud wrtha i am y sgwrs gafodd o efo George Einion, na fasa'r geiriau *'Be ydw i'n dda yma?'* ddim wedi atseinio yn fy mhen fel alaw ddiflas cân bop nad o'n i'n ei hoffi ryw lawer. Neu fel mantra, bron. Ond na – erbyn meddwl – ro'n i wedi dechrau eu hystyried nhw ymhell cyn i mi ffonio adref, felly annheg oedd rhoi'r bai i gyd ar ysgwyddau hunanbwysig George; yr unig beth wnaeth o oedd eu cryfhau a'i gwneud yn fwy amhosib i mi eu hanwybyddu.

'Ma' isio sbio dy ben di,' meddai Dad.

* * *

Dwi wastad wedi bod yn un am fy ngwely – yn casáu cael fy llusgo ohono bob bore, ac yn dyheu am gael dychwelyd iddo gyda'r nos. ('Busy olde fool, unruly sonne' – yr haul, wrth gwrs – oedd un o'm hoff ddyfyniadau ers i mi ddŵad ar ei draws wrth astudio barddoniaeth Donne yn y chweched dosbarth.) Arferwn fod yn barod am fy ngwely ymhell cyn yr amser i mi fynd iddo fo, yn wahanol iawn i Sulwen a oedd, yn ôl Dad, yn 'debycach i gwdihŵ nag i unrhyw beth dynol'. Wrth dyfu'n hŷn, treuliwn fwy a mwy o amser yn fy llofft ar fy mhen fy hun, un ai i mewn yn y gwely neu'n gorweddian arno. Pan oeddwn i'n fach, arferwn gymryd arnaf mai pwll dwfn o ddŵr cynnes oedd fy ngwely, neu lagŵn gwyrddlas a throfannol, ac mai Lotte Hass oeddwn i, yn deifio'n fentrus i waelodion tywyll y môr wrth ymdroelli fel yslywen o dan y dillad i lawr at droed y gwely, cyn troi a nofio'n ôl i fyny at y gobennydd a'r awyr iach a'r haul. Yn ystod f'arddegau, roedd yn well gen i wneud fy ngwaith cartref yn eistedd ar fy ngwely, efo'm coesau wedi'u croesi oddi tanaf, nag wrth y ddesg bren roedd Dad wedi'i gwneud i mi, ac a safai yng nghornel yr ystafell dan bentwr uchel o lyfrau a chylchgronau.

Ond y dyddiau yma, mae fy ngwely'n methu cynnig y noddfa dwi ei hangen rhag fy nhuedd i hel meddyliau.

Meddyliau amdanaf fi fy hun.

Drumnadrochit, Llundain, 1965

Es i ddim allan wedyn y noson gyntaf honno, er fy mod i wedi hanner bwriadu dychwelyd i weld goleuadau Piccadilly; penderfynais y gallwn aros cyn gweld y rheiny. Byddai digon o gyfleoedd eto.

Os nad awn i adra.

Allwn i ddim peidio â meddwl am adra, yn dychmygu Dad a Mam yn gwylio *The Billy Cotton Band Show* neu'r *Black and White Minstrels* cyn troi'r sianel am *Sunday Night at the London Palladium*, Bruce Forsyth efo'r gêm 'Beat the Clock' ac efallai'r llygoden fach 'na, Topo Gigio. O leia fydd dim rhaid i mi ddiodda'r rwtsh yma wythnos i heno, meddyliais wythnos yn ôl wrth wingo drwy'r Dai Francis wynebddu'n canu 'Old Man River', gan fy nychmygu fy hun am ryw reswm yn syllu ar yr arwydd mawr Coca-Cola hwnnw ar gornel Piccadilly. Wnes i ddim meddwl y baswn i'n eistedd ar gadair wiail mewn ystafell ddieithr yn crio am nad o'n i adra'n bwyta brechdanau cig oer wrth wylio Bruce Forsyth.

Ceisiais f'ysgwyd fy hun allan o'r iselder hwn drwy ddadbacio, ond denu rhagor o ddagrau a wnaeth yr arogl powdwr golchi cyfarwydd a ruthrodd amdana i pan agorais fy mag. Gwthiais rai o'm dillad yn ôl i mewn, hefo'r syniad y baswn i'n mynd adra ben bore drannoeth, cyn dweud wrthyf fy hun am gallio a'u tynnu allan yn eu holau a'u cadw yn y droriau a'r cwpwrdd dillad. Hyn i gyd drwy niwl o ddagrau, fy nhrwyn yn llifo a'm ceg wedi'i throi tuag at i lawr fel ceg clown digalon.

'Basa Ffycin George Einion . . .' – oedd, roedd George druan wedi cael enw ychwanegol, swyddogol erbyn hyn –

'. . . wrth ei fodd tasat ti'n landio'n ôl yn Port fory,' fe'm dwrdiais fy hun. 'Basa pasio ffenast Dunn and Ellis a'th weld di 'nôl wrth dy ddesg yn fêl ar 'i fysadd o.'

A Maldwyn, meddyliais. Basa Maldwyn hefyd wrth ei fodd o'm gweld i'n ôl adref, ac o fewn dim yn hofran wrth fy nghwt fel pry wrth din buwch.

Golchais fy wyneb a mynd am dro bach o gwmpas Drumnadrochit. Roeddwn i wedi bwyta pryd go seimllyd mewn lle o'r enw The Golden Egg ar ôl dŵad allan o'r sinema yn y pnawn, ond roedd yr holl grio wedi deffro fy stumog a pharatoais dôst i mi fy hun yn y gegin fach. Gallwn glywed sŵn chwerthin a chymeradwyo'n dod o deledu yn rhywle – rhan y McGregors o'r tŷ, tybiais, gan ei chael yn anodd dychmygu Mr McGregor yn mwynhau unrhyw raglen ysgafnach nag *Epilogue* – a rhuthrodd y dagrau'n eu holau i'm llygaid wrth i mi ddychmygu Mam a Dad yn gwylio'r un peth, yn clywed yr un cymeradwyo ac efallai'n chwerthin ar yr un jôc.

Brathais fy mhen i mewn i'r parlwr gwag. Neb. Parlwr digon cyffredin, gyda set deledu a phiano, soffa a dwy gadair freichiau, a silffoedd llyfrau yn y gornel. Ar wahân i ambell Georgette Heyer, Frank Yerby a Jean Plaidy, nofelau ditectif oedd y rhan fwyaf – Dorothy L. Sayers, Ngaio Marsh, John Creasey a silffaid gyfan o Agatha Christie.

Yn ôl yn f'ystafell, bwytais fy nhôst wrth wrando ar *Sing Something Simple* ar y radio, rhaglen y baswn wedi'i hosgoi fel pla taswn i adra ond a oedd heno yn llawn cysur sentimental. Yna eisteddais ar fy ngwely efo *Wuthering Heights* a dechrau pendwmpian cyn cyrraedd gwaelod yr ail dudalen.

Gwely.

Ond dringodd Maldwyn a John Griffiths i mewn hefo mi, felly euthum am fath arall yn y gobaith y byddai hwnnw'n gwneud i mi ymlacio digon i mi fedru cysgu – Duw a ŵyr, ro'n i angen cwsg. Dechreuais anwesu fy mronnau a'm cyffwrdd fy hun rhwng fy nghoesau wrth deimlo'r stêm cynnes yn gloywi fy nhalcen a'm hwyneb, ond doedd fy nghalon ddim ynddo a theimlais fy hun yn dechrau pendwmpian eto.

Allan â fi. Wrth i'r bath wagio, sychais y stêm oddi ar wyneb y drych a phenderfynu bod angen rhyw fath o newid corfforol arnaf: ro'n i'n siŵr Dduw o gael pyliau mawr o hiraeth tra oedd yr un hen wyneb yn syllu'n ôl arnaf o bob drych. Fy ngwallt, efallai. Meddyliais am y ffilm ro'n i wedi'i gweld y prynhawn hwnnw – *Repulsion*, gan gyfarwyddwr ifanc, newydd o wlad Pwyl, Roman Polanski. Catherine Deneuve oedd y brif actores, a thynnais i mo fy llygaid oddi ar y sgrin am yr awr a thri chwarter cyfan. Dechreuais drwy feddwl fod Deneuve yn actores wael, brennaidd: ai ei syniad o actio oedd cadw'i hwyneb mor ddifynegiant ac encilgar â phosib? Roedd hi bron ag edrych yn llywaeth. Ond yna sylweddolais fod ei chymeriad wedi fy llusgo i mewn i'r ffilm a bod ei pherfformiad yn un cryfach o lawer nag ro'n i wedi'i dybio ar y cychwyn: roedd y cryfder i gyd yn y cynildeb twyllodrus hwn. Roedd fy ngwallt i o'r un hyd â gwallt Deneuve. Tybed . . .? Ychydig o liw melyn . . . hmm, falla'n wir.

Yn ôl i'r gwely, a methu mynd i'r afael efo Emily Brontë am yr ail waith y noson honno. Chwaraeais â'r syniad o fynd i lawr eto a chymryd benthyg un o'r Agatha Christies, ond doedd gen i mo'r nerth erbyn hyn. Meddyliais eto am y ffilm, a'r ffordd ro'n i wedi brysio i mewn i'r sinema, gan wybod y baswn i'n teimlo'n ddiogel yno yn y tywyllwch; heblaw am y seddau cyfforddus, roedd o fel bod adra yn y Coliseum.

Gorweddais yno'n gwrando ar synau dieithr yr adeilad: y dŵr yn curo drwy'r peipiau, traed anhysbys ar y grisiau, pesychiadau estron yn dŵad drwy'r waliau. Fy nghyd-westeion yn ôl, roedd hi'n amlwg. Yna, wedi i'r synau hyn beidio fesul un, gwrandewais ar synau'r stryd, y ceir a'r bysys a'r lorïau, lleisiau'n gweiddi ac ambell un yn canu'n feddw ac yn floesg (mor wahanol i'r synau nos Sul yn Port, lle roedd y tafarnau i gyd ar gau ar ddyddiau Sul). A meddyliais: fel hyn y mae dinas yn swnio wrth iddi bendwmpian, a chyn bo hir fydda i ddim hyd yn oed yn sylwi ar y synau, fydda i ddim chwinciad cyn dŵad i arfer â phob un sŵn – mi fyddan nhw i gyd mor naturiol i'm clyw â gweiddi'r gwylanod a thincian gwifrau mastiau'r cychod yn yr harbwr adra . . . adra . . . adra . . .

Breuddwydiais am olygfa o *Repulsion*, ond y fi, nid Catherine Deneuve, oedd ar goll yn y cyntedd cul hwnnw gyda'r dwylo'n crafangu amdanaf o'r muriau. Ro'n i'n adnabod y dwylo hyn, ond do'n i ddim eisiau i'r un ohonyn nhw fy nghyffwrdd. Deffrais o'r freuddwyd i glywed emyn Cymraeg yn cael ei chwarae ar biano yn rhywle. 'Arglwydd mawr y nef a'r ddaear, ffynnon golud pawb o hyd . . .' Cysgais eto, cyn hanner deffro yn hwyrach yn y nos, a meddwl i mi glywed sŵn rhywun yn crio.

Y fi fy hun oedd wrthi, penderfynais.

Y fi oedd yn crio yn fy nghwsg.

'Be goblyn ydw i'n dda yma . . .?'

Pan ddeffrais eto, roedd yr haul wrthi'n codi.

* * *

Eisteddais ar fy ngwely a gadael i'r cynhesrwydd lifo drosof, gan syllu ar y cysgodion oren drwy'r ffenestr yn paentio'r adeiladau o bob siâp a lenwai fy ngorwel newydd. Caeais fy llygaid a dod yn ymwybodol o synau'r tŷ unwaith eto, ond deffro roedd o y tro hwn. Mwy o guro o'r peipiau dŵr, a'r dŵr yn cael ei dynnu yn y toiled ar y landin, a phren y llawr yn grwgnach dan bwysau rhywun go drwm yr ochr arall i'm drws. Drws arall yn cael ei agor a'i gau, ac yna, drwy'r pared, Petula Clark yn canu 'Downtown' – cân ag alaw fachog a fyddai, gwyddwn o brofiad, yn llenwi fy mhen am oriau.

Codais a rhoi fy radio fy hun ymlaen. Petula eto. Â'm cefn at yr haul, tynnais fy nghoban dros fy mhen cyn troi a sefyll yno'n noeth gan hymian efo'r gân wrth sbio allan ar dalcenni concrit a ffenestri deillion y swyddfeydd oedd heb agor eto. Tynnais y clip o'm gwallt a gadael iddo syrthio'n ôl i lawr dros fy ngwar. Gwthiais fy nghoban dan y gobennydd, cyn tynnu sigarét o'r paced a ymwthiai fel tafod powld o geg agored fy mag llaw. Troais, efo'r sigarét yn fy llaw, a chau fy llygaid eto wrth i'r haul fy nghroesawu.

O rywle yng ngheubal y tŷ cododd arogl bacwn yn ffrio. Gadewais i'r haul fy nghofleidio fel hudwr hy, ei oleuni fel bysedd cynnes yn anwesu fy mronnau a gwasgu fy nhethi'n ysgafn a chrwydro'n bryfoclyd i lawr dros fy mol i chwilota'n ddiog rhwng fy nghluniau, ac agorais fy hun iddo gan adael iddo fynd ble bynnag y mynnai. Dychmygais fy mod allan yn y wlad, ar gorun Moel y Gest neu ar ben Creigiau'r Dre, a bod awel fach fwyn yn anadlu drosof fel anadl rhyw gariad anweledig.

Neidiais wrth i'm cymydog troed-drwm gerdded ar hyd y landin unwaith eto dan disian yn uchel ac ebychu 'Oh, God!' ar ôl gwneud. Dechreuais estyn am fy nillad, cyn meddwl: Na, pam ddylwn i? Dwi'n mwynhau hyn – yn mwynhau'r rhyddid o fod yn noeth yma mewn dinas ddieithr lle nad oes neb yn fy nabod. Sylweddolais fy mod i heb danio'r sigarét a gwneuthum hynny rŵan, gan chwythu'r mwg yn herfeiddiol drwy'r aer fel taswn i'n disgwyl i Mam ddŵad i mewn drwy'r drws unrhyw funud gan fy nwrdio am fod mor goman. Ac ar y radio rŵan roedd 'The Last Time' y Stones, record ro'n i wedi'i phrynu fisoedd yn ôl, a dechreuais siglo iddi gan ysgwyd fy ngwallt yn ôl ac ymlaen a'r sigarét rhwng fy

68

nannedd fel rhosyn yng ngheg rhyw ddawnswraig sipsi oedd yn trosi a throi yn yr haul.

Norwich i Drebedr, 4 Medi 2005

Mae hi bron yn amser rŵan i feddwl am Eddie. Mae arogl yr olew *patchouli* yn gryfach erbyn hyn a gallaf deimlo'i gysgod mawr yn yr esgyll: mae'n ysu am gael camu ar y llwyfan.

Ond welodd Eddie erioed mo'r ddynes yn yr haul. Cafodd Maldwyn gip arni drwy faw ffenestr (a baglu'n ei ôl oddi wrthi cyn ei tharo a'i galw'n hŵr), ond dim ond John Griffiths a'i gwelodd fel roedd hi go iawn.

Fe'i gwastraffodd hi ei hun ar gyw athro.

* * *

Y ffordd roedd o'n fy llygadu'n slei o lawr budur yr ystafell aros. Fel yr edrychodd i ffwrdd yn euog pan droais a'i ddal yn rhythu. Teimlais ddirmyg tuag ato wedyn, ar ôl i Maldwyn fynd, gan fethu gwitshiad i gael mynd oddi wrtho fo a Dyfi Jyncshiyn.

A dyna oedd fy ffarwél – cleisiau ar fy nghluniau, ôl llaw yn llosgi'n goch ar fy moch, a had rhyw gyw athro bach llywaeth yn sychu'n galed ar fy mol.

Ond dyma fi heddiw'n mynd yno yn f'ôl.

Drumnadrochit, Llundain 1965

Ni wnaeth Eddie argraff aruthrol arnaf y tro cyntaf hwnnw imi daro llygad arno. Efallai mai'r ffaith ei fod yn eistedd oedd yn rhannol gyfrifol am hynny; dim ond pan gododd ar ei draed ar ôl gorffen ei frecwast y sylweddolais mor anferth oedd o mewn gwirionedd.

Na, cipiwyd y rhan fwyaf o'm sylw gan Jenny – Mrs McGregor, a edrychai os rhywbeth yn fwy trawiadol na'i gŵr. Roedd ganddi'r un gwallt du bitsh, ond bod hwn yn hongian yn hollol syth i lawr at ei chanol. Edrychai dipyn yn iau na fo, o rai blynyddoedd, ac roedd hi hefyd yn dalach na fo ac yn fain fel ystyllen. Gwisgai drowsus gwyrdd tywyll a siwmper biws gyda gwddf crwn, ond hawdd iawn fasa'i dychmygu mewn ffrog ddu, dynn, laes at ei thraed. Meddyliais yn syth am Morticia o *The Addams Family*, gydag wyneb Mrs Danvers o *Rebecca*.

'It's Marian, isn't it?' meddai. Daeth hi ataf dan wenu, ei llaw wedi'i dal allan i mi ei hysgwyd – llaw wen, hir oedd a chryfder annisgwyl iddi. Saesnes, sylweddolais, wrth iddi fy nghroesawu, a phan aeth o'r ystafell i nôl fy mrecwast, cerddai'n urddasol, rywsut, gyda'i chefn yn hollol syth fel model. Neu fel y tybiwn y dylai model gerdded: felly ro'n i wedi cerdded pan fyddwn i'n dynwared modelau yn ystod f'arddegau, fel tasa gen i hanner dwsin o lyfrau ar fy nghorun.

Hwn oedd y dyn a glywais i'n ei heliffantu hi heibio i ddrws f'ystafell neithiwr a'r bore 'ma, meddyliais, wrth sbecian ar y dyn mawr oedd yn brysur yn stwffio bwyd i mewn drwy dwll yng nghanol ei locsyn. Edrychodd i fyny gan fy nal yn sbio arno, a chwifiodd fforch yn yr awyr fel tasa fo'n arwain rhyw gerddorfa fud.

'Morning,' taranodd ar ôl stryffaglu i lyncu.

'Hello . . .'

Dychwelodd at ei frecwast. Erbyn hyn roedd fy mol i'n chwyrnu fel taswn i wedi cuddio ci bach piwis dan fy siwmper. Synnais o weld mai dim ond y dyn mawr a fi oedd yma'n bwyta, er bod deg o fyrddau yn yr ystafell i gyd. Doedd yr un o'r lleill wedi'i osod ychwaith.

'Nobody here but us chickens,' meddai'r dyn mewn acen Swydd Efrog gref. Roedd wedi bod yn fy ngwylio'n sbio o gwmpas yr ystafell ac wedi darllen fy meddwl. 'There's no happy medium here. It's either jam-packed, or . . .' Chwifiodd ei fforch eto.

'Just us chickens?'

Gwenodd y dyn, gwên a oleuai hynny o'i wyneb oedd i'w weld uwchben ei locsyn ac a drodd ei lygaid yn agennau culion o sirioldeb. Welais i erioed wên debyg iddi, a sylweddolais fy mod innau, hefyd, yn gwenu'n llydan yn ôl arno, gan feddwl mai fel hyn, yn siŵr, yr oedd y bobol hynny ar blatffform stesion Port wedi teimlo 'nôl yn 1943 pan wenais i arnyn nhw.

Norwich i Drebedr, 4 Medi 2005

Dwi'n falch nad oedd neb yn eistedd yn agos i mi ar y trên yma: basa fy nagrau sydyn wedi'u dychryn.

Pryd gwnes i grio fel hyn ar ôl Eddie ddiwethaf? Sgrialaf yn fy mag am baced o hancesi papur a'i rwygo'n agored.

'Yes,' medda fo rŵan. 'Cry, cry for me. Let's face it, Marian love, you've done precious little of that over the years.'

Dydi hyn ddim yn deg, ac mae'r diawl yn gwbod hynny hefyd. 'Do, dwi wedi . . . ,' meddaf wrtho. 'Mi dorris i fy nghalon.'

Drwy fy nagrau gwyliaf Eddie yn nodio'n swta heb sbio arna i. Yna mae o'n troi ac yn sbio allan drwy'r ffenestr. Dwi ddim wedi crio ddigon, mae'n amlwg, a dydi o ddim yn hoff iawn o'r ffordd y mae yntau hefyd wedi cael ei wthio i mewn i un o'r cypyrddau yna sydd gen i yn fy meddwl. Ond mi fydda i'n ei adael o allan weithiau. Dim ond am ychydig o funudau ar y tro, mae arna i ofn, oherwydd yn ôl â fo cyn gynted ag y bydda i'n teimlo'r dagrau'n dechrau cronni yn fy llygaid.

'Dw't ti ddim yma, Eddie,' sibrydaf rŵan, er ei fod o'n eistedd gyferbyn â mi yn ei siwt a'i gôt fawr laes, ac mae oglau'r olew *patchouli* yn gryfach nag erioed. Ei siwt lwyd, flêr, efo'r pocedi wedi colli'u siap oherwydd yr holl bethau y byddai'n eu cario ynddyn nhw, a'r gôt fawr ddu, ddrewllyd, oedd wastad amdano beth bynnag fyddai'r tywydd, ei grys gwyn a chasgliad o'r teis mwyaf lliwgar a llachar a welais erioed.

Mae'n sbio arna i rŵan ac yn symud ei aeliau i fyny ac i lawr fel Groucho Marx.

Ysgydwaf fy mhen.

'Nag w't, Eddie. Dw't ti ddim. Dw't ti ddim yma.'

Mae'n dal i rythu arna i, a rŵan mae o'n dechrau hymian canu.

'Dee, dee-dee, dee dee . . .'

Dim ond pum neu chwe nodyn, ond dwi'n nabod yr alaw'n syth bìn, ac yn clywed fy llais fy hun yn ymuno efo fo ond yn canu'r geiriau:

> Ar—glwydd mawr y ne—f a'r ddaear,
> Ffynnon golud pa—wb o hy—d,
> Ar—nat ti dibyn—na'r cread,
> D'ofal di sy'n dal y byd . . .

a pheidiaf yn sydyn oherwydd bod Eddie, gwelaf, yn crio – ei ddagrau fel dafnau o ddŵr yn dŵad allan o dap sy ddim wedi cael ei gau'n ddigon tyn. Maen nhw'n cronni fesul un yn ei lygaid, yn chwyddo, ac yna'n dŵad allan a llithro i lawr ei rudd cyn diflannu i mewn i'w locsyn.

'Eddie, paid,' fe'm clywaf fy hun yn crefu arno. 'Plis, paid. Do'n i ddim yn cael crio ar d'ôl di, rw't ti'n gwbod hynny. Doedd wiw i mi . . .'

Ochneidia'n awr, un ochenaid anferth, drom. Gallaf ei gweld yn symud i lawr drwy'i gorff, yn crynu trwyddo.

'Aye, lass, I know.'

O'r arglwydd, alla i ddim sbio arno fo. Caeaf fy llygaid. Pan agoraf hwy eto, mae o wedi mynd a dwi'n fy nheimlo fy hun yn neidio. Dyna i ni od. Wnes i ddim neidio o gwbwl pan gyrhaeddodd o, ond rŵan, ar ôl iddo fo fynd, dyma fi'n neidio fel sgwarnog.

Mae'r hances bapur yn siwrwd yn fy llaw, a chwythaf fy nhrwyn ag un lân. Yna dwi'n tisian, deirgwaith i gyd, gan wneud i'r ddynes sy'n eistedd i fyny eil y trên droi a sbio arna i eto. Mae'n rhaid fod ar hon isio rhwbath i'w wneud os ydi hi'n cael difyrrwch mawr o wylio dynes arall yn tisian, myn coblyn i. Yr olew *patchouli* sy'n ei achosi; mae o wastad wedi gwneud i mi disian, er fy mod i'n ei leicio. Yn hyn o beth, roedd yr hen Eddie o flaen ei amser. O tua 1967 ymlaen y daeth yn ffasiynol i roi *patchouli* ar ddillad, yn enwedig ar gotiau. Cotiau mawrion, llaes, cofiaf – cotiau milwrol neu gyn-filwrol wedi'u prynu mewn siopau dillad ail-law neu mewn Army and Navy Stores. A'r holl bobol ifainc yn eu gwisgo – yr hogia a'r genod hirwallt a blêr, efo'u jîns yn batshis lliwgar i gyd a'u siwmperi gwlân a'u *baseball boots* du a gwyn – os nad y *greatcoats* milwrol, yna'r rhai Affgan blewog 'na, ac i gyd yn ogleuo o olew *patchouli* nes bod yr arogl yn llenwi ystafell aros y feddygfa.

'Dammit, the whole place reeks of the blasted stuff!'

'Oh, I quite like it.'

A'r llygaid llwydion, oer, gwybodus hynny'n troi ataf.

'Yes. You would, wouldn't you?'

Ac ro'n i mor eiddigeddus ohonyn nhw i gyd.

Yn y toiled, gwelaf fod fy llygaid yn goch – llygaid dynes sydd yn amlwg wedi bod yn crio – a golchaf hwy'n ofalus efo dŵr oer uwchben sinc bach metel, llwyd sydd wedi'i gremstio efo sebon a baw.

'Ma' isio sbio dy ben di, hogan,' medd fy nhad.

Dychwelaf i'm sedd, a gweld bod fy llyfr Edward Hopper yn gorwedd yn agored ar y bwrdd. Faswn i'n taeru'i fod o gen i yn fy mag . . .

Mae'n agored ar dudalen sy'n dangos y darlun *Compartment C, Car 293*: y darlun o ferch yn eistedd mewn trên, ei choesau wedi'u croesi, a ffeil yn agored ar ei glin. Y tu allan i'r ffenestr mae afon fechan a phont garreg, a deallaf rŵan pam fod y trên wedi aros am ddim rheswm yn o fuan ar ôl gadael Norwich.

Mae'r trên yn arafu wrth i mi wthio'r llyfr yn ôl i mewn i'm bag. Rydym ar fin cyrraedd Trebedr, a dyma fo'r giard efo rhywbeth tebyg i fraw ar ei wyneb wrth i mi gyffwrdd yn ei fraich fel mae o'n fy mhasio.

'All right, love?'

'Actually, no, not really.'

O-shit-be-ma'-hon-isio-rŵan-a-ninna-bron-yn-stesion?

'Can you smell patchouli oil?' gofynnaf.

'What?'

'Patchouli . . . you know . . .'

Mae o'n sbio arna i'n od, yna'n plygu dros y sedd gyferbyn a sniffian yn uchel.

'I can smell something. Is that what it is? Patch . . .?'

'Patchouli, yes. Thank you.'

Estynnaf fy nghôt ac mae'r giard yn gwenu'n ansicr wrth fynd i ffwrdd, yn methu'n glir â dallt pam fod y ddynes ryfedd hon – a edrychai funud yn ôl fel tasa hi wedi bod yn crio – rŵan yn wên o glust i glust.

Trebedr, 4 Medi 2005

'Wel?' medd Dad.

'Be sgin ti i'w ddeud?' medd Mam.

Chwilio am Eddie rydw i; y fo o'n i wedi disgwyl 'i weld yn aros amdana i yma ar y platfform, nid y ddau yma – yn eu dillad gorau, hefyd, fel tasan nhw ar eu ffordd i'r capel.

'Dydach chi ddim yma,' meddaf.

Ceisiaf eu hanwybyddu wrth gerdded ar hyd y platfform, fy nghôt yn swishian a'm cês dillad yn fy nilyn yn ffyddlon, ond caf hyn yn anodd iawn efo'r ddau'n cydgerdded â mi, un bob ochr. Mae Dad yn ogleuo o'r Mint Imperials roedd o'n eu cnoi drwy'r amser ers iddo roi'r gorau i smocio. Gallaf eu clywed yn crenshian rhwng ei ddannedd. Tybed, tasa fo yma ar ei ben ei hun, ai ogla baco fyddwn i'n ei glywed? Ond mae Mam yma efo fo; mae ei phersawr Lily of the Valley yn llenwi fy ffroenau.

'Dydach chi ddim yma,' meddaf eto.

Mae oglau'r olew *patchouli* wedi diflannu'n llwyr.

* * *

Chwiliaf am y caffi prysuraf, mwyaf clòs a swnllyd yn yr orsaf ac i mewn â mi. A chael cur pen yn syth bìn, diolch i'r byrddau a'r cadeiriau plastig, melyn llachar sy'n brifo fy llygaid, a'r rwtsh sydd heddiw'n cael ei alw'n gerddoriaeth bop sy'n ymosod ar fy nghlyw. Ar ben y cyfan mae'r peiriant coffi espresso yn hisian fel cobra anferth a phiwis.

Safaf wrth y cownter yn disgwyl fy nhro, fy nghefn wedi'i droi'n benderfynol at weddill y caffi yn y gobaith y byddan nhw wedi mynd erbyn i mi orfod troi a chwilio am fwrdd. Gyda lwc, mae'r caffi hwn yn rhy swnllyd – yn rhy goman – iddyn nhw. Mae'n annioddefol o glòs yma, ac yn rhy lawn, efo'r cwsmeriaid presennol yn gorfod yfed a bwyta yng nghanol llanast pwy bynnag oedd wrth y byrddau o'u blaenau nhw. Mae'r aer yn dew ag arogl saim, sigaréts a chotiau gwlybion.

Gwyliaf y cappuccino y gofynnais amdano'n cael ei gyfogi allan o beiriant go anghynnes ei olwg. Pan ofynnaf i'r llanc plorog a phwdlyd y tu ôl i'r cownter am ychydig o bowdwr siocled dros ewyn tenau'r coffi, edrycha fel petai am strancio'n surbwch. Talaf hefyd am un KitKat; mi fydd o'n handi ar gyfer y rhan nesaf o'r siwrnai, a fedra i ddim meddwl am fwyta unrhyw beth sydd wedi cael ei baratoi rhwng y muriau chwyslyd hyn.

Damia.

Maen nhw'n dal yma, ac yn eistedd wrth fwrdd gwag yn y gornel.

Na, mae'r bwrdd *yn* wag, dywedaf wrthyf fy hun wrth fustachu tuag ato; mae'r bwrdd yn wag a dydyn nhw ddim yn eistedd yma'n aros amdana i. Gwthiaf ddau fỳg budur o'r ffordd gan droi fy nhrwyn ar y llyn bychan o goffi ar wyneb y bwrdd. Mae rhywun wedi gadael bag bychan o siwgwr yng nghanol y coffi, yr un mochyn ag a adawodd dri stwmp sigarét a gwm cnoi llwydfrown yn y blwch llwch. Mochyn neu hwch, meddyliaf, wrth sylwi bod olion minlliw coch ar un o'r sigaréts.

Dwi'n ymwybodol fod Mam yn llygadu'r KitKat.

'Hwnna ydi dy ginio di, mwn?'

Agoraf fy mag ysgwydd a gollwng y KitKat i mewn i'w geg, cyn ei gau a'i ddodi ar y llawr rhwng fy nhraed, wedi'i wasgu'n dynn rhwng fy fferau. Symudaf fy nghês dillad yn nes ataf fel bod fy mraich dde'n rhwbio yn ei erbyn bob tro y symudaf hi.

'Wnest ti ddim hyd yn oed meddwl am neud brechdana i chdi dy hun, ma'n siŵr?' medd Mam. Ochneidia'n uchel a throi'i hwyneb i ffwrdd fel tasa hyn ond i'w ddisgwyl gan ryw greadures anobeithiol fel fi.

'A lle w't ti'n pasa cysgu heno 'ma?' hola Dad. 'W't ti wedi meddwl am *hynny*?'

Ysgydwaf fy mhen yn swta. Clywed sŵn sniffian uchel a gweld bod Mam wedi dechrau crio.

'Yli be rw't ti wedi'i neud,' medd Dad. 'Chdi a dy gastia gwirion. W't ti'n hapus rŵan ar ôl ypsetio pawb?'

'Yr actoras fawr,' medd Mam dan sniffian. 'Ddylat ti fod wedi gwrando ar George Einion. Na, paid ti â meiddio troi dy drwyn fel'na, madam! Ma'r dyn yn gwbod am be mae o'n siarad.'

Cymeraf sip o'r cappuccino. Mae o'n uffernol, a dweud y lleiaf.

'Pidiwch â siarad efo fi fel'na,' meddaf. 'Dwi bron iawn yr un oed â chi rŵan, cofiwch.'

Mae teulu ar fin gadael y bwrdd agosaf, a thry'r fam tuag ataf, yn amlwg yn meddwl fy mod i wedi siarad efo hi er nad ydi hi wedi dallt yr un gair. Gwyliaf ei gwên yn llithro cyn iddi droi i ffwrdd yn ffwndrus a chiledrych ar ei gŵr. Mae'r teulu cyfan – rhieni a thri phlentyn – yn sbio'n ôl arnaf wrth fynd allan.

Pan edrychaf yn ôl, gwelaf fod Dad wedi plygu tuag ataf dros y bwrdd. 'Ma' isio sbio dy ben di, hogan!' dywed, a symudaf yn f'ôl oddi wrtho, wedi dychryn braidd oherwydd dydi Dad erioed – *erioed* – wedi siarad efo fi fel hyn o'r blaen. Nid efo'r caledi a'r difrifoldeb dieithr hwn yn ei lais. Bron na faswn i'n dweud ei fod o'n chwyrnu'r geiriau, yn eu poeri yn fy nghlust.

'Dad . . . ?' meddaf. 'Plis pidiwch . . .'

Porthmadog, 1946–1960

'Gwatshia di, pan wylltith dy dad, mi fydd o'n gwylltio go iawn.'

Ro'n i'n cael trafferth credu hyn, er fy mod yn coelio pob gair arall a ddeuai allan o enau Mam. Roedd yna ddyn yn y lleuad, roedd coed y Nyrsyri'n gartref i'r tylwyth teg, roedd yna sliwan anferth oedd yn bwyta plant yn byw yn nŵr y Cỳt – ond Dad yn colli'i dymer?

Na . . .

Ategwyd rhybudd Mam gan Sulwen, oedd ddeng mlynedd yn hŷn na fi ac a fu'n dyst i'r myllio chwedlonol hwn pan o'n i ddim ond babi. Meddai hi.

'Mi fydda i'n trio pidio â meddwl amdano fo, Marian. Roedd o'n . . .' – a byddai Sulwen yn crynu trwyddi bob tro wrth ddweud hyn, fel tasa hi'n groen gŵydd drosti o'i chorun i'w sawdl – '... ofnadwy. Mi ges i freuddwydion cas am fisoedd wedyn, felly plis paid â gofyn i mi hyd yn oed feddwl amdano fo. Jest bydda'n ddiolchgar nad w't ti wedi gorfod ei weld o. A gweddïa na weli di mohono fo fyth.'

Hmm . . .

Roedd wyneb Sulwen yn hollol ddifynegiant bob tro y dywedai hyn. Yr un geiriau bob tro hefyd. Ac yn cael eu dweud, dechreuais sylweddoli wrth dyfu'n hŷn, mewn Cymraeg oedd bron yn llenyddol: 'nad w't ti wedi gorfod ei weld o' yn lle'r 'bod chdi ddim 'di goro'i weld o' mwy arferol a disgwyliadwy – fel tasa hi wedi dysgu'r geiriau ar ei chof.

'Ond *pam* ddaru o wylltio?'

'Dwi ddim isio trafod y peth, diolch.'

'Ond mi ddylwn i ga'l gwbod, rhag ofn i mi neud yr un peth a'i wylltio fo heb drio.'

'Dwi ddim yn cofio'n iawn.'

Gorffennai'r sgyrsiau hyn yn ddi-ffael efo Sulwen yn gwthio'i sbectol yn ôl i fyny'i thrwyn a dychwelyd at ei llyfrau a'i gwaith cartref. 'Caria di 'mlaen fel rw't ti, ac mi gei di weld,' oedd ateb aml Mam pan fyddwn i'n ei holi ynglŷn â'r gwylltio hwn, ac er nad o'n i'n ei choelio'n llawn, penderfynais bob tro mai doethach fyddai byhafio ychydig yn well – rhag ofn.

Y peth oedd, un anobeithiol am ddweud y drefn oedd fy nhad. Edrychai ei wyneb fel tasa fo wedi cael ei greu ar gyfer gwenu a chwerthin, gyda gên a thrwyn hir a chrychau di-rif yn ei fochau ac o gwmpas ei lygaid. Roedd ganddo lond ceg o ddannedd mawrion a llond pen o wallt cyrliog, cwta a chrychlyd. Bob tro y byddai'n trio dweud y drefn, swniai 'Gwil Glo', fel roedd pawb yn ei alw, fel rhywun oedd yn trio dynwared pobol eraill, pobol a fedrai ddwrdio ag argyhoeddiad.

Pan oedd angen rhywbeth mwy na dim ond row fach gyffredin, tuedd fy nhad oedd ffoi allan o'r ffordd i'w sièd yng ngwaelod yr ardd gefn, lle roedd y silffoedd yn ysigo dan bwysau pethau oedd ag 'Angan ei drwsio' arnyn nhw. Weithiau byddai un o'r cleifion hyn yn cael ei dynnu i lawr a'i osod ar y fainc er mwyn cael ei brocio a'i bwnio cyn i Dad ei ddodi yn ei ôl ar y silff i hel rhagor o lwch: clociau larwm, tanau trydan, setiau radio, tegellau, teganau clocwaith – i gyd yn disgwyl am y gwellhad gwyrthiol hwnnw na welon nhw mohono erioed. Dychwelai i'r tŷ pan fyddai'r storm drosodd, y droseddwraig (h.y. fi, gan amlaf) wedi'i chosbi a'r trydan annifyr wedi diflannu o'r aer am y tro.

Pryfociwr oedd Dad, felly, nid cosbwr, yn credu ei bod yn ddyletswydd arno i dynnu ar ei blant, i chwarae gêmau gyda nhw a thriciau arnyn nhw, i fynd â nhw am dro a'u dysgu sut i bysgota, sut i wneud bwa a saethau allan o goed a darnau o gortyn, a sut i gael cerrig llyfnion i neidio'n osgeiddig dros wyneb y dŵr.

Chafodd o ddim llawer iawn o hwyl ar hyn efo Sulwen. Llyfrau ydi popeth gan Sulwen ers pan oedd hi'n ddim o beth, a thyfodd i fod yn un o'r bobol hynny sydd mor glyfar fel eu bod yn ffinio ar fod, os nad yn ddwl, yna'n ddiniwed. Sut y clywodd hi, a hithau'n ddim ond tuag un ar bymtheg oed ar y pryd, am Egon Friedell, Duw a ŵyr. 'Darllan amdano fo'n rhywla' oedd ei hateb, os dwi'n cofio'n iawn, ond roedd o'n ddyn mawr ganddi.

Cyn ei farwolaeth yn 1938, roedd Friedell yn enwog am . . . wel, am fod yn glyfar, am wn i, ac roedd o hefyd, fel Sulwen, wedi mopio efo llyfrau ac yn berchen ar gasgliad anferth: yn ôl y sôn, roedd ei fflat wedi cau efo llyfrau. Ond yn anffodus, Iddew oedd Friedell, ac yn fwy anffodus fyth, yn byw yn Awstria yn ystod y tridegau. Un diwrnod ym mis Mawrth 1938, gwelodd o ffenestr y fflat genfaint o'r Natsïaid yn heidio i gyfeiriad ei adeilad. Yn hytrach na chael ei arestio, a byw (am ychydig bach, hyd yn oed, achos buasai ei dranc mewn uffern fel Auschwitz neu Dachau yn anochel) efo'r wybodaeth fod yr anifeiliaid hyn am losgi ei lyfrau bob un, neidiodd allan drwy'r ffenestr oedd sawl llawr i fyny – ac roedd yn ddigon ystyriol o bobol eraill, chwarae teg iddo, i floeddio rhybudd ar ei ffordd i lawr i'r tywyllwch.

Tra oedd genod eraill o'i hoed hi'n gwirioni ar eilunod megis Gregory Peck, James Stewart a Stewart Granger, roedd Sulwen yn ochneidio dros Egon Friedell. 'Ro'n i'n fyw pan ddigwyddodd hyn,' ochneidiodd wrthyf un tro, 'yn chwech oed ar y pryd' – fel tasa hi'n meddwl y dylai fod wedi gwneud rhywbeth i achub Friedell a'i lyfrgell.

Roedd ganddi'r gallu anhygoel i ganolbwyntio'n galed, dim ots faint o sŵn oedd o'i chwmpas, ac arferai wneud ei gwaith ysgol – ac, yn ddiweddarach, ei gwaith coleg – wrth fwrdd y parlwr cefn. Er nad oedd gynnon ni deledu acw nes o'n i yn y chweched dosbarth, roedd Dad a Mam yn mwynhau gwrando ar y weiarles, a geiriau a glywid acw'n aml oedd, 'Sulwen, pam nad ei di drwodd i'r gegin? Sulwen . . .? Sulwen!'

'Mmm . . . sori, be?'

'Ma' hi'n fwy tawal i chdi yn y gegin o beth myrdd.'

'Na, dwi'n iawn yn fan'ma, diolch.'

Wrth gwrs, daeth hyn i fod yn dipyn o niwsans i mi wrth i mi dyfu'n hŷn, gan fy mod i'n cael row yn aml am 'gadw twrw a Sulwen yn trio gwithio', er gwaetha gallu Sulwen i ganolbwyntio.

'Ers pryd ma'r parlwr cefn yn stydi i hon, beth bynnag?' cwynwn yn aml.

'Cer allan i'r cefn os w't ti isio cadw reiat. Ne' i dy lofft.'

'Ond ma' hi'n oer/bwrw/dywyll/boring yn fan'no!'

'Ma' gwaith Sulwen yn bwysig. Fasa fo ddim yn ddrwg o beth tasat titha'n codi llyfr o bryd i'w gilydd, chwaith.'

Roedd hyn braidd yn annheg: ro'n i'n mwynhau darllen, ond yn casáu gorfod gwneud gwaith ysgol gartref. Dim ond prin ei ddioddef ro'n i o fewn muriau'r ysgol, gan drin pob gwers fel darn o fara wedi llwydo yr oedd yn rhaid i mi'i gnoi am fod yna ddim byd arall ar gael.

Wrth dyfu, hefyd, sylweddolais fod cael chwaer fel Sulwen yn felltith: roedd pawb o'r athrawon yn disgwyl i minnau fod yn llathen o'r un brethyn. Gan fod Sulwen, felly, mewn perygl o gael ei dyrchafu'n santes (os nad yn angel), penderfynais yn fuan iawn mai i'r cyfeiriad arall yr awn i.

Do'n i ddim yn hoffi'r ffordd roedd pawb yn mynnu dweud wrtha i beth i'w wneud drwy'r amser. Ar ben hynny, doedd gen i ddim llawer o amynedd gyda phobol eraill, na'r amynedd ychwaith i drio cuddio hynny. O ganlyniad, gorfu i mi gludo sawl nodyn adra o'r ysgol dros y blynyddoedd gan brifathrawon gwahanol – Ifor Jones yn ysgol y 'Cownti', Emyr Roberts yn yr ysgol gynradd, a hyd yn oed Menna Thomas yn yr ysgol fabanod.

Dyna pryd yr arferai Dad ddiflannu i'w sièd. 'Diawl, do'n inna ddim yn ryw lawar o gargo yn yr ysgol chwaith, Dilys,' mentrodd ddweud un tro.

'Nag oeddat, wn i, Gwilym. Dwi'n cofio,' meddai Mam wrtho'n ôl. 'Ond roeddat ti o leia'n gwbod sut i fyhafio.'

Pan o'n i'n fach, ro'n i'n dipyn o domboi ac yn 'hogan Dad': wrth fy modd yn cael mynd efo fo a Jac Bach ac Elwyn ar y lori lo, neu'n pysgota am ledod neu sliwod oddi ar y Cob, neu'n hel concyrs o goed Bodawen, ac yn boen ar eneidiau cathod yr ardal drwy eu hela'n dragywydd efo bwa a saethau wedi'u gwneud o ganghennau a brigau o goed y Nyrsyri.

Dyna'r dyddiau pan oedd Dad a fi yn dipyn o fêts. Doedd dim yn well gen i na chael mynd efo fo am dro, ac arferem gerdded milltiroedd, dros Greigiau'r Dre i Gwm Ystradllyn, neu ar ein beiciau i Gwm Pennant neu Nant Gwynant. Dangosodd Sulwen yn fuan iawn mai dim ond dioddef y teithiau natur hyn a wnâi hi nes iddi fod yn ddigon hen i wrthryfela yn eu herbyn, ond ro'n i'n ffynnu arnyn nhw.

Arferai Dad chwerthin cryn dipyn am fy mhen.

'Pam dach chi'n chwerthin?' gofynnwn bob tro. 'Be ydw i wedi'i neud?'

'Dim byd, dim byd.'

'Wel, pam dach chi'n chwerthin, 'ta?'

'Y chdi, yndê, Mari. Rw't ti mor . . .'

'Mor be?'

'Dwn i'm. Mor . . . jest y chdi.'

Ateb oedd yn fy ngwylltio'n gandryll bob tro, a doedd hynny wrth gwrs ddim ond yn gwneud iddo chwerthin fwy fyth a bygwth dŵad ar f'ôl, a'm codi a'm cosi a minnau'n rhedeg oddi wrtho wysg fy nghefn a'm dwylo allan yn ei rwystro, oherwydd doedd wiw i mi faeddu fy nillad ar yr ofyrôls sglyfaethus a wisgai Dad i'w waith, neu basa Mam yn cael ffitiau.

Be oedd Dad yn ei *feddwl* efo, 'Rw't ti mor . . . jest y chdi?' Ar y dechrau, arferai ddweud hyn dan wenu neu chwerthin yn dawel iddo'i hun, ond deuai'r chwerthin yn llai a llai aml wrth i mi gyrraedd f'arddegau.

Cynigiodd nifer o ansoddeiriau eu hunain imi dros y blynyddoedd. Yn sicr, doedd 'sidêt' ddim yn un ohonyn nhw. Ond 'ystyfnig' – ia, yn bendant. A 'penderfynol'. Un o hoff straeon fy rhieni amdanaf yw fel yr euthum drwy gyfnod o beidio â chodi ar gyfer yr ysgol tan y munud olaf. Dywedwyd celwydd wrtha i un bore ynglŷn â'r amser, mewn ymdrech i'm cael allan o'r gwely mewn da bryd, a phan gyrhaeddais y gegin a sylweddoli faint o'r gloch oedd hi mewn gwirionedd, dychwelais i'm llofft yn bwdlyd ac yn ôl i mewn i'r gwely, yn fy nillad, nes i *mi* benderfynu ei bod yn amser imi godi.

Ro'n i'n dipyn o felin bupur hefyd, pan o'n i'n fach, ac yn ôl pob son yn dŵad allan efo'r pethau rhyfeddaf mewn ffordd henffasiwn. Ond mae'n hawdd maddau pethau fel yna i hogan fach, a hyd yn oed dderbyn bod yna elfen o giwtrwydd i'w thueddiadau 'ystyfnig' a 'phenderfynol'. Nid felly pan soniwn am ddynes ifanc yn ei harddegau.

* * *

Penderfynais yn fuan nad o'n i fel pawb arall.

Ynteu o'n i wedi penderfynu nad oedd arnaf *eisiau* bod fel pawb arall? Ac a oedd y penderfyniad hwnnw, felly, yn fy ngwneud yn wahanol iddyn nhw? Yn sicr, doedd gen i ddim amynedd efo'r rhan fwyaf o'm cyfoedion – ro'n i wedi darganfod hynny ers dyddiau'r ysgol gynradd, os nad ynghynt, ac wrth i mi dyfu'n hŷn tyfodd y bwlch hwnnw fwyfwy. Neu fe euthum ati i ofalu bod y bwlch hwnnw'n tyfu.

Wedi dweud hynny, ro'n i *yn* mwynhau cael sylw, ac efallai fod hynny oherwydd i mi gael gormod o sylw pan oeddwn yn fach. Efallai hefyd fod Sulwen yn rhannol gyfrifol am hynny; doedd arni hi ddim eisiau'r un tamaid o sylw, dim ond llonydd i bori yn ei llyfrau, felly mae'n siŵr fy mod i wedi cael mwy o sylw nag oedd yn llesol i mi.

Mae genod bach yn cael mwynhau sylw; mae merched ifainc yn cael eu galw'n bethau gorchestlyd. Wn i ddim pryd yn union y dechreuais sylweddoli nad o'n i'n boblogaidd iawn efo'm cyfoedion. Doedd gen i ddim un ffrind agos, dim un ffrind gorau: Dad oedd hwnnw am flynyddoedd. Ond yn hytrach na chymryd cam neu ddau yn ôl er mwyn ceisio fy ngweld fy hun drwy lygaid eraill, ac efallai deall wedyn pam fod hyn yn digwydd, rhaid i mi gyfaddef mai f'agwedd gan amlaf oedd dweud, 'Bygro nhw. Sgin i ddim mynadd efo nhw beth bynnag.'

Neu, fel basa Nain wedi'i ddweud: 'Ti-dî iddyn nhw felly, yndê?'

* * *

Yna daeth roc-a-rôl. I Brydain, i Borthmadog, i Ben-cei ac i'n tŷ ni. Be oedd *hynna . . .*? meddyliais wrth gael fy ngwefreiddio gan sŵn 'Heartbreak Hotel' yn dŵad allan o'r weiarles un gyda'r nos – o weiarles Dad a Mam, cartref clyd Uncle Mac, Sassie Rees a'r Ovaltineys. Dechreuais wrando'n amlach ac yn amlach, a chyn bo hir ro'n i wedi clywed digon o'r gerddoriaeth newydd, wyllt yma i fedru dewis a dethol rhwng yr artistiaid. Wedi rhyw fflyrtian ychydig efo Cliff, ffraeais hefo fo ar ôl i Mam ddweud ambell i beth neis amdano: doedd dim siawns gan Marty Wilde a Tommy Steele ychwaith, ddim yn erbyn Elvis, Eddie Cochran, Jerry Lee a Gene Vincent – yn enwedig Gene Vincent, fel mamba rhywiol yn ei ledr du. 'Be-Bop-a-Lula' a 'Blue Jean Baby', 'Great Balls of Fire' a 'Summertime Blues' – O, roedd y cantorion Prydeinig mor llipa, mor saff, mor *neis*, wrth ymyl y rhain.

Dyma pryd y ganed y geiriau rhiniol hynny sydd bellach yn anfarwol: 'Does bosib dy fod yn leicio'r rwtsh yma go iawn?' – geiriau go ddiniwed erbyn hyn, o ystyried yr hyn oedd o flaen rhieni'r dyfodol. Does dim ond rhaid i mi agor fy nghlustiau i'r twrw sy'n llenwi'r caffi hwn ar orsaf Trebedr i fedru cydymdeimlo hefo'r tadau a'r mamau druan sydd yn gorfod gwrando arno fo'n feunyddiol. Ac o'n, ro'n i *yn* hoffi'r 'rwtsh' roc-a-rôl, a hefyd yn mwynhau mynychu caffis – Caffi'r Cob yn enwedig, a chaffi Ifi Morgan ar y Stryd Fawr. Cefais flas ar yfed coffi, a dysgais sut oedd smocio heb besychu a chyfogi nes i mi fedru chwythu cylchoedd perffaith o fwg.

A dysgais ffraeo – efo'm rhieni gan amlaf, ac yn enwedig efo Mam druan. Roedd byw efo'r ddwy ohonom, cwynai Dad yn aml, fel byw hefo dwy gath. Doedd gen i ddim ffrindiau i ffraeo efo nhw; dyma un rheswm pam fod Mam a minnau'n gwrthdaro cymaint. 'Dim rhyfedd bod gen ti ddim ffrindia' oedd un frawddeg gyson acw. 'Faswn inna ddim isio bod yn ffrind i chdi chwaith, taswn i'r un oed â chdi,' oedd un arall.

Erbyn hynny doedd arna i ddim *eisiau* ffrindiau. Doedd gen i ddim amynedd efo'r rhai oedd yr un oed â mi, a rhai dros dro yn unig oedd y rheiny y deuthum ar eu traws yn y caffis oherwydd buan iawn yr o'n i'n blino arnyn nhwythau hefyd. Edrychwn arnyn nhw'n aml gan feddwl: erbyn i mi gyrraedd eu hoed nhw, mi fydda' i wedi hen fynd o'r lle 'ma; tasa gan y rhain unrhyw beth o'u cwmpas nhw, mi fasan nhw wedi hen fynd i ffwrdd.

'Fedra i ddim gwitshiad i ga'l mynd o 'ma,' meddwn droeon wrth fy nghyd-gaffiwyr, fy nghyfoedion yn yr ysgol, fy rhieni. 'Fedra i ddim gwitshiad.'

Efallai fod Mam hefyd wedi fy ngwneud, os rhywbeth, yn fwy penderfynol o beidio â dod yn ffrindiau agos hefo neb o'r ysgol, oherwydd roedd hi byth a beunydd yn fy nghymharu'n anffafriol efo hwn a hwn neu hon a hon. Dyma un rheswm pam y tyfodd y Coliseum i fod yn noddfa i mi. Yno, unwaith ro'n i wedi esgyn y grisiau marmor melyn a thalu i gael mynd drwy'r llenni melfed trwchus i mewn i'r tywyllwch, roeddwn yn cael llonydd i freuddwydio a chynllwynio.

Arferai'r ffilmiau gael eu newid deirgwaith yr wythnos – bob dydd Llun, Mercher a Gwener. Yn aml iawn hefyd roedd yna ffilm arall – un lai nodedig na'r brif ffilm, efallai, ond weithiau'n well o lawer – yn cael ei dangos rhwng y *first house* a'r *second house*, felly doedd o ddim yn beth anghyffredin i mi weld chwe ffilm o fewn wythnos.

Do, mi welais i gryn dipyn o rwtsh, ond mi welais i glasuron hefyd. A brwydrais yn galed yn erbyn cael unrhyw grysh ar wahanol actorion: genod eraill oedd yn mopio fel

hyn, nid y fi. *Edmygu* pobol fel Montgomery Clift a Lauren
Bacall ro'n i, yn hytrach na glafoerio drostynt fel y gwnâi
pawb arall. Hyd heddiw, dwi'n methu'n glir â gweld pam y
bu'r holl ffỳs ynglŷn â Marilyn Monroe. Troais fy nhrwyn ar
James Dean, ac mi ges i hymdingar o ffrae efo Miss Whitfield
yn yr ysgol am feiddio gwisgo band du am fy mraich pan fu
farw Humphrey Bogart.

'Rw't ti'n gneud ati i fod yn wahanol.'

Euthum â hyn gam ymhellach pan oeddwn i yn y
chweched dosbarth drwy arbrofi gyda rhyw – nid yn
ormodol, ac yn bennaf am fod y genod eraill i gyd yn bodloni
ar giglan uwchben eu chwilfrydedd a'u hanwybodaeth.
Cefais dipyn o enw, dwi'n gwybod, ond basa sawl un wedi
cael ffit binc tasan nhw'n gwybod fy mod i'n dal yn wyryf
pan adewais am y coleg. Cadwais yn glir oddi wrth 'hogia'r
moto-beics' efo'u jîns tynion; yn hytrach, gofalais bob tro mai
hogyn go swil oedd fy 'nghariad'. Roedd yn haws rheoli'r
caru efo rhywun felly, a chefais flas ar ddangos iddyn nhw
ble a beth i'w gyffwrdd, sut oedd ei gyffwrdd, a phryd. A
gwneuthum fy siâr o'u cyffwrdd yn ôl, a dotio at pa mor
barod roeddynt bob un i orgynhyrfu, at sydynrwydd yr hylif
poeth a lifai dros fy mysedd a'm llaw – a dysgais yn fuan mor
ddi-ddim yw pob dyn ar ôl i hyn ddigwydd, a pha mor barod
i gilio oddi wrtha i. Efallai fod ambell un o'r profiadau hyn
yn 'neis'; llwyddai bysedd barus yr hogia i'm goglais, dyna'r
cyfan. Arferwn orffen eu gwaith gartref, ar fy mhen fy hun
yn fy ngwely.

* * *

'Rw't ti mor . . . jest y chdi, yndê.'

Dad druan. Rhoddais lond gwlad o ansoddeiriau iddo
ddewis ohonynt, ychydig iawn, iawn ohonyn nhw'n rhai
hyfryd. Hoffwn feddwl amdanaf fy hun fel person
annibynnol, ond, yn ddistaw bach, gwyddwn fy mod i hefyd

yn haerllug, yn falch, yn drahaus – ac yn annifyr o ddilornus o bron bob dim erbyn i mi fynd i ffwrdd i'r coleg (dim ond cael a chael oedd hi, a dwi'n siŵr, tasa'r rhifau ddim wedi digwydd bod yn gymharol isel y flwyddyn honno, yna go brin y baswn i wedi cael fy nerbyn). Yn ddilornus o lawer gormod o bethau – o'm cefndir, o waith Dad, o Mam am setlo am fodlonrwydd clawstroffobig bywyd gwraig tŷ, o'r ysgol, o'r capel. O Sulwen a'i swydd lychlyd yn y llyfrgell. O'm cyfoedion, yn enwedig y rheiny a arhosodd gartref i efelychu eu rhieni neu a hyfforddodd ar gyfer swyddi a oedd, yn fy nhyb ffiaidd i, yn rhy gyffredin, rhy ddiflas a rhy sych.

Rhy 'sgwâr'. Dyna oedd y gair mawr. Roedd pob dim yn 'sgwâr'.

Tua'r adeg yma, dwi'n meddwl, y dechreuais sylweddoli nad o'n i'n fy hoffi fy hun rhyw lawer; dwi ddim yn credu y baswn innau eisiau bod yn ffrind i rywun fel y fi, chwaith.

Roedd gwybod hynny'n waeth, os rhywbeth, na gwybod bod eraill yn fy nghasáu.

Y dewis, felly, oedd mynd ati i newid neu ddysgu byw yn fy nghroen. Mi wnes i ryw ymdrech wrth fynd heibio ar fod, os nad yn addfwynach, yna'n fwy clên gyda phobol. Ond doedd hyn byth bron yn gweithio: roedd rhywbeth yn siŵr o ddigwydd, neu rywun yn siŵr o ddweud neu wneud rhywbeth i'm gwylltio, a deuai'r hen Farian – na, y Farian *iawn* – allan unwaith eto, mor feirniadol a miniog ei thafod ag erioed.

Roedd o fel tasa Ffawd yn sibrwd yn fy nghlust gyda malais llon: *rw't ti wedi gadael pethau'n rhy hwyr i ddechrau meddwl am newid rŵan.*

Rhy hawdd fasa dweud mai dyma pam y cefais i'm pen fy mod i am fod yn actores – fy mod mor anghyfforddus yn fy nghnawd fy hun, fel mai'r unig beth amdani felly oedd cymryd arnaf am ychydig oriau mai rhywun arall o'n i. Ond eto, dwn i'm. Hwyrach fod yna lygedyn bychan o wirionedd yn hyn. Yn sicr, roedd y syniad o fedru ymguddio'r tu ôl i fwgwd yn apelio'n fawr. Dechreuais wneud sioe ohonof fy hun drwy ddarllen ag argyhoeddiad (neu felly y credwn ar y pryd) pa bynnag ran y gofynnid i mi ei darllen yn uchel yn y dosbarth, dim ots os o'n i'n gelyniaethu'r disgyblion eraill. Awn ati bob gafael i 'ddangos fy hun'.

Ond daeth un peth da o hyn: wrth astudio *Death of a Salesman* a'r gwahanol agweddau o'r Freuddwyd Americanaidd, deuthum ar draws Edward Hopper am y tro cyntaf, a dechrau llunio fy nramâu bychain fy hun o gwmpas ei ddarluniau. Roedd ei bortreadau o ffigurau unig, wedi eu rhewi am ennyd ac am dragwyddoldeb, fel petai Hopper wedi cael cip arnynt wrth wibio heibio iddynt mewn car neu drên, yn fy nghyffwrdd mewn ffordd na fedrwn ei esbonio'n glir iawn.

Dim ond wedyn y sylweddolais mai uniaethu efo nhw ro'n i.

Yn enwedig y merched yn yr haul.

Automat, Edward Hopper, 1927

Eistedda wrth fwrdd crwn ar ei phen ei hun, cwpan goffi a soser yn ei llaw dde a maneg am ei llaw chwith, a'i choesau wedi'u croesi o dan y bwrdd. Mae'r gadair bren gyferbyn â hi wedi'i gwthio i mewn nes bod blaen cefn y gadair yn dynn yn erbyn ochr y bwrdd: does neb newydd godi oddi arni, a does neb am ddod ac eistedd arni ychwaith.

Gwisga'r ferch gôt werdd gyda ffwr tywyll ar y goler a gwaelodion y llewys. Er ei bod wedi datod ei chôt, dydi hi ddim wedi tynnu'i het: het *cloche* felen. Nid yw am aros yma'n hir, felly; mae rhywle ganddi i fynd iddo. Ond er bod minlliw ar ei gwefusau a cholur ar ei hwyneb, edrycha'r ferch yn welw iawn ac yn hynod flinedig. Nid yw'n edrych ymlaen, teimlwn, at gyrraedd ble bynnag mae hi'n mynd.

Go brin y buasai'n oedi mewn lle o'r fath o'i gwirfodd. Nid yw'r *automats* i'w cael erbyn heddiw, diolch byth; os oes rhai sydd yn dal i fodoli, yna nid oes llawer ohonynt. Coffi o beiriant sydd gan y ferch yn ei chwpan; does neb yma'n sefyll y tu ôl i gownter yn barod â gwên a sgwrs: sefydliadau sydd yn llythrennol yn amhersonol a digymeriad ydynt. Go brin mai ffrwythau iawn sydd yn y bowlen ar sil y ffenestr y tu ôl i'r ferch. Plastig yw'r rhain, hefyd; maent yn rhy liwgar, yn rhy loyw, yn rhy lân.

Ond efallai mai dyma'n union pam mae'r y ferch wedi dewis oedi yma. Efallai fod arni eisiau – angen – rhywle i eistedd a meddwl am ychydig o funudau. Does dim rhaid iddi dorri'r un gair â neb, ddim hyd yn oed 'os gwelwch yn dda' na 'diolch'.

Does dim rhaid iddi wenu, hyd yn oed. Dim ond gwthio'i harian i mewn i beiriant ac eistedd gyda'i choffi di-flas.

Mae ei hwyneb dan gysgod, ond nid dan gysgod ei het. Na – daw'r cysgod hwn o'r tu mewn iddi.

Lle mae hi'n mynd, tybed? I gwrdd â chariad sydd ar fin peidio â bod yn gariad iddi, efallai, a'i bod wedi dod yma er mwyn penderfynu sut mae hi am ddweud hynny wrtho.

Ond eto, na. Mae mwy o dristwch o'i chwmpas na hyd yn oed hynny. Llifa oddi arni fel chwys. A llawer iawn mwy o densiwn. Mae'n gafael yn dynn, dynn yng nghlust ei chwpan, a phetai hi'n ymlacio'r mymryn lleiaf, yna byddai'n dechrau crynu nes bod y coffi'n sblashio'n frown dros wyneb glân y bwrdd. Merch yw hon sydd yn mygu ochneidiau.

Meistres, yn hytrach na chariad. Meistres i ddyn priod, ofnwn, dyn sydd heno wedi dewis aros gartref efo'i wraig a'i blant yn hytrach na threulio amser gyda hi. Dyn sydd efallai wedi cael digon ar yr holl sleifio a'r holl gelwydd, ac sydd wedi dechrau colli amynedd efo'r ferch hon. Mae hi wedi dechrau cymryd yr holl beth ormod o ddifrif: wedi'r cwbl, dim ond ychydig o hwyl oedd o i fod, yntê?

Lle'r aiff hi'n awr, tybed? Adref, i'w gwely unig, i geisio cael gwared ar rywfaint o'r dagrau sydd eisoes wedi dechrau cronni'r tu mewn iddi. Neu efallai nad oes unrhyw le ganddi i fynd iddo, a bod ei dyfodol agos – fel y rhesaid o oleuadau sydd wedi'u hadlewyrchu yn nüwch y ffenestr y tu ôl iddi – yn arwain i nunlle.

Ac, erbyn meddwl, hwyrach bod y ffrwythau yn y bowlen yn rhai go iawn wedi'r cwbl.

Ond eu bod wedi pydru oddi mewn.

Trebedr, 4 Medi 2005

Mae criw o genod ifainc yn eistedd wrth ddrws caffi'r orsaf. Tair ohonyn nhw, dwy olau ac un dywyll. Faint ydi'u hoed nhw – tua phymtheg, efallai? Un ar bymtheg? Maen nhw i gyd yn gwisgo topiau sy'n dangos y rhan fwyaf o'u boliau a'u cefnau, a throwsusau sydd yn dangos hanner eu penolau. Mae'r un dywyll ac un o'r rhai golau yn rhy denau i ddangos yr holl gnawd, a'r un benfelen arall yn rhy dew; hon yw'r un sydd agosaf ataf i, a gwelaf fod ganddi datŵ mawr sydd ychydig yn Geltaidd ei olwg ar waelod ei chefn, a bod y nicyr bach tila, piws sy ganddi amdani'n fawr mwy na chortyn bregus sydd yn siŵr o fod yn anghyfforddus iawn yng nghrych ei phen-ôl. Dydyn nhw ddim yn giglan nac yn cadw unrhyw dwrw. Dydyn nhw ddim hyd yn oed yn siarad nac yn sbio ar ei gilydd: mae'r tair yn rhy brysur yn ffidlan efo'u ffonau symudol, yn danfon ac yn derbyn negeseuon, rhywbeth dwi erioed wedi'i wneud.

Tybed a ydi John Griffiths yn gyfarwydd â phethau fel hyn? Mae'n siŵr ei fod o, ac yntau'n athro ac felly ar ymylon byd yr ifainc.

'Yr actoras fawr,' medd Mam eto dan sniffian.

Mae'r ddau ohonynt yn syllu arna i rŵan gyda thristwch mawr ac mae hyn yn waeth na myll cynharach Dad a dirmyg Mam.

'Pidiwch â sbio arna i fel'na!'

Try'r tair geneth yn siarp i'm cyfeiriad, cyn sbio ar ei gilydd a giglan. Yn ôl â hwy at eu ffonau, eu bysedd yn un ffrwcs byrlymus wrth iddyn nhw wasgu'r gwahanol fotymau, yn adrodd yr hanes am y lŵni wrth y bwrdd yn y gornel.

'Mae'n rhaid i mi fynd yno heddiw 'ma, felly gadwch lonydd i mi,' meddaf. Eisteddaf gyda'm pen i lawr, yn syllu'n galed i mewn i'm cappuccino. Arhosaf fel hyn am hir nes, yn y diwedd, mentraf sbecian i fyny dros y bwrdd.

Mae'r ddau wedi mynd ond wedi gadael eu tristwch ar eu holau, yn llifo ohonof i rŵan ac yn dal yma yn yr aer yn gymysg â drewdod y saim a'r sigaréts a'r rhith bychan hwnnw o bersawr Lily of the Valley fy mam.

Canolbwyntiaf ar syllu i mewn i'm mwg coffi, yn ofni codi fy mhen rhag ofn i'r genod ifainc acw – sydd yn troi a sbecian i'm cyfeiriad bob yn ail funud – weld bod fy llygaid yn llawn.

'Sori, Mam,' sibrydaf. 'Sori, Dad.'

Dyma fi wedi eu siomi eto.

Un siom ar ôl y llall, ers i mi ddŵad adref o'r coleg.

Bangor, 1961

Dwi ddim eisiau treulio gormod o amser yn meddwl yn ôl am y cyfnod llwyd hwnnw. Llwyd ym mhob ystyr i'r gair, dwi ddim yn amau, oherwydd does gen i ddim cof fod yr haul wedi ymddangos rhyw lawer y flwyddyn golegol honno. Y cof sydd gennyf yw o balmentydd gwlybion a llithrig, o law mân yn crafu'r ffenestri, o niwl dros y Fenai, o gotiau dyffl trymion a di-siâp, o gennin Pedr llipa mewn gwelyau brown o fwd. Ac os oedd hi'n wlyb y tu allan i furiau'r coleg, yna roedd hi'n sicr yn sychach na'r Sahara y tu mewn iddynt.

Mi wnes i'n o lew yn y chweched dosbarth efo Ysgrythur a Chymraeg a Saesneg. Do'n i ddim yn serennu o bell ffordd, ond mi wnes i'n o lew. Ond yn y coleg, cafodd fy mwynhad o lenyddiaeth Cymraeg ei fygu gan ddarlithoedd di-ddiwedd am Gymraeg Canol a datblygiad yr iaith, a digwyddodd rhywbeth tebyg i unrhyw ddyfodol a fyddai gennyf fel diwinydd gan ddarlithoedd Groeg a Hebraeg.

Yr unig bwnc y cefais unrhyw bleser ohono oedd Drama,

ond fe'm dadrithiwyd gan hyd yn oed hwnnw hefyd pan deallais fod disgwyl i mi ei *astudio* lawer iawn mwy na'i *wneud*.

Fel y digwyddodd gartref, dihangais fwyfwy i'r sinema a chael llawer iawn mwy o foddhad oddi wrth Bergman, Resnais, Truffaut, Godard a Buñuel nag o weithiau Ibsen, Chekhov, Pirandello, Shakespeare ac anterliwtiau Twm o'r Nant.

O'n i hyd yn oed yn gwybod ble *roedd* y Llyfrgell? holodd un darlithydd fi'n goeglyd, ac o flaen pawb arall, un diwrnod. 'Nid oes yno wŷr arfog na chŵn cynddeiriog yn eich rhwystro rhag mynychu'r lle o bryd i'w gilydd, Marian, a phori ar borfeydd gwelltog yr holl wybodaeth sydd i'w chael yn rhad ac am ddim ar y gwahanol silffoedd.'

'Ffyc off,' anadlais rhwng fy nannedd. Ond roedd y rhybudd yn eithaf clir: siapia hi, neu bygra hi o'ma. Roedd fy nhraethodau'n ffwrdd â hi ar y gorau, a fy mhresenoldeb mewn darlithoedd yn eratig. Ond os nad o'n i'n ymdrechu'n ddigon caled efo'm pynciau, yna ro'n i'n ymdrechu gormod yn y Gymdeithas Ddrama.

'Mae'n rhaid cael *disgyblaeth*, Marian,' meddai'r tiwtor oedd yn cyfarwyddo cynhyrchiad y Gymdeithas o *Blodeuwedd*. 'Y ddisgyblaeth i fwrw prentisiaeth hir a dod i feistroli dy grefft.' Gwyddwn y baswn yn gwneud gwell Flodeuwedd o beth myrdd na'r dreipan ddidalent a gafodd y brif ran, Duw a ŵyr sut. Ac *am* yr hogan oedd yn chwarae rhan Rhagnell! Os nad oedd hi'n baglu dros ei geiriau, yna roedd hi'n baglu dros ei thraed, ei gwisg, y dodrefn . . .

Gofynnodd y cyfarwyddwr i mi fod yn rheolwraig llwyfan. 'Ffyc off,' ddywedais i wrth hwnnw hefyd, a'r noson honno euthum ati i feddwi'n dwll. Ro'n i'n chwilio am ebargofiant ond methais ddod o hyd iddo. Yn hytrach, cenais yn iach i'm gwyryfdod ar draeth Benllech yng nghwmni mab i weinidog o Lanrwst, ein dau wedi igam-ogamu yno yn ei gar – hen Riley, os dwi'n cofio'n iawn. Chafodd o ddim trafferth o gwbl i lithro i'r llonyddwch mawr yn ôl unwaith yr oedd o wedi gorffen bustachu rhwng fy nghluniau. Deffrodd ben bore trannoeth yn swp sâl ac yn honni nad oedd unrhyw syniad ganddo ble roedd o na sut roeddem ein dau wedi mynd yno.

'Ond be ddigwyddodd neithiwr, Marian?' gofynnodd.

'Fawr o ddim byd, washi,' atebais. Poen sydyn a phigog, dyna'r cwbwl, a thywod oer a gwymon gwlyb dan fy mhen-ôl noeth.

* * *

'Sut ma' hi'n mynd yno efo chdi?' holodd Dad pan euthum adref dros y gwyliau.

'Iawn – tshampion.'

'Chydig iawn o stydio 'dan ni wedi dy weld di'n ei neud,' meddai Mam.

'Dwi'n gneud digon o hynny yno, diolch.'

'Wel, mi oedd Sulwen wrthi drw'r amser pan oedd hi adra hefyd.'

Oedd, mwn. Ffycin Sulwen. Roedd pawb, bron, yn 'ffycin' rhywun-neu'i-gilydd gennyf erbyn hynny.

* * *

Yn ôl yn y coleg, cefais rybudd arall gan y tiwtor a gorchymyn i ysgrifennu llythyr o ymddiheuriad i'r tiwtor Drama am ei regi. Ysgrifennais y math o lythyr a oedd, os edrychid arno mewn ffordd arbennig (a dyna be wnaeth o, yn ôl yr edrychiadau cam a gefais ganddo wedyn), yn gampwaith o goegni.

Dychwelais i'r sinema, at Billy Wilder, Fritz Lang, Satyajit Ray, Akira Kurosawa, John Ford a John Huston. A thriais hi eto gyda rhyw, a chael methiant arall – y tro hwn gyda Sais a droai yn llipa fel cadach llestri gwlyb bob tro y dringwn arno.

Penderfynais fynd i'r afael â'm gwaith, ddim ond i glywed Ffawd yn sibrwd eto yn fy nghlust gyda'r un boddhad maleisus hwnnw: '*Rwyt ti wedi gadael pethau'n rhy hwyr.*'

Ni ddaeth fel syndod mawr i mi, felly, pan gefais lythyr o'r coleg yn o fuan wedi i mi fynd adref dros yr haf yn dweud fy mod i wedi methu fy arholiadau.

Pob un.

* * *

Es i ddim yn ôl yno; dwi ddim yn credu i mi hyd yn oed holi a oedd yn bosib i mi ailsefyll yr arholiadau. Do'n i erioed wedi ffitio yno; erioed wedi teimlo fy mod yn perthyn yng nghanol y cotiau dyffl a'r sgarffiau coleg a'r holl ganu emynau yn y Menai Vaults a'r Belle Vue.

Yn hytrach, cefais swydd weinyddol mewn swyddfa yn Port gyda chwmni o gyfrifwyr, a dilyn cwrs ysgrifenyddol gyda'r nos.

Yno y bûm am dros dair mlynedd, yn gwneud fy ngwaith yn hogan dda ac yn syrthio mewn cariad efo'r Stones yn hogan ddrwg, yn safio fy nghyflog ac yn benderfynol o fynd, un diwrnod, i Lundain.

Trebedr, 4 Medi 2005

Mae'r chwant bwyd mwyaf ofnadwy newydd fy nharo, rŵan bod arogl Lily of the Valley wedi diflannu. Dychwelaf i'm bag, felly, a thynnu'r KitKat ohono a gwenu i mi fy hun wrth feddwl, am y tro cyntaf ers deugain mlynedd, dwi'n siŵr, am Brenda Watkins o Port.

Llond llofft o hogan, chwedl Dad, oedd Brenda, ac yn gweithio yn yr un swyddfa â mi; hogan glên, 'cymrwch fi fel ydw i', oedd hefyd wedi bod â'i bryd ar fynd i weithio yn Llundain.

'Ond yma rydw i o hyd, fel ti'n gweld,' meddai. 'Er, mi ddois i'n agos at fynd, cofia. Mi ges i intyrfiw yno.'

'Be ddigwyddodd?' gofynnais, a chochodd Brenda.

'Gneud llanast o betha wnes i yn yr intyrfiw, mynd yn *flustered* i gyd.'

Ond roedd mwy i'r peth na hynny, ac mi ges i'r stori gyfan un noson. Dwi ddim yn amau mai mewn parti roeddem ni yng Ngwesty'r Sportsman – parti i Brenda fel mae'n digwydd, oherwydd roedd hi newydd gael gwell swydd mewn swyddfa ym Mhwllheli.

'O, Marian, roedd o'n uffernol!' meddai, pan holais hi eto ynglŷn â'i chyfweliad yn Llundain. Ffaniodd yr awyr o'i blaen: roedd yr ystafell yn glòs ac roedd Brenda'n domen goch o chwys. 'Ro'n i'n ddigon o nyrfys rec yn cyrra'dd Llunda'n, fel y galli ddychmygu. Roedd gen i awr i'w ladd cyn amsar yr intyrfiw, felly es i am banad i'r caffi 'ma yn Euston. Mi brynis i banad o de a KitKat, ond wrth droi ar ôl talu, dyma fi'n gweld bod 'na ddim llawar o le i rywun ista i lawr.

'Heblaw am fwrdd yn y gornol bella, efo un dyn yn ista yno ar 'i ben 'i hun yn gneud croswyrd yn 'i bapur newydd. Roedd o i'w weld yn ddigon clên – yn symud 'i drê fo o'r ffordd er mwyn gneud lle i f'un i, a ballu. Dyma fi'n ista i lawr, dechra rhoid siwgwr a llefrith yn 'y nhe – a dyma'r dyn 'ma, heb hyd yn oed sbio arna i, cofia, yn gafal yn 'y NghitCat i, 'i agor o, torri un bys i ffwrdd a'i fyta fo – reit o dan 'y nhrwyn i!

'Wel, y diawl digwilydd, medda fi wrtha fi'n hun, felly dyma fi'n torri pishyn arall ohono fo a'i fyta fo. Roedd gynno fo'r *cheek* i sbio dagyrs arna i wrth i mi gnoi – ond mi sbiais inna ddagyrs yn ôl arno fynta. A wyddost be na'th o wedyn? 'Mond bachu pishyn arall o NghitCat i, a'i fyta fo!

'Wel! medda fi wrtha fi'n hun, a bachu'r pishyn dwytha cyn i'r sglyfath fedru rhoid 'i bump arno fo, a'i stwffio fo i mewn i 'ngheg – er 'mod i ddim cweit wedi gorffan cnoi'r pishyn cynta. Mi fasa'n werth i chdi fod wedi gweld 'i wep o, Marian – *if looks could kill*, yndê, mi 'swn i'n gorwadd yn gelan ar lawr y caffi 'na. Dyma fo'n codi ar ei draed – doedd o'n fawr o beth i gyd, rhyw ddyn eiddil ei olwg, mewn siwt lwyd a sbectol, yn edrach braidd fel proffesyr ne' rwbath – ac i ffwrdd â fo'n ôl at y cownter i brynu sandwitsh. Ddoth o ddim yn 'i ôl ata i, yndê. Mi ffeindiodd o fwrdd arall wrth y drws.

'Mi orffennis i'r KitKat, a gorffan yfad 'y mhanad, ond ro'n i wedi cynhyrfu, Marian. Wrth i mi ista yno dyma fi'n teimlo fi fy hun yn dechra ca'l y myll. Pwy ddiawl oedd o'n meddwl oedd o, yndê? Ro'n i'n goro' pasio'i fwrdd o wrth fynd allan, ac wrth neud mi ddoth 'na ryw ddiafol ar 'yn ysgwydd i a deud wrtha i am gymryd 'i frechdan o. A dyna i chdi be wnes i, Marian – cipio'i frechdan o oddi ar y plât a chymryd brathiad ohoni – brechdan sosij, dwi'n gallu clywad 'i blas hi hyd heddiw – 'i gollwng hi'n ôl ar 'i blât o a nodio arno fo cystal â deud, *See how you like it, mate*!

'Ro'n i'n teimlo'n lot gwell pan es i allan a chwilio am dacsi i fynd â fi i'r intyrfiw. Rhaid i mi watshiad 'yn hun yn y lle 'ma, dwi'n cofio meddwl, mae o'n llawn o ryw betha digon od. Mi ges i dacsi'n ddigon hawdd, ac off â fi am yr intyrfiw. Tu allan i'r swyddfa dyma fi'n agor 'y mag i chwilio am bres i dalu i'r dreifar . . . a wyddost ti be?'

'Roedd dy bwrs di wedi mynd!'

Ysgydwodd Brenda'i phen a chuddio'i hwyneb yn ei dwylo cyn sbio'n ôl arna i.

'Na, roedd 'y mhwrs i'n dal yno'n saff,' meddai. 'Y drafferth oedd, roedd 'na GitCat newydd sbon heb 'i agor yno hefyd . . .'

Gwenaf fel giât rŵan a giglan yn uchel wrth feddwl am y dyn bach hwnnw'n crynu yn ei gadair, mae'n siŵr, wrth weld teyrnas fel Brenda'n martshio amdano drwy'r caffi, efo'i hwyneb, mi fentraf ddweud, yn goch fel tomato, cyn hwylio allan wedyn fel llong fawr, fawreddog. Dwi ddim yn credu i mi'i gweld hi wedyn, ar ôl y parti, a chlywais ymhen rhyw flwyddyn neu ddwy ei bod wedi priodi dyn o Bwllheli a setlo yno.

Tybad beth ydi ei hanes hi erbyn heddiw?

Sylwaf fod y genod ifainc wrth y drws yn sbio arna i eto – wedi fy ngweld (a fy nghlywed) yn giglan i mi fy hun. Wel – ti-di iddyn nhw, yndê? Dydyn nhw ddim wedi sylwi – maen nhw'n rhy brysur yn sbio arna i – ond mae yna ddyn wrth y til sy'n cael trafferth peidio â sbio ar ben-ôl yr un dywyll sydd â'i chefn agosaf ato. Mae ei lygaid yn dawnsio i'w chyfeiriad bob gafael.

Ond rŵan mae'r genod yn codi a mynd allan gan sbio i'm cyfeiriad a giglan yn uchel wrth fynd. Er mawr siom i'r dyn wrth y til, dwi'n siŵr, ond ta waeth, mae'n etifeddu eu bwrdd a'u llanast, ac yn cael cryn drafferth i eistedd oherwydd, yn ogystal â hambwrdd go lawn, mae ganddo fag dogfennau lledr ac ymbarél. Ond llwydda i gyrraedd y bwrdd heb gael nac achosi damwain; tynna ei gôt law a'i phlygu a'i gosod dros gefn un o'r cadeiriau, cyn dodi'r hambwrdd ar ei fwrdd a'i fag dogfennau ar sedd y gadair lle mae'i gôt. Gwthia handlen ei ymbarél drwy handlen ei fag dogfennau cyn eistedd o'r diwedd a defnyddio ochr ei hambwrdd i bwnio rhywfaint o lanast y genod o'i ffordd.

Dyn cymharol ifanc ydi o – yn ei dridegau, faswn i'n dweud – ac yn llond ei groen, ac mae'n gwisgo siwt las tywyll efo crys gwyn a thei goch. Mae ei wallt browngoch wedi'i dorri'n gwta a thaclus ac mae sglein da ar ei esgidiau. Dydi'r gôt law ar gefn y gadair ddim yn un rad, ychwaith.

Dwi'n dal i wenu wrth feddwl am Brenda Watkins, ac mae'r dyn yn dal fy llygad wrth eistedd a meddwl fy mod i'n gwenu fel y Cheshire Cat arno fo. Caf wên fach ansicr yn ôl cyn iddo roi'i sylw i'w frecwast – brecwast seimllyd a lliwgar a fyddai'n ddigon i godi cyfog arna i.

Dydi dillad y dyn ddim yn gweddu i gaffi fel hwn. Ond mae ei fol, yn ogystal â'r mwynhad amlwg mae'n ei gael wrth fwyta, yn dweud wrtha i'n blaen mai dyma i ni ddyn bacwn ac wy os bu un erioed. Sylwaf ei fod yn gwisgo modrwy briodas loyw, a dychmygaf mai pleser euog iddo yw cael dŵad i le fel hwn am ei frecwast hwyr. Efallai fod ei wraig fach ifanc wedi dechrau pryderu – a gwneud ambell i sylw coeglyd a chreulon – ynglŷn â'r bol bach crwn yna, ac mai'r unig beth sydd i frecwast gartref y dyddiau yma yw miwsli a thôst brown sych. Dychmygaf ef hefyd yn cymryd arno fwynhau pob un briwsionyn o hwnnw, ond drwy'r amser yn ysu am y cyfle i sleifio i mewn i'r caffi agosaf.

Gorffennaf 'fy NghitCat', fel basa Brenda yn ei ddweud. Teimlaf ychydig yn benysgafn, rŵan fod Dad a Mam wedi mynd . . . ond doedden nhw ddim yma yn y lle cyntaf, siŵr. Roedd y peth yn wirion bost. Fasan nhw ddim yma, yn Nhrebedr. Ar blatffform stesion Port fasan nhw, os rhywle. Pobol Port oedden nhw, a dyna fo.

Wrth wasgu papur y KitKat mae fy ngwên yn diflannu wrth i mi gofio'n sydyn fel y bu i mi glywed Meical Penmorfa yn siarad amdana i yn yr ysgol un diwrnod, pan o'n i yn y chweched dosbarth. Deud jôc roedd o, os jôc hefyd. 'Be ydi'r gwahaniaeth rhwng KitKat a Marian Evans?' meddai, heb sylweddoli fy mod i wedi cyrraedd y tu ôl iddo fo. Mae gen i frith gof o wynebau'r hogia eraill wrth iddyn nhw geisio dweud wrtho fo fy mod i yno, ond sylwodd o ddim: roedd o'n rhy awyddus i orffen dweud ei jôc. 'You only get four fingers in a KitKat!' meddai a brefu chwerthin, cyn sylweddoli mai fo oedd yr unig un. Rhewodd. Dwi'n cofio gweld ei war yn troi'n goch wrth iddo ddechrau dallt. Trodd yn araf.

'Marian . . . haia . . .' meddai'n llipa.

Sodrais flaen fy sawdl yn giaidd yn ei droed cyn troi a cherdded i ffwrdd.

Dyna pryd y sylweddolais fod gennyf dipyn o enw ymhlith fy nghyfoedion.

'Bastad,' meddaf yn awr wrth gofio am Meical Penmorfa, ac mae'r dyn yn y siwt las yn codi'i ben a sbio arna i am eiliad cyn sbio'n ôl i lawr ar ei frecwast. Cliria ei blat wrth i mi ei wylio, a chymra lwnc o'i de cyn agor ei fag lledr a thynnu paced o ddeg sigarét ohono. Tania un ag ochenaid uchel o bleser pur: mae'n amlwg fod y sigarét yn coroni'r cyfan. Dwi'n siŵr mai pleser euog, anghyfreithlon arall ydi hwn, un sydd wedi cael ei wahardd gartref fel y bwyd wedi'i ffrio. Basa ysmygwr gonest yn cadw paced o ugain yn ei boced.

Wps – mae o wedi fy nal yn rhythu arno fo eto. Dydi o ddim yn leicio hyn o gwbl, er i mi wenu arno. Diffodda ei sigarét yn y blwch llwch fel tasa fo'n ei chasáu â chas perffaith cyn codi, cydio yn ei gôt, ei fag a'i ymbarél a brysio allan, gan adael bwrdd budur a blêr arall ar ei ôl a cholofn fain o fwg glas yn sarffu'n ddiog i fyny o ganol y llanast. Cyn diflannu, mae'n sbio'n ôl arna i – un edrychiad sydyn a phiwis dros ei ysgwydd – yna egyr y drws a llithro fel morlo i ganol y ddau lanw prysur sy'n llifo heibio i'r caffi.

Argol fawr, dim ond gwenu ar y brych wnes i. Dydi pobol ddim yn cael gwenu ar ei gilydd y dyddiau yma, neu rywbeth?

Ond mae'n braf cael gwenu. Mae gofyn i mi beidio gwenu fel gofyn i rywun sydd wedi bod yn dal ei wynt yng ngwaelodion rhyw ffos dywyll i beidio ag anadlu wrth iddo gyrraedd yr wyneb a'r awyr iach o'r diwedd.

* * *

'Let me just get all this mess out of your way, lovey.'

O'r diwedd – dynes gyda throli, wedi dŵad i glirio a

100

sychu'r byrddau. Mae'n mynd i'r afael â f'un i . . . a'm dal yn rhythu i lawr ar wyneb y bwrdd.

'All right, lovey?'

Neidiaf.

'Yes. Yes . . . thank you.'

Ond baswn i wedi gallu taeru mai un melyn oedd y bwrdd pan ddeuthum i mewn ac eistedd wrtho. Gwena'r ddynes a symud yn ei blaen at y llanast nesaf, a gwelaf fod rhywun yn eistedd wrth y bwrdd lle roedd y dyn ifanc yn mwynhau'i frecwast eiliadau yn ôl. Mae'n rhaid ei bod hi wedi dŵad i mewn heb i mi sylwi, tra oedd y weinyddes yn sychu fy mwrdd i – dynes ifanc, wedi cael ei hanwybyddu gan y weinyddes fel pe na bai hi yno o gwbl. Eistedda'n syllu'n ddall i mewn i'w chwpan goffi, ei meddwl ymhell yn rhywle. Gwisga faneg ar ei llaw chwith, maneg wlân, lwyd, a chydia yng nghlust ei chwpan â bys a bawd ei llaw dde, noeth. Mae ei choesau wedi'u croesi o dan y bwrdd, a gwisga gôt werdd, drom a henffasiwn ei golwg, gyda choler ffwr; mae ffwr hefyd ar waelodion ei llewys. Am ei phen gwisga het sydd hefyd yn henffasiwn – het felen, gyda'i hochrau wedi'u troi'i lawr i gysgodi'i hwyneb.

Nefi, ydi hetiau fel hyn yn ôl mewn ffasiwn? Hetiau *cloche*, oedd yn ffasiynol yn ôl yn y dauddegau . . .

. . . ond rŵan dwi'n teimlo'n swp sâl ac yn meddwl yn siŵr y bydd y blydi KitKat hwnnw'n dŵad yn ôl i fyny dros y bwrdd glân yma, y bwrdd *glas* yma, y bwrdd oedd gynt yn felyn llachar. Ac mae'n fwy clòs nag erioed yma, diolch i'r gwresogydd henffasiwn haearn sydd fel consartina yn erbyn y wal, lle roedd 'na focs trydan, modern ddim ond eiliadau'n ôl. A'r tu ôl i mi, lle roedd posteri'n hysbysebu digwyddiadau lleol a darlun mawr, rhad a choman o ddau lewpart yn ffug-ymladd, mae 'na rŵan ffenestr fawr, dywyll, ac mae'n amhosib gweld unrhyw beth drwyddi hi heblaw am ddwy resaid o oleuadau nenfwd y caffi wedi'u hadlewyrchu yn nüwch y ffenestr fel mewn drych. Mae sŵn y caffi wedi pallu rhywfaint hefyd ond nid yw hyn yn drugaredd; er fy mod yn dal i allu'i glywed, mae o fel tasa fo'n dŵad o bell, drwy wal drwchus, neu fel taswn i wedi gwasgu cledrau fy nwylo'n dynn dros fy nghlustiau. Mae powlen o ffrwythau ar sil y ffenestr erbyn hyn, ffrwythau cochion o'r un lliw â'r minlliw llachar sydd gan y ddynes ifanc ar ei cheg, ac mae hi'n drist iawn, yr hogan ifanc hon, mor uffernol o drist. Ac wrth i mi feddwl hyn, mae hi'n codi'i phen yn araf gan achosi i'r cysgod a grëwyd dros ei hwyneb gan ymylon ei het godi fel llen.

A gwelaf fy hun yn rhythu'n ôl arnaf fy hun fel ro'n i echdoe, nid heddiw, gyda'm hwyneb hen ddynes, yn fain ac yn bantiog ac yn grychiog ac wedi fy ngwisgo yn y dillad henffasiwn yma, fy wyneb yn gweddu iddyn nhw a hwythau i'm hwyneb, fy llygaid gwan yn sgleinio'n wlyb efo dagrau, a dwi'n ysgwyd fy mhen rŵan, yn ôl ac ymlaen, a dwi – *y fi iawn* – yn gwasgu fy llygaid ynghau, eu gwasgu'n dynn, dynn . . .

. . . a phan agoraf hwy eto, o glywed synau byddarol y caffi modern yn dychwelyd, gwelaf fod y bwrdd gyferbyn â mi'n wag ac yn felyn llachar unwaith eto, ac mae'r ffenestr fawr ddu wedi mynd ac mae'r mur a'r posteri a'r darlun erchyll o'r ddau lewpart yn eu holau.

Ond yna gwelaf nad yw'r bwrdd gyferbyn â mi'n hollol wag wedi'r cwbwl. Yn gorwedd arno, reit yn ei ganol, mae un faneg wlân, lwyd.

'O'r arglwydd, be sy'n *digwydd* i mi . . . ?'

Dwi wedi siarad yn uchel eto – yn uchel iawn y tro hwn, wedi gweiddi hyd yn oed – ac mae'r caffi'n ymdawelu ac eithrio'r 'bwm-bwm-bwm' undonog a di-alaw sy'n dod o'r sbîcyr yn y gornel bellaf. Ond does yr un affliw o ots gen i am y cwsmeriaid eraill: mae fy sylw wedi'i hoelio ar y faneg a rhythaf arni nes i'r lleisiau ailgychwyn o'm cwmpas.

Codaf ar fy nhraed yn araf. Does neb yn sbio arna i – ar ôl fy mloedd, dwi ddim yn meddwl bod neb *eisiau* troi a syllu arna i. Cydiaf yn fy magiau, a daw dau weithiwr i mewn – dau berson nad oeddynt yn dystion i'm bloeddio gwallgof. Gwelant fy mwrdd a dod tuag ato, ac mae un yn gweld y faneg ac yn ei chodi a'i chynnig i mi â'i aeliau i fyny.

Ysgydwaf fy mhen yn swta a brysio tuag at y drws. Pan edrychaf yn ôl dros f'ysgwydd gwelaf fod y gweithiwr yn rhoi'r faneg i'r weinyddes efo'r geiriau: 'A little warm for gloves this time of year.'

Brysiaf o'r caffi ac am fy nhrên nesaf. Efallai ei bod yn gynnes y tu allan, ac efallai fod y caffi'n annioddefol o glòs, ond dwi'n credu bod angen ei menig ar y ferch: mae'n oer dragwyddol ym mha le bynnag y mae hi.

Trebedr i Birmingham New Street, 4 Medi 2005

Mae fy nhrên newydd yma'n aros amdana i. Mae'n ymddangos yn llawn hefyd, a chyfranna hynny at fy nghyndynrwydd i esgyn iddo.

Dwi wedi cael f'ysgwyd yn o hegar, mae'n rhaid i mi gyfaddef, ac yn teimlo fel tanio sigarét am y tro cyntaf ers blynyddoedd. Yn ymwybodol iawn o'r paced o Gitanes yn fy mag, brwydraf yn erbyn y demtasiwn – temtasiwn sydd yn annisgwyl o gryf, yn rhyfedd iawn, fel taswn i wedi bod yn smocio fel stemar ar hyd f'oes. Mae arna i ofn y baswn i'n sâl fel ci cyn smocio'i hanner hi. Duw a ŵyr, dwi wedi gwneud hen ddigon o ffŵl ohonof fy hun yn barod.

Hoffwn pe bawn i'n gallu sefyll reit ar ochr y platfform a gadael i'r glaw mân olchi fy wyneb. Teimla fy nghroen yn sticlyd iawn – cyfuniad, mae'n siŵr, o'r holl saim yn aer y caffi a'r chwys oer a fyrlymodd ohonof cyn i mi godi a mynd allan. Ond mae'r trên yn fy nghysgodi rhag y glaw a'r awyr iach, ac mae'n drên rhy hir imi feddwl am gerdded at ei ddiwedd i gael fy ngwynt ataf.

* * *

Dydi hi ddim yn braf bod yng nghanol yr holl bobol. Rydym i gyd yn rhy agos at ein gilydd – pawb yn eistedd glun wrth glun, ac yn anadlu ein gwyntoedd ein gilydd.

Mae fy sedd yn wag ac yn aros amdana i, wrth y ffenestr eto ac wrth ymyl hogyn ifanc sydd â rhyw fath o declyn cerddoriaeth wedi'i blygio i mewn i'w glustiau. Gyferbyn â mi mae mam a merch, 'swn i'n dweud: y fam yn ei thridegau hwyr a'r ferch yn ei harddegau cynnar, a'r ddwy yn sbio arna i â chwilfrydedd wrth i mi stryffaglu i'm sedd. Saif y bachgen er mwyn cynorthwyo rhywfaint, ond un tal a main ydi o – llinyn trôns go iawn – a baglaf dros ei goesau fflamingo wrth gyrraedd fy nghornel. Clywaf ei gerddoriaeth yn gwenynu o'r gwifrau yn ei glustiau wrth iddo syrthio'n swp yn ei ôl i'w sedd, fel pyped digortyn.

Yma, hefyd, mae hi'n glòs. Hanner codaf eto er mwyn tynnu fy mreichiau o lewys fy nghôt a thorchi rhywfaint ar lewys fy siwmper. Tynnaf ei gwddf oddi ar fy nghnawd yn y gobaith y gwnaiff hynny helpu ryw gymaint: mae'r chwys oer a ddaeth drosof gynnau bellach wedi cynhesu.

Cychwynna'r trên o'r orsaf heb i mi sylwi ar yr herc arferol a gorffwysaf fy nhalcen yn erbyn y ffenestr. Mae chwiban fain, uchel yn fy mhen a gwasgaf f'ewinedd i mewn i gledr fy llaw dde: os canolbwyntiaf ar y boen, yna efallai na wna i lewygu.

Neidiaf wrth deimlo rhywun yn cyffwrdd â chefn fy llaw chwith: y fam sydd yn eistedd gyferbyn â mi.

'Are you all right?'

Ymsythaf yn fy sedd. 'Yes . . . yes, thank you.'

'You're very pale.'

104

'It's very close today, that's all.' Ymdrechaf i wenu. 'Too many people, everywhere.'

Nodia'r ddynes, ond mae'n parhau i syllu arna i'n bryderus. Dechreuaf deimlo ychydig yn flin efo hi.

'I'm all right. Honestly.'

Sylweddolaf fod y ddynes yn dal i gyffwrdd â'm llaw a chipiaf fy llaw yn ôl oddi wrthi, wrth i'w merch orffwys ei llaw hi ar arddwrn ei mam fel tasa hi'n ceisio'i hatal.

Neu ei rhybuddio, meddyliaf, oherwydd mae'r hogan yma'n rhythu arna i efo'i llygaid yn fawr ac yn llawn braw. Gwgaf arni, ac o'r diwedd mae'n edrych i ffwrdd oddi wrtha i ond gan ymddangos yn fwy poenus nag erioed a chnoi ei gwefus isaf.

Edrychaf ar y fam. Er ei bod wedi eistedd yn ôl yn ei sedd erbyn hyn, mae'n dal i rythu arna i fel tasa arni ofn i mi gael ffit unrhyw funud.

'O – ti-di iddyn nhw. Ti-di i'r rhein hefyd.'

Gyda'm talcen dwi wedi gadael twll bychan o'r un siâp â phêl rygbi yn y stêm ar y ffenestr. Trof ef yn dwll mwy â chefn fy llaw. Trwyddo, gwelaf ein bod yn ymlwybro heibio i safle adeiladu anferth, stad o dai newydd eto fyth, i gyd wedi'u condemnio'n barod i fod yr un mor ddigymeriad â thai Coleridge Close. Gwelaf sawl Jac Codi Baw melyn fel ieir mawrion yn pigo yn y mwd, ac ymwthia'r tai sydd ar eu hanner fel dannedd wedi pydru allan o'r ddaear ddu.

Ac ma'r blydi ddynes yna gyferbyn â mi'n dal i syllu arna i: gallaf deimlo ei llygaid arna i, a llygaid ei merch hefyd, dwi'n siŵr. Oes yna rywbeth yn bod arnyn nhw? Doedden nhw ddim yn edrych felly, mae'n rhaid i mi ddweud. Os rhywbeth, mae'r ddwy'n anghyffredin o dlws, gyda gwallt coch hardd – gwallt y fam wedi'i dorri'n weddol gwta ond un y ferch yn hongian yn syth i lawr at ei chanol, fel roedd gwallt Mrs McGregor ers talwm. Mae eu crwyn hefyd yn hardd, gyda dim o'r brychni haul hwnnw sydd yn aml iawn yn dod gyda gwallt coch.

Reit, dyna ddigon . . .

. . . ond pan edrychaf dros y bwrdd, does yr un ohonyn nhw'n sbio arna i. Mae'r fam yn syllu allan drwy'r ffenestr tra bo'r ferch, sydd yn eistedd agosaf at yr eil, yn rhythu ar y llawr. Mae ei hwyneb yn wynnach nag roedd o pan gyrhaeddais i yma, dwi'n siŵr, ac mae'n dal i sugno ar ei gwefus isaf fel tasa hi'n disgwyl i rywbeth ofnadwy ddigwydd.

Ond pan edrychaf yn ôl drwy'r ffenestr, gallwn daeru eu bod yn rhythu arna i eto. Fedra i ddim treulio gweddill y siwrnai fel hyn, yn sbio drwy'r ffenestr er mwyn osgoi rhythiadau'r ddwy yma. Bechod na feddyliais am ddŵad a llyfr arall hefo mi, rhyw nofel ffwrdd-â-hi na fyddai ots petawn i ddim yn llwyddo i'w gorffen. A gwn, wrth dynnu'r llyfr Edward Hopper o'm bag ysgwydd, y bydd yn disgyn ar agor ar y dudalen gyda'r darlun *Automat*.

Dwi'n iawn, hefyd.

Codaf ef i fyny at fy nhrwyn a'i synhwyro. Baswn wedi gallu taeru i mi glywed oglau olew *patchouli* yn codi ohono.

Trof y dudalen. Dim darluniau'n awr, dim ond dwy dudalen o destun. Syllaf i lawr ar y geiriau nes i mi beidio â'u gweld ddim mwy.

Llundain, 1965

Caffi ar ôl caffi ar ôl caffi. 'I live here,' roeddwn i wedi'i ddweud wrth y gyrrwr tacsi wrth gyrraedd y tu allan i Drumnadrochit bythefnos ynghynt, ond ro'n i wedi treulio pob un diwrnod fel taswn i yno ar fy ngwyliau.

Madame Tussaud's, y Tŵr, Palas Buckingham . . .

Mae gen i hen ddigon o amser, meddwn i droeon wrthyf fy hun. Ond roedd y lle'n llyncu pres rhywun.

Yn rhyfedd iawn, ches i ddim row pan ofynnodd Mam i mi os o'n i wedi chwilio am unrhyw waith bellach.

'Ddim eto. Mi a' i ati o ddifri'r wsnos nesa. Mi ga i rwbath, pidiwch â phoeni.'

'Ond be, Marian?'

'Dwn i'm eto. Ga i weld be ddaw.'

'Be wnei di os na chei di hyd i rwbath? Dŵad yn ôl adra?'

Deallais. Roedd fy rhieni'n gobeithio mai dyna fyddai'n digwydd. Ond ar ôl y ddwy noson gyntaf o ddioddef yr hiraeth mwyaf ofnadwy, ro'n i wedi dechrau mwynhau bod yma. Crwydrais o gwmpas yn gweld y 'seits', fel maen nhw'n ei ddweud – yr holl lefydd enwog – a dod yn dipyn o giamstar ar y Tiwb a'r bysys cochion.

Sgwâr Trafalgar, Abaty San Steffan ac Eglwys Sant Paul, taith mewn cwch i lawr afon Tafwys i Greenwich . . .

'Hyd yn oed taswn i 'mond yn ca'l joban fach mewn rhyw siop ne' rwla dros dro, mi gadwith hynny fi i fynd nes ca i rwbath iawn.'

'A be ydi'r "rwbath iawn" 'ma, sgwn i?'

'Wel – joban actio, yndê?'

'Ro'n i'n ama . . .'

Harrods, Foyles, Hamleys, Lord Kitchener's Valet. Carnaby Street, King's Road, Soho . . .

Do'n i erioed wedi bod cyhyd heb siarad Cymraeg. Wythnos gyfan, tan i mi ffonio adref eto. Dwi ddim yn cofio'n iawn pryd y sylweddolais hynny, ond dwi'n bendant fy mod wedi gwneud ati i ddechrau meddwl yn Saesneg. Ro'n i hefyd yn ymwybodol iawn o'm hacen, a hefyd o'r ffaith fy mod yn tueddu i swnio'n 'la-di-da' ofnadwy bob tro y gwnawn unrhyw ymdrech i'w dileu – fel taswn i'n dynwared y Saeson yn sbeitlyd. Ond roedd pobol yn cael trafferth i fy neall pan siaradwn yn naturiol, fel y sylweddolais yn o fuan wrth sgwrsio efo Mr a Mrs McGregor ac Eddie.

* * *

Doedd y McGregors ddim yn siŵr iawn ohona i, neu o leiaf dyna'r teimlad a gawn wrth sgwrsio efo nhw. Roeddynt ill dau yn hynod o glên, ond fe'u daliwn yn aml yn fy llygadu mewn ffordd oedd ychydig yn nerfus, fel petaen nhw'n disgwyl i mi wneud neu ddweud rhywbeth ysgytwol. Roedd Jenny yn llawer iawn mwy parod ei gwên na'i gŵr, ond eto roedd rhyw bellter o'u cwmpas nhw. Meddyliais i ddechrau mai pellter proffesiynol oedd o – mai fel hyn roedd pawb sy'n cadw gwesty yn ymddwyn; wedi'r cwbwl, doedd eu gwesteion byth yn rhan sefydlog iawn o'u bywydau, felly doedd dim pwrpas iddyn nhw glosio'n ormodol tuag atynt.

Efallai hefyd eu bod nhw wedi gweld sawl hogan fel fi'n dŵad a mynd, yn cyrraedd ac yna'n ffarwelio; wedi'r cwbwl, faint o bobol ifainc sydd wedi heidio i Lundain dros y blynyddoedd yn y gobaith o wneud eu ffortiwn neu i chwilio am enwogrwydd?

Wedi dweud hynny, roeddynt eisiau gwybod popeth amdana i – fy nghartref, fy nheulu, fy mywyd cyn i mi lanio ar eu rhiniog, fy ngobeithion a'm breuddwydion. Cawsant wybod y cyfan, hefyd, dros baneidiau o de ac ambell wydraid o win yn y parlwr gyda'r nos, ond erbyn i mi gyrraedd fy ngwely wedyn, sylweddolwn bob tro na wyddwn i fawr mwy amdanynt hwy na phan gyrhaeddais yma'r diwrnod cyntaf hwnnw, ar wahân i'r ffaith mai yn y pentref Albanaidd o'r un enw â'r tŷ y magwyd Alex (Mr McGregor), a bod Jenny'n dod yn wreiddiol o Basingstoke ac wedi bod yn modelu ar gyfer catalogau ar un adeg. Deall hefyd nad oedd ganddynt blant, a'u bod yn cadw Drumnadrochit ers dros ugain mlynedd. A doedd 'run ohonynt – nac Eddie ychwaith – erioed wedi bod yng Nghymru.

Ond roedd Eddie, meddai Jenny wrthyf un noson, wedi chwarae ar un o recordiau Tom Jones. Cerddor oedd o, fe ddeallais: pianydd. Un da hefyd. 'You look surprised,' sylwodd Jenny. Brysiais i egluro nad oedd o'n ffitio'r ddelwedd oedd gen i yn fy mhen o bianydd. Creaduriaid go fain oedd y rheiny gan amlaf, ynte? Ac roedd Eddie mor . . . wel, mor anferth. Anghytunodd Mr McGregor. 'Look at Mrs Mills,' meddai, a chael waldan fechan gan ei wraig am feiddio cymharu Eddie efo honno. Erbyn hynny ro'n i'n cael trafferth ofnadwy i beidio â giglan: wrth feddwl am Eddie yn swatio uwchben y piano, ni fedrwn beidio â meddwl hefyd am eliffant yn reidio moped.

Mi ges i ail. Roedd Eddie yn bianydd ardderchog. Y noson wedyn clywais alaw'r emyn Gymraeg honno'n dod eto o'r parlwr a chael ar ddeall mai sonata gan Mozart oedd hi'n wreiddiol, a bod rhywun neu rywrai (J. Lloyd Edwards a J. Lloyd Humphreys, yn ôl Dad, pan soniais wrtho am hyn dros y ffôn wedyn) wedi ei haddasu ac ysgrifennu geiriau Cymraeg ar ei chyfer. Gallai Eddie chwarae popeth o Bach i'r Beatles, o Sinatra i Sibelius, a doedd ond eisiau iddo glywed unrhyw alaw unwaith cyn gallu'i chwarae'n berffaith – yn fy nhyb i, beth bynnag.

Roedd o'n swil iawn ynglŷn â'i ddawn. Mynnodd mai copïwr oedd o, a dim byd mwy: dehonglydd gweithiau pobl eraill, pobl oedd yn llawer iawn mwy dawnus nag ef. Ni fedrai gyfansoddi unrhyw beth gwreiddiol o unrhyw werth, mynnodd. Dyna oedd ei felltith bersonol ef, meddai wrthyf, sef bod yn ddim ond copïwr mewn oes greadigol.

'A bloody mynah bird, that's me.'

Rhoddai'r argraff mai dim ond crafu bywoliaeth oedd o, ond yn raddol deuthum i sylweddoli ei fod o'n cael ei dalu'n reit dda pan lwyddai i gael ychydig o ddyddiau o waith gan ryw stiwdio recordio neu'i gilydd. Roedd o wedi chwarae ar nifer o recordiau a gyrhaeddodd y siartiau, broliodd Jenny wrthyf, ond – yn bryfoclyd iawn – gwrthodai Eddie ddweud pa rai. Prin roedd o i'w glywed arnyn nhw beth bynnag, meddai, o dan y drymiau a'r gitârs a'r holl sgrechian oedd yn cael ei alw'n ganu'r dyddiau hynny (ei eiriau ef). Taerai hefyd nad oedd o'n adnabod neb enwog. Yn ôl fel y deallais, dod i mewn wedyn y byddai'r cantorion – y sêr – ar ôl i Eddie a gweddill y band wneud eu gwaith nhw. 'I wouldn't know Tom Jones if he got up on his hind legs and bit me in the arse,' meddai.

*   *   *

Felly'r aeth yr wythnos gyntaf honno heibio – ac yna'r ail.

'Dw't ti ddim yno i fwynhau dy hun, cofia,' meddai Dad wrthyf ar ei diwedd, y nos Wener, a theimlais yn biwis iawn tuag ato pan ddywedodd hyn.

'Dwi'n *gwbod* hynny, Dad,' fe'i hatebais yn o siarp.

Mae'n rhyfedd sut mae'r pethau yma'n gallu dŵad efo'i gilydd yn reit aml. Y bore hwnnw, ro'n i hefyd wedi teimlo'r un piwisrwydd tuag at Eddie druan pan ddigwyddodd sôn bod ganddo nifer o ffrindiau oedd, chwedl ef, yn 'thesps', ac y basa'n llesol i mi fynd allan efo fo i'w cwrdd un noson; pwy a ŵyr, meddai, hwyrach y gallai un neu ddau ohonyn nhw fy rhoi ar ben y ffordd ynglŷn â gwrandawiadau a ballu.

Euthum i fyny i'm hystafell a gorwedd ar fy ngwely yn dweud wrthyf fy hun, drosodd a throsodd, mai teimlo cyffro ro'n i, nid panig. Clywais eiriau George Einion – ac yn waeth fyth, y geiriau *na* ddywedodd George Einion yn blwmp ac yn blaen – yn uchel yn fy mhen, bron fel tasa'r dyn yno yn f'ystafell, yn sefyll wrth droed y gwely yn eu bloeddio. Dychmygais fod muriau'r ystafell yn fflewtian tuag at ei gilydd ar draws y carped gan fy ngwasgu i rhyngddynt, a bod y dwylo 'na fel y rhai yn y ffilm *Repulsion* yn ymwthio ohonynt, eu bysedd yn crafangu amdanaf.

Be o'n i'n 'i wneud yma?

Credwn fod Eddie wedi dechrau gweld trwof yn barod.

Soniodd am ei ffrindiau thespaidd gyda'i wên fach hyfryd yn crebachu'i wyneb, yn amlwg wedi disgwyl y baswn innau hefyd yn gwenu'n ôl arno'n ddiolchgar ac yn falch fod rhywun yn cynnig rhywbeth positif i mi. Ond diflannodd ei wên pan welodd o'r braw a neidiodd yn syth i'm hwyneb i. Ymdrechais i'w guddio drwy lusgo rhyw fath o wên o rywle, ond yn rhy hwyr: edrychodd Eddie arnaf yn feddylgar am eiliad neu ddau cyn codi'i ysgwyddau a dychwelyd at ei frecwast.

* * *

Caffi ar ôl caffi ar ôl caffi . . .

Eisteddais mewn cornel dan boster yn hysbysebu'r ffilm *Darling*, yn syllu arno wrth aros i'm coffi oeri. Coffi arall eto fyth. Roedd yn syndod nad oedd fy ngwaed yn morio canu.

Roedd fy ngwddf ar dân erbyn hyn. Fy nghoesau, fy holl esgyrn, yn brifo; fy mronnau'n dyner yn erbyn defnydd fy mra. Ar waelod y poster, yn y gornel dde, roedd llun mawr o Julie Christie yn gwisgo dilledyn go fregus ei olwg – pais, fwy na thebyg. Safai â'i hochr tua'r camera ond yn edrych yn ôl dros ei hysgwydd, efo'i gwallt yn chwifio fel petai hi newydd godi'i phen i ymateb i ryw sŵn a glywai'n dŵad o'r tu ôl iddi.

Uwch ei phen roedd Laurence Harvey, yn rhoi'r argraff ei fod yn sbio i lawr ei drwyn ar gymeriad Christie – ar ei breuddwydion, ar ei huchelgeision.

Diana Scott, cofiais – dyna beth oedd enw cymeriad Christie. Hogan gyffredin yn gofyn gormod, yn disgwyl gormod gan fywyd – nid fod unrhyw beth cyffredin ynglŷn â thlysni Julie Christie, go damia hi. Gwelais y ffilm adra yn y Coliseum, un o'r rhai olaf imi'i gweld cyn gadael am Lundain. Roedd y camera wedi addoli Christie, wedi gwledda ar ei hwyneb a glafoerio dros ei chorff. Pam? Roedd yr hogan mor brennaidd. Ond roedd y camera a'r sgrin yn ei charu ac wedi troi'r ffilm yn gerdd o fawl iddi. Amdani hi

111

roedd pawb yn meddwl wrth gofio'r ffilm, a doedd actorion fel Harvey, Dirk Bogarde, Roland Curram a Basil Henson yn ddim ond megis cysgodion yn ei hymyl. Mae'n bosib cael popeth mae rhywun yn ysu amdano: popeth ond hapusrwydd. Dyna beth oedd neges syml y ffilm. Dyna beth ddysgodd Diana Scott.

Dim byd gwreiddiol, felly. Ystrydebol, hyd yn oed. Ond mae yna wirionedd y tu ôl i bob un ystrydeb.

Codais ac eistedd wrth fwrdd arall: allwn i ddim sbio rhagor ar y poster. Roedd rhyw gyn-gwsmer hael wedi bwydo'r jiwcbocs â sawl pishyn tair, mae'n rhaid, oherwydd doedd o ddim wedi tewi ers i mi gamu i mewn i'r lle. Gwrandewais ar Donovan yn canu 'Catch the Wind', a chydganai'r weinyddes efo fo wrth symud efo'i chadach o gwmpas y byrddau.

Drwy'r ffenestr llifai'r stryd heibio fel afon fyrlymog. Wrth i mi edrych, daeth yr haul allan a goleuo pawb a frysiai heibio. Ychydig iawn o'i oleuni ddaeth i mewn drwy'r ffenestr, ac ychwanegodd hyn at afrealedd yr olygfa, a theimlais fel petawn mewn sinema unwaith eto, yn gwylio ffilm ddogfen am fodau o ryw fyd arall. Pob un yn mynd i rywle, pawb a'u cyrchfan arbenning eu hunain, yn gwybod lle roedd hwnnw, sut i'w gyrraedd a beth fyddai'n eu disgwyl yno.

Yn union yr un teimlad ag a gefais wrth deithio drwy'r ddinas yn y tacsi hwnnw ddim ond wythnos yn ôl, a minnau newydd gyrraedd yma.

Syllais i mewn i'm cwpan goffi, fy mhen i lawr a'm coesau wedi'u croesi dan y bwrdd. Ac yn fy mhen eto, yr un geiriau: *Dwi ddim i fod yma. Dwi ddim yn perthyn yma.*

Actio rhywun sydd eisiau bod yn actores – dyna'r unig beth dwi'n ei wneud. A dwi ddim yn gwneud hynny ag argyhoeddiad, chwaith – does neb am gredu yn y perfformiad hwn.

Cofiais am eiriau John Griffiths yn Nyfi Jyncshiyn: '*Ma' gin ti blwc aruthrol. A hyder.*'

Ac yna, fy nhad yn dyfynnu George Einion: '*Roedd am i mi ddeud wrthat ti ei fod o'n dy edmygu di'n fawr, yn meddwl dy fod yn gneud peth dewr iawn.*'

Ond yn uwch na hwy roedd geiriau Dad ei hun:

'*Ma' isio sbio dy ben di.*'

Edrychais i fyny i sylwi bod Donovan wedi tewi a bod Sonny a Cher ymlaen yn ei le. 'I Got You Babe'.

'I got you, babe,' canodd y weinyddes ifanc wrth lusgo'i chadach dros wynebau'r byrddau. Cau dy geg, hogan, meddyliais; wedi dŵad yma i hel meddyliau dros banad ydw i, nid i wrando arnat ti'n gweryru. Faint oedd oed yr hogan, tybed? Dwy ar bymtheg, efallai? Doedd hi ddim ymysg y genod delaf yn y ddinas; yn sicr ni ddylai wisgo sgert fini mor gwta dros gluniau mor fawr a choch, a basa'i gwallt hir, du yn edrych rhywfaint yn well ar ôl sesiwn go lew efo dŵr poeth a shampŵ. Ond roedd rhywbeth amdani a ddenodd fy sylw: rhywbeth ynglŷn â'i hwyneb. Wyneb go dew dan aeliau trwchus, duon. Ond gwisgai wên fechan a'i trodd bron yn hardd wrth iddi symud o fwrdd i fwrdd, a'i llygaid fel petaen nhw wedi'u hoelio ar ei chlwt. Oedd hi, tybed, yn meddwl am rywun arbennig wrth ganu'r geiriau? Roedd hi wedi llwyr ymgolli ynddyn nhw, yn eu gwybod i gyd yn berffaith. Pwy oedd y *babe* hwn oedd ganddi? Yna sylweddolais nad rhythu ar y cadach yn ei llaw chwith yr oedd hi, ond yn hytrach ar y fodrwy fach simsan ar ei bys priodas.

'Don't let them say your hair's too long, I don't care, with you I can't go wrong,' canodd gyda Cher, a'i gwên yn lledu rhywfaint. Neidiodd darlun o lanc hirwallt i'm meddwl, rhywun oedd efallai'n sgwario drwy'r strydoedd efo'i fotasau duon a'u blaenau'n big, yn y gobaith y byddai ambell i hogan yn sbio arno ac yn meddwl tybed a oedd o mewn grŵp.

113

Daeth y record i ben. Edrychodd y weinyddes ar y jiwcbocs fel tasa hi'n gobeithio y byddai'r gân yn cael ei hailadrodd. Ond ddaeth hi ddim yn ôl: daeth Barry McGuire ac 'Eve of Destruction' yn ei lle. Doedd hon ddim yn golygu unrhyw beth i'r weinyddes. Trodd ei thrwyn arni a gwthio'i gwefus isaf allan er mwyn chwythu cudyn tywyll o wallt oddi ar ei thalcen. Edrychodd i fyny a'm dal yn sbio arni, a gwenodd arna i fel tasa'r ddwy ohonom yn rhannu rhyw gyfrinach felys a direidus.

Roedd rhywbeth amdani a wnaeth i mi feddwl am Brenda Watkins – hithau a modrwy am ei bys erbyn hynny, ac yn hapus a bodlon ym Mhwllheli.

A theimlais yr awydd mwyaf ofnadwy i gael bod fel Brenda Watkins, ac fel yr weinyddes fach yma.

Gorffennais fy nghoffi. Ar fy ffordd allan, stwffiais bishyn tair arall i mewn i'r peiriant a gwasgu'r botymau ar gyfer 'I Got You Babe'. Edrychodd yr weinyddes arnaf yn chwilfrydig wrth i mi wneud hyn. Doedd wybod faint o recordiau fyddai'r peiriant wedi eu chwarae cyn i hon ddŵad ymlaen eto, ond hoffwn feddwl y byddai'r hogan yn cofio, ac yn gwerthfawrogi.

* * *

Doedd dim golwg o'r haul pan gamais allan i'r stryd. Yn ei le roedd glaw mân, niwlog, a'r nos yn agos iawn y tu ôl iddo. Crynais. Er mai newydd godi o'm heistedd roeddwn i, teimlai fy nghoesau fel petaen nhw wedi fy nghludo'r holl ffordd i fyny'r Wyddfa.

Cerddais filltiroedd y diwrnod hwnnw, o gaffi i gaffi i gaffi. Prynais gopi o *The Merchant of Venice* gyda'r syniad o ddysgu araith Portia ar gyfer unrhyw wrandawiad posib, ond teimlais fy stumog yn troi wrth feddwl am hyd yn oed agor y llyfr. Do'n i ddim hyd yn oed wedi paratoi pethau elfennol fel hyn cyn dŵad yma; dylai fod gennyf dri darn gwahanol, o leiaf, i'w cynnig i bwy bynnag fasa'n fodlon gwrando arnaf, a faswn i ddim wedi prynu hwn tasa Eddie ddim wedi fy ngorfodi i wneud hynny, mewn ffordd, drwy grybwyll 'audition pieces' y bore hwnnw. Yna cerddais yn benderfynol ar hyd stryd roeddwn wedi'i hosgoi'n fwriadol, sylweddolais, tan heddiw – Shaftesbury Avenue. Crwydrais o un theatr i'r llall yn syllu ar yr enwau a'r wynebau enwog ar y posteri – Moira Lister, Anna Neagle, Geraldine McEwan, Joan Greenwood, Margaret Lockwood – a gwyddwn, wrth deimlo fy nghalon yn suddo'n is ac yn is, fod yr hyn ro'n i wedi'i ofni, wedi'i ddisgwyl, waeth bod yn gwbl onest ddim, yn wir ac nad oedd yna'r un gwreichionyn tila'r tu mewn i mi'n sibrwd: *Un diwrnod, Marian, un diwrnod . . .*

Croesais sgwâr Marble Arch. Noswaith anghyffredin o lonydd oedd hi, fel petai'r ddinas yn dal ei hanadl cyn bytheirio. Doedd neb yng nghanol y sgwâr am rai eiliadau ond y fi, gyda phopeth yn llwyd ac yn llaith yn y glaw mân a sibrydai drosof a thrwof. Teimlai f'esgyrn yn fregus iawn dan fy nghnawd ac roedd y tu mewn i'm gwddf yn crafu'n boenus, a meddyliais: smocio gormod ydw i. Dwi ddim yn hel am ddim byd. Dwi wedi blino, wedi gwneud dim ers bron i bythefnos ond cerdded o gwmpas y ddinas, neu eistedd ar fainc mewn rhyw barc neu'i gilydd yn gwylio'r colomennod yn pigo'r ddaear wrth fy nhraed.

'Mae gin ti blwc aruthrol,' meddai John Griffiths. 'A hyder.'

Ac o ben pellaf y sgwâr, gwaeddodd George Einion: 'Dwi'n dy edmygu di'n fawr, ac yn meddwl dy fod yn gwneud peth dewr iawn.'

Actio rhywun oedd eisiau bod yn actores.

Cododd haid o golomennod o'm llwybr wrth i mi gerdded ar draws y sgwâr tuag at Sussex Gardens, eu hadenydd yn swnio fel tyrfa'n cymeradwyo'n goeglyd.

Trebedr i Birmingham New Street, 4 Medi 2005

Rydym i gyd fel sardîns yma, wedi'n stwffio i mewn rywsut rywsut, bron. Mae nifer wedi gorfod sefyll, eraill wedi eistedd ar eu bagiau, a fedra i ddim peidio â meddwl am y lluniau dwi wedi'u gweld o drenau mewn gwledydd tramor, tlawd a phoeth, efo'r teithwyr yn hongian oddi ar y ffenestri a chrafangu ar y to.

Niwsans yw pob un o'r teithwyr eraill – niwsans glân. Dwi ddim eisiau teimlo coes neu fraich yr hogyn wrth f'ymyl bob tro dwi'n symud y mymryn lleiaf yn fy sedd. Dwi ddim eisiau gweld wyneb y ddynes bengoch gyferbyn â mi bob tro y bydda i'n edrych i fyny, ddim ond modfeddi oddi wrth fy wyneb i. Amhosib fasa mynd i'r lle chwech efo'r holl bobol sydd rhyngof â'r drysau ym mhen pella'r adran, ond nid yw hynny'n rhwystro rhai pobol, chwaith. Dyma ddynes a dau blentyn yn ymwthio trwodd yn eu holau o'r bwffe efo paneidiau a brechdanau a diodydd pop, y gloman o fam yn troi'r ffaith eu bod hi a'i hepil yn niwsansys hunanol i'r holl niwsansys eraill sydd yn sefyll yn yr eil yn un gêm fawr, yn 'hwyl', trwy lafarganu "Scuse, please . . .'scuse! Make way for a Yummy Mummy!' bob yn ail gam, a'r plant yn ei dynwared, a'r tri'n chwerthin heb yngan yr un gair o ymddiheuriad.

* * *

Gallaf glywed cymeradwyo gwawdlyd y colomennod yn fy mhen, a'r tu ôl iddyn nhw chwerthin y gwylanod yn Nyfi Jyncshiyn, yr un mor watwarus. Teimlaf yn fwy a mwy blin gyda phob un munud sy'n mynd heibio, oherwydd dwi ddim wedi cael llonydd i fwynhau'r siwrnai yma, yn naddo? Ddim ers i'r blydi dyn Reg Lawrence hwnnw drio fy hambygio yng ngorsaf Norwich, fo a'i ddannedd melyn, go damia'r hen sglyfath. Wedyn mi ddaeth Eddie, a Dad, a Mam . . .

Ro'n i wedi edrych ymlaen at *gael* edrych ymlaen, ond dwi ddim yn cael y llonydd i wneud hynny ganddyn *nhw*. O na, maen nhw i gyd yn mynnu hofran o'm cwmpas a phlycio fy llawes, isio sylw byth a beunydd . . . A pham mae'n rhaid iddyn nhw i gyd ddŵad efo'i gilydd, fel mintai swnllyd o gefnogwyr timau pêl-droed? Hyd yn oed rŵan maen nhw'n gwibio yn ôl ac ymlaen yn fy meddwl gan daro yn erbyn ei gilydd – Mam, Dad, Sulwen, Eddie, y McGregors, Maldwyn, John Griffiths . . . ia, wastad John Griffiths, yn uwch ei gloch na'r un ohonyn nhw. A'r tu ôl iddyn nhw gallaf weld cysgodion rhai eraill sydd yn ysu am gael ymuno efo nhw, a dydi o ddim yn deg, a minnau wedi edrych ymlaen cymaint at heddiw . . .

. . . a rŵan mae un o'r cysgodion wedi camu ymlaen – hogan ifanc, denau.

Drumnadrochit, Llundain 1965

Dwi'n meddwl mai'n o gynnar yn ystod f'ail wythnos yma oedd hi pan sylweddolais fod gan Eddie berthynas arbennig â genod y nos. O, ro'n i wedi hen sylwi arnyn nhw yno wrth i mi gerdded yn ôl i'r lletty, eu hwynebau caled yn fy llygadu'n amheus nes i mi gerdded yn fy mlaen yn ddigon pell oddi wrthyn nhw, a dwi'n cofio meddwl – unwaith ro'n i wedi dallt pam fod y merched hyn yn sefyllian yn y cysgodion – tasa Mam a Dad yn gwybod am eu bodolaeth yno, yna go brin y basan nhw mor awyddus i mi gael llety yn Sussex Gardens. Ond ro'n innau'r un mor naïf â'm rhieni, mewn ffordd, gan fy mod wedi cymryd mai Soho, yr holl Soho a dim ond Soho oedd tiriogaeth y genod a'r merched hyn.

Roedd Eddie'n cerdded tua chanllath o'm blaen: amhosib oedd ei gamgymryd am neb arall. Gwyliais ef yn aros a sgwrsio ag un o'r genod cyn cerdded yn ei flaen; gwnaeth yr un peth ag un arall ychydig ar ôl pasio gwesty'r Rembrandt, ac eto fyth ar gornel amgueddfa Victoria ac Albert – yr un peth bob tro: sgwrs frysiog, gwên, gwasgu ysgwydd neu gyffwrdd mewn braich yn sydyn, ac yna yn ei flaen.

Pan gyrhaeddais y llety, yno roedd o wrth y piano yn chwarae rhywbeth gan Schubert (meddai wrthyf; do'n i ddim callach). Arhosais i ddim efo fo yn y parlwr y noson honno; ro'n i'n ymwybodol fy mod yn ei lygadu â llawer iawn mwy o chwilfrydedd nag arfer.

Doedd o'n ddim o fy musnes i, yn nag oedd?

Ond eto, fedrwn i ddim peidio â hel meddyliau. Doedd o ddim yn *gwsmer* i'r genod: nid dyna'r argraff a gefais. Ac er fy mod yn weddol naïf, ro'n i hyd yn oed yn ddigon gwybodus i synhwyro nad yw'r genod hyn yn rhai am sgwrsio gyda'u cwsmeriaid. Ond roedd pob un ohonyn nhw wedi gwneud hynny efo Eddie, ac un neu ddwy ohonyn nhw wedi'i weld yn nesáu a'i groesawu gyda gwên. Gwên arall ac ambell i chwerthiniad, hefyd, wrth iddo ffarwelio â hwy.

Tybed a oedd incwm arall gan Eddie – ar wahân i'w gyflog mynd a dŵad am ganu'r piano? Ond welais i'r un buntan yn cyfnewid dwylo, chwaith. Ymdrechais i beidio â meddwl am y peth, ond y noson ganlynol deuthum wyneb yn wyneb ag un o'r merched wrth i mi agos drws Drumnadrochit – hogan ifanc, olau ac eiddil ei golwg. Cofiais ei gweld y noson cynt, yn siarad efo Eddie wrth gornel y Victoria & Albert. Sbiodd hon yn amheus arna i hefyd, ei hwyneb bach miniog yn galed, fel pe nad oedd gen i hawl i fod yno, ac edrychodd yn ôl arnaf dros ei hysgwydd wrth frysio i ffwrdd i lawr y stryd.

Roedd mwy o bobol yn aros yn Drumnadrochit erbyn hyn – tri chwpwl canol oed a theulu o Siapan, i gyd wedi cyrraedd fesul tipyn yn ystod yr wythnos. Brathais fy mhen i mewn i'r parlwr a gweld y teulu Siapaneaidd hwn yn eistedd yno, y ddau blentyn yn hollol syth a llonydd ar flaen y soffa a'u rhieni'n pori dros fapiau a llyfrau lliwgar am y ddinas.

Gwenais arnyn nhw wrth fynd allan wysg fy nghefn, gan deimlo efallai y dylwn fod yn bowio.

Roedd Jenny'n dod i lawr y grisiau wrth i mi gau'r drws. Gofynnais iddi pwy oedd yr hogan a welais i'n gadael y tŷ wrth i mi ei gyrraedd. Ysgydwodd ei phen. Dim syniad, meddai; welodd hi mohoni.

Do'n i ddim yn ei choelio, rywsut – yn rhannol, efallai, oherwydd ei bod wedi brysio i droi'r stori. Roedd un o'r cyplau eraill, meddai Jenny, yn Gymry. Tybed a welodd hi'r un braw yn croesi fy wyneb ag roedd Eddie i'w weld fore trannoeth? Gofynnais iddi a fasa ots ganddi beidio â sôn wrth y cwpwl hwn amdana i, sef fy mod i'n Gymraes.

'I'd rather you didn't, if that's all right.'

'Ah . . . er . . . well . . .'

Roedd hi eisoes wedi sôn wrthyn nhw, ymddiheurodd. Pam? Oedd hynny'n broblem?

Gadewais hi efo'r argraff mai swildod a oedd y tu ôl i'm cais. Allwn i ddim cynnig gwell esboniad iddi: do'n i ddim yn siŵr iawn fy hun pam y dywedais i'r fath beth. Daeth y geiriau allan o'm ceg bron cyn i mi sylweddoli fy mod yn eu dweud.

* * *

Drannoeth, dros frecwast, cwrddais â Dei Parry a'i wraig. Beth oedd enw'r greadures honno, dwi ddim yn meddwl i mi gael gwybod: Dei Parry a wnâi'r holl siarad, bron, gan roi'r argraff nad oedd unrhyw bwysigrwydd yn perthyn i'w wraig ar wahân i'r ffaith ei bod yn ddigon lwcus i gael bod yn Mrs Dei Parry. Ond roedd hi'n ddynes smart, gyda gwallt tywyll cyrliog oedd yn prysur fritho.

Digwyddodd y sgwrs ar draws yr ystafell, efo Eddie'n trio cuddio'i wên yn un pen a'r teulu o Siapan yn gwenu a nodio yn y pen arall. Rhai o Fethesda oedd Dei a Mrs Parry, a Dei yn berchen ar ei garej ei hun – 'Ond dwi'n gallu troi fy llaw

at unrhyw beth, Marian. Plymio, lectrics, bildio – bob dim.'
Ac roedd ganddyn nhw ferch yr un oed â mi: Olwen. Gorfu i
mi godi o'm bwrdd er mwyn i Mrs Parry fedru dangos ei llun
i mi: hogan dlos, efo gwallt cyrliog tywyll ei mam. Cefais
wybod popeth amdani gan ei thad, llawer iawn mwy nag
oedd arna i eisiau'i wybod, tra oedd fy mrecwast yn oeri'n
braf. Dydi rhywun ddim yn leicio bwyta pan fo rhywun arall
yn siarad efo chi. Nid bod hynny'n poeni Dei Parry:
siaradodd ef wrth fwyta, ei geg yn llawn wrth iddo frolio'i
ferch hyd syrffed.

'Hogan 'i thad ydi'r hen Ols, bob tama'd,' gorffennodd. 'Un
o le w't ti, felly, Marian?'

Chdi a chditha'n syth bìn, sylwais.

'A be ma' hogan o'r Port yn 'i neud mewn lle fel hyn?'

'Ga i weld be ddaw.'

Doedd o ddim yn fodlon efo hyn, gallwn weld.

'Ers faint w't ti yma, felly?'

'Mi fydd yn bythefnos fory.'

'Be w't ti wedi bod yn 'i neud efo chdi dy hun, felly?'

'O . . . ychi. Sbio o gwmpas, dŵad i nabod chydig ar y lle
. . .'

'Dipyn o hen job, lle mawr fel hyn.'

'Ia, wel – nabod *chydig* ar y lle ddudis i.'

'Be dda'th â chdi yma, felly?'

Ocê, digon oedd digon.

'Sori – be ddudsoch chi oeddach chi? O ran gwaith?'

'Mecanic. Pam?'

'Ro'n i'n meddwl am funud mai plisman oeddach chi,
efo'ch holl holi.'

Edrychodd arna i am eiliad, y dyn cymharol fyr, ond
llydan a solet, gyda phen oedd bron yn foel a dwylo
mawrion, garw, yn edrych ychydig yn anghyfforddus yn ei

drowsus a'i siwmper a'i grys Marks & Spencer, a'i dei yn amlwg yn ei dagu.

''Mond trio bod yn glên,' meddai. ''Swn i'n meddwl y basat ti'n falch o ga'l clywad a siarad tipyn o Gymraeg yng nghanol y rhein i gyd.'

Edrychodd braidd yn ddilornus o gwmpas yr ystafell, yna ddwywaith ar Eddie, oedd newydd godi o'i gadair i nôl rhagor o sudd oren o'r bwrdd ym mhen yr ystafell. Roedd gweld Eddie'n codi ar ei draed wastad yn dod fel sioc i'r sawl a'i gwelai am y tro cyntaf; edrychai fel dyn tew cymharol gyffredin pan fyddai'n eistedd, ond wrth godi edrychai fel un o'r balŵns mawrion yna sy'n chwyddo i fyny oddi ar y ddaear pan fo rhywun yn pwmpio nwy i mewn iddyn nhw.

'Arglwydd, pwy 'di hwn – Bendigeidfran?' clywais Dei Parry yn gofyn i'w wraig, yn fwriadol yn ddigon uchel i mi ei glywed. Teimlais fy hun yn cochi, ond canolbwyntiais ar fy mwyd, yn benderfynol o beidio â sbio ar y llygaid oedd yn fy ngwylio ar draws yr ystafell.

Ro'n i'n dal yn lloerig efo'r dyn dros awr ar ôl hynny, a minnau'n cerdded drwy Leicester Square. Roedd ei wraig wedi fy nharo fel dynes neis: be goblyn welodd hi yn y fath goc oen? Meddyliais wedyn am yr Olwen oedd yn gannwyll ei lygad; roedd yr hogan yn amlwg wedi etifeddu tlysni ei mam, a gobeithiais, er ei mwyn hi, nad oedd hi wedi etifeddu personoliaeth ei thad. Roedd hogan mor ddel hefyd yn siŵr o fod yn denu ei siâr o gariadon, a theimlais gydymdeimlad mawr tuag ba un bynnag o'r rheiny a fyddai, un diwrnod, yn ŵr iddi: byddai angen iddo fod yn dipyn o foi i fedru byw dan gysgod crwn a solet Dei Parry.

Trebedr i Birmingham New Street, 4 Medi 2005

Genod y nos . . .

Dim ond un ohonynt nhw y dois i i'w hadnabod – os ei

hadnabod hefyd – ac wn i ddim hyd heddiw beth oedd ei henw bedydd. Roeddynt i gyd wedi eu hail-fedyddio'u hunain ag enwau ffasiynol y flwyddyn: roedd yno sawl Julie, Dusty, Mia, Chrissie, Mandy, Cathy, Christine, Marianne . . .

. . . a Sandie.

I gyd efo'u sgerti cwta a'u botasau plastig o'r un lliw at eu pennau gliniau, a'r minlliw ar eu gwefusau; ambell un â *beehive* o hyd ond y rhan fwyaf yn trio'u gorau i efelychu steil 'hogan drws nesaf' Sandie Shaw. Ond roedd y caledwch yn eu llygaid yn dileu hynny: roedd y Julie-iaid hyn wedi hen roi'r gorau i obeithio cyfarfod eu Terence Stamp, a phob Chrissie wedi gorffen breuddwydio am ei Bailey. Efallai, ar un adeg, iddynt hwythau hefyd fod yn ferched yn yr haul, yn sefyll yn noeth yn ei oleuni bob bore ac yn edrych ymlaen at beth bynnag oedd gan y dydd i'w gynnig. Ond roedd y dyddiau addawol hynny wedi hen fynd, os buon nhw erioed: disgyn yn flinedig ar eu gwelyau a wnâi genod y nos bob gwawr, yn aml heb dynnu dim ond eu cotiau, a breuddwydio am ddim byd mwy na'r gallu i anghofio'r oriau tywyll oedd newydd fod, am ychydig bach.

Llundain, 1965

Allwn i ddim cael gwared ar sŵn y colomennod o'm pen. Roedd fflapian eu hadenydd bellach yn *slow handclap* a'u cŵan yn fwio.

'Y ffycin hŵr!' meddai Maldwyn.

Gorweddais ar fy ngwely yn fy nghôt, yn crynu fel deilen a'm talcen yn chwilboeth. Roedd fy nillad yn fy mygu. Stryffaglais i dynnu fy nghôt gan glywed sŵn merch yn crio yn rhywle, efallai yn yr ystafell ym mhen pella'r landin, yr ochr draw i un Eddie. Ceisiais wrando ond roedd y colomennod yn fy myddaru.

Gwisgais fy ngŵn nos dros fy nillad isaf a dringo'n boenus

i mewn i'r gwely, pob dilledyn yn pwyso arna i fel cerrig mawrion. Deffrais funudau – oriau? – yn ddiweddarach efo'r wybodaeth fy mod yn glafoerio dros y gobennydd.

Roedd rhywun yn curo wrth fy nrws. Yn curo'n ysgafn.

'Ffyc off, Maldwyn,' mwmblais.

Agorais fy llygaid o deimlo llaw oer, fendigedig o oer, ar fy nhalcen.

'She has a temperature,' clywais Jenny yn dweud.

Ceisiais ysgwyd fy mhen ond roedd o'n rhy drwm ac yn rhy boenus: do'n i ddim isio iddi wthio un o'r thermomedrau gwydr 'na o dan fy nhafod, fel roedd Dr Morris yn arfer ei wneud adra pan o'n i'n sâl. Roedd y rheiny'n fy mrifo o dan fy nhafod bob un tro. Safai Eddie yn y drws ond doedd o, hyd yn oed, ddim yn ddigon mawr i guddio'r goleuni creulon a lifai heibio iddo i mewn i dywyllwch clyd yr ystafell.

Caeais fy llygaid.

Yna roedd Jenny yn eistedd ar erchwyn y gwely, gyda chawl a gwydriad o ddŵr oer. Edrychai ei gwallt hir yn fwy miniog nag erioed. Tasa hi'n digwydd brwsio'i waelodion dros fy nghnawd, baswn i'n gwaedu fel mochyn.

Fel hwch.

'Y ffycin hwch!' meddai Maldwyn.

'You have to eat, sweetheart.'

Crawciais rywbeth – protest? Ymddiheuriad? Roedd y syniad o eistedd i fyny yn y gwely yn fy nychryn. Basa'n well o lawer gen i tasa Jenny yn dodi'i llaw oer, hyfryd ar fy nhalcen unwaith eto. Yn lle hynny teimlais ei dwylo dan fy ngheseiliau a'r gobennydd yn cael ei godi i fyny'r tu ôl i'm cefn.

'Sori . . .'

Roedd ei gwallt wedi'i glymu'n ôl mewn un blethen hir erbyn hyn. Edrychai ei hwyneb yn ifanc iawn yn yr hanner goleuni. Yfais y dŵr fel taswn i newydd gropian ar draws anialwch, a llyncais y ddwy dabled a ymddangosodd dan fy nhrwyn. Cawl cyw iâr, a'r llynciadau cyntaf yn crafu'r tu mewn i'm gwddf fel papur llyfnu. Ond methwn gael digon ohono, a phan orweddais yn ôl ar fy nghefn, daeth llaw Jenny yn ei hôl ar fy nhalcen.

'There's some water by your bed, and more tablets. Two every four hours, if you're awake.'

Ceisiais ddiolch iddi, ond yn lle hynny, gofynnais: 'Who?'

'What, Marian?'

'Who was crying earlier on?'

'No one.'

'But . . .'

'Never you mind. Try and sleep now.'

'Thank you . . .' dywedais o'r diwedd, ond roedd y goleuni wedi mynd a siarad efo'r tywyllwch roeddwn i.

Cysgais . . .

. . . a deffro eto gan feddwl mai fi fy hun oedd yn crio wedi'r cwbwl. Yna credais fod rhywun yn f'ystafell yn crio. Codais fy mhen gan ddisgwyl gweld rhywun yn sefyll wrth droed y gwely, neu'n eistedd yn y gadair freichiau wiail ger y ffenestr, ond cysgais eto bron cyn sylweddoli fod neb yno, a ffwndro am Ddyfi Jyncshiyn ac am y môr yn codi'n ddu dros y platfform a rhywun yn cydio'n dynn, dynn yn fy llaw wrth i'r dŵr godi'n uwch ac yn uwch.

Y tro nesaf i mi ddeffro, ro'n i'n sefyll wrth y drws efo'r handlen yn fy llaw a'm pledren yn llawn ac yn boenus. Meddyliais am bwrs buwch oedd angen ei godro. Eisteddais ar sedd y toiled yn crynu, yn gwrando ar sŵn f'esgyrn yn crafu yn erbyn ei gilydd ac ar rywun yn crio, eto.

Roedd o i'w glywed yn fwy clir allan ar y landin; na, nid y tu mewn i'm pen roedd o wedi'r cwbwl, a gallwn glywed murmur lleisiau eraill o'i gwmpas y tro hwn a cherddais tuag ato, ar hyd y landin yn dawel ac yn droednoeth at ddrws yr ystafell bellaf un.

Drws oedd yn gilagored.

Gwelais hogan ifanc, denau yn gorwedd yn noeth ar y gwely. Roedd ei hwyneb yn fawr ac yn goch i gyd – cochni llachar a gwlyb. Eisteddai Jenny ar erchwyn y gwely yn glanhau'r cochni â wadin a dŵr poeth. Hon oedd yn crio, yr hogan denau hon, yn igian crio a griddfan er bod cyffyrddiadau Jenny, fe wyddwn, yn ysgafn a thyner. Gallai droi dŵr yn win; gwelais hynny wrth wylio'r dŵr poeth yn troi'n goch.

Wrth y gwely safai Eddie efo'i ddwylo anferth yn agor a chau, agor a chau, ac eisteddai dyn dieithr ar erchwyn y gwely yn byseddu ystlysau'r eneth, a throdd y tri a syllu arnaf, yno yn y drws gyda'm gŵn nos yn hongian yn agored dros fy nillad isaf, mor bowld. Ac yna roedd y dyn dieithr wedi cydio ynof gerfydd fy mhenelin ac yn fy nhywys o'r ystafell ac yn ôl ar hyd y landin. Lapiodd fy nillad gwely yn dynn amdanaf ac roedd ei law yntau, hefyd, yn hyfryd o oer ar fy nhalcen. Sylwais ar y ffordd y gorweddai ei wallt melyn yn fflat ac yn denau ar ei ben.

'Sshh . . .' meddai wrthyf. 'Sshh . . .'

Cysgais.

Trebedr i Birmingham New Street, 4 Medi 2005

A deffro, rŵan, efo naid fechan gan daro fy nhalcen yn erbyn gwydr oer ffenestr y trên. Dwi wedi bod yn glafoerio; mae gen i ffrwd fechan o boer yn rhedeg o gornel fy ngheg, i lawr dros fy ngên a'm gwddf ac ar fy siwmper, a sychaf fy ngheg yn sydyn cyn sbio o'm cwmpas.

Mae'r fam a'r ferch oedd yn eistedd gyferbyn â mi wedi symud: dyna beth a'm deffrodd, synnwn i ddim. Saif y ddwy yn yr eil, y fam wedi hanner troi i ffwrdd ac yn edrych i mi fel tasa hi a'i merch ar eu ffordd i'r bwffe. Na, mae eu bagiau a'u cotiau ganddynt yn eu breichiau. Ond dydi'r trên ddim yn arafu – dydan ni ddim ar gyfyl unrhyw stesion. Mae'r fam yn trio plycio braich ei merch ond saif yr eneth yn rhythu arna i. Mae'i hwyneb yn hollol wyn rŵan, a gallaf weld dagrau'n llifo i lawr ei gruddiau.

'So much sadness,' meddai. Yna: 'Mum . . .?'

Crafanga'i bysedd y tu ôl iddi, heb droi, nes iddi deimlo llaw ei mam yn cau amdanynt: mae ei llygaid yn dal wedi'u hoelio arna i.

'Too much of it . . .' meddai wedyn. 'There's too much.'

Llwydda ei mam i'w chael i droi. Gwyliaf hwy'n symud i lawr yr adran, a'r ferch yn cydio yng nghefn pob un sedd wrth fynd, fel tasa arni ofn llewygu. Wrth f'ochr, mae'r hogyn ifanc wedi tynnu'r gwifrau o'i glustiau, yntau hefyd yn gwylio'r fam a'r ferch yn mynd. Try rŵan gan sbio arna i â chwilfrydedd. Ceisiaf wenu a chodi f'ysgwyddau – na, dydw inna ddim yn dallt be goblyn sy'n bod arnyn nhw chwaith – ond gwn mai gwên gam a simsan iawn ydi'r cyfan sydd gennyf i'w gynnig. Teimla fel oes cyn i'r hogyn droi i ffwrdd oddi wrtha i a gwthio'r gwifrau'n ôl i mewn i'w glustiau.

*   *   *

Mae rhywbeth yn bod ar yr hogan, mae'n rhaid; mae pob matha o bobol yn teithio ar y trenau yma, pob matha o nytars.

'So much sadness', wir. Be ma' rhyw slefran ifanc fel honna'n 'i wbod am dristwch?

'Na ni – rhywun arall eto fyth yn benderfynol o ddifetha heddiw i mi, a minna wedi edrach ymlaen cymint . . .

Wps, na, dydi hynna ddim cweit yn wir. Do'n i ddim yn *ca'l* edrach ymlaen, yn nag o'n? Ddim tan ddoe . . . 'ta echnos? Ia, echnos, dwi'n meddwl; dyna pryd y gwnes i sylweddoli 'mod i'n ca'l edrach ymlaen.

'Sshh . . .' dwi'n ei gofio fo'n deud efo'i law ar 'y nhalcen. 'Sshh . . .'

Chop Suey, Edward Hopper, 1929

Dwy ferch sydd yn mwynhau ymffrostio yn eu hanghonfensiynoldeb sydd yma: yr enw cyfoesol amdanynt oedd *flappers*. Eistedda'r ddwy wrth fwrdd mewn bwyty yn wynebu'i gilydd, un ohonynt a'i chefn atom, a'r ddwy'n gwisgo hetiau *cloche* y cyfnod; het las sydd gan yr un sydd â'i chefn atom, ac un biws gan y ferch sydd yn ein hwynebu.

Mae eu bwrdd wrth ffenestr fawr a llifa'r haul i mewn drwy'r gwydr. Tybiwn i ddechrau mai golau'r machlud ydyw, oherwydd cochni'r darlun yw un o'r pethau cyntaf i'n taro, ond na, erbyn meddwl, gallai'r ennyd fach arbennig hon fod yn digwydd ar unrhyw adeg o'r dydd. Dim ond ar y pren sydd o gwmpas y ffenestr y mae'r cochni hwn a does dim ohono ar wyneb gwyn y ferch sydd yn ein hwynebu, dim ond cochni annaturiol ei minlliw. Edrycha'i cheg fel mefusen wyllt, yn wlyb ac yn loyw, neu fel calon waedlyd ar gerdyn chwarae. Ceg sydd yn ysu am gael rhoi cusan; ceg sydd yn ysu i dderbyn un.

Mae'r geg hudol hon yr un lliw â'r arwydd llachar y mae darn ohono i'w weld y tu allan i'r ffenestr. 'Chop Suey' yw'r geiriau sydd arno. Un hir a thenau yw'r arwydd, ac mae'r llythrennau sydd i'w gweld arno'n darllen ar i lawr; gwyn ydynt ar y foment, ond mae lympiau bach gleision drostynt i gyd a deallwn mai bylbiau yw'r rhain a bydd y llythrennau'n goleuo'n bowld cyn gynted ag y bydd yr haul wedi mynd i lawr. Dim ond dwy lythyren sydd i'w gweld yn llawn, sef yr **U** a'r **E**. Gallwn weld hanner isaf yr **S** yn nhop y ffenestr, a hanner uchaf yr **Y** yn ei gwaelod; mae'r Y felly, i ni, yn debycach i **X**, a chyda chymorth

127

coegwychder yr arwydd a'i lythrennau neon hy, hawdd fuasai camgymryd y gair **Suey** am **Sex**.

Mae colur y ferch eisoes wedi'n harwain i feddwl am ryw – ei cheg sws goch, a'r ffordd y mae ei siwmper werdd, denau, dynn yn pwysleisio'i bronnau llawn. Edrychwch arnom ni, bloeddiant; rydym yn werth eu gweld. Ni allwn weld ei choesau o dan y bwrdd ond rydym yn ysu am gael gwneud hynny, fel rydym yn ysu am i'r ferch arall droi er mwyn i ni fedru rhythu ar ei chorff a'i hwyneb hithau.

Oes gennym ni'r hawl, felly, i dybio mai rhyw yw testun eu sgwrs? Oes – nid yn unig oherwydd mai dyma un o ddarluniau mwyaf erotig Hopper, ond hefyd oherwydd bod rhywbeth ynglŷn ag osgo'r dyn sydd yn eistedd y tu ôl i'r merched, wrth fwrdd arall. Mae'n amlwg fod y dyn hwn yn clustfeinio ar eu sgwrs. Mae ei lygaid ar y sigarét sydd yn mygu rhwng ei fysedd, a dim ond wrth syllu arno y sylweddolwn fod ganddo gwmpeini: merch neu ddynes, a dim ond rhan o'i hwyneb a welwn, fel petai hi wedi gwthio'i phroffeil yn herfeiddiol i mewn i ffrâm y darlun. Ni welwn ei gwallt, hyd yn oed, oherwydd gwisga het oren wedi'i thynnu i lawr yn dynn dros ei thalcen. Ei thrwyn a hanner ei hwyneb yn unig a welwn, a theimlwn ei bod wedi ymwthio ymlaen er mwyn gwgu ar y dyn, er mwyn hisian arno, efallai, o dan ei hanadl – yn flin efo fo am ei hanwybyddu hi er mwyn gwrando ar beth bynnag sydd gan y ddwy ferch arall i'w ddweud. Nid oes minlliw gan hon; mae ei gwefusau wedi'u gwasgu'n fain wrth iddi rythu ar y dyn gyda chymysgedd o gynddaredd a siom. Mae'n ysu i'w gicio'n galed yn ei goes, yno dan gysgod y bwrdd.

Ond does yr un affliw o ots ganddo amdani hi na'i theimladau. Mae'r ddwy ferch arall wedi'i hudo ers meitin, er nad ydynt wedi edrych arno o gwbl. Nid ydynt hyd yn oed wedi sylweddoli ei fod yno. Yr un sydd â'i chefn atom, y ferch yn yr het las, sydd yn siarad; eistedd yno'n gwrando a wna'r llall. Ond rhydd hi'r argraff nad yw ei sylw i gyd ar eiriau ei ffrind. Edrycha fel petai'n ei dal ei hun yn barod i symud o'r bwrdd – fel petai'n gorfod gwneud ymdrech i eistedd yn llonydd a'i gorfodi'i hun rhag gwingo, neu rhag codi a chydio yn y gôt a'r sgarff sydd yn hongian ar fachyn yn y mur y tu ôl iddi. Mae'n rhyw hanner edrych heibio i'w ffrind, arnom ni, a dim ond cwrteisi neu ffyddlondeb cyfeillgarwch sy'n ei chadw wrth y bwrdd.

Drumnadrochit, Llundain 1965

Deffrais gyda straeon o'r ysgol Sul yn llenwi fy meddwl. Bartimeus ddall, a'r claf o'r parlys. Merch Jairus. Lasarus a gafodd ei lusgo o gwsg ei farwolaeth (ac ro'n i wastad wedi teimlo dros y creadur hwn, am ryw reswm, ac wedi dychmygu ei fod o'n flin iawn o gael ei hambygio fel hyn), a'r gŵr oedd ac ysbryd aflan ynddo, hwnnw a froliodd mai 'Lleng' oedd ei enw am fod llawer o rai fel y fo. Y naw anniolchgar a redodd i ffwrdd ar ôl cael eu hiacháu, gan adael un ar ôl i ddiolch. Gallwn hefyd gofio'r darluniau oedd yn cyd-fynd â nhw, bob un, fel yr Iesu mewn gwisg glaerwyn, a setlodd fy nghof ar ddarlun o ferch ifanc Jairus – o wyneb gwantan a gwyn gyda dau lygad mawr du yn serennu ohono.

'*Talitha, cwmi*,' meddwn yn uchel, a sylweddoli bod fy ngheg yn sych grimp. Yfais y dŵr roedd Jenny wedi'i adael wrth y gwely. Dwi'n cofio'r pethau rhyfeddaf, meddyliais.

* * *

Pan godais, teimlai fy nghoesau mor simsan â dau rimyn tenau o glai. Ymlusgais ar hyd mur y landin i'r tŷ bach ac yna'n ôl, gyda'm pen yn teimlo fel balŵn ysgafn ar edau o wddf, ac arogl bacwn heddiw'n codi pwys arna i.

Wrth gyrraedd drws f'ystafell, cofiais yn sydyn am neithiwr, am sefyll yn nrws yr ystafell bellaf yn fy ngŵn nos agored, ac am yr hogan ifanc eiddil honno'n gwaedu ar y gwely . . . a'r llaw ar fy nhalcen a'r llais yn sibrwd 'Sshh . . .'

Dyna egluro pam ro'n i'n meddwl am ferch Jairus gynnau, meddyliais. Ond oedd o i gyd wedi digwydd – ynteu fi oedd wedi breuddwydio'r cyfan? Doedd gen i mo'r nerth i droi a dychwelyd ar hyd y landin, a dringais yn ôl i mewn i'm gwely a chysgu eto. Meddyliais ar un adeg i mi glywed y gadair wiail ger y ffenestr yn protestio'n wichlyd, a hanner agorais fy llygaid i weld Eddie yn eistedd arni. Plis paid â rhoi dy bawan anferth ar fy nhalcen, meddyliais wrth lithro'n ôl i gysgu.

'You still have a temperature,' meddai Jenny, rywbryd yn y prynhawn. 'Not as much, though.'

Nodiais.

'Jenny . . .'

'Mmm?'

'Last night . . .'

Syllodd Jenny arnaf gan sugno'i gwefus isaf.

'Yes . . .' oedd y cwbwl a ddywedodd. Cododd a mynd at y ffenestr. Edrychodd ar fy nghopi o *The Merchant of Venice*, yn dal yn ei fag papur. Trodd.

'Do you need the lavatory, Marian?'

Roedd yn aros amdanaf y tu allan i'r drws. Cydiodd yn fy mraich a'm helpu at y drws pellaf ar y landin. Tarodd ef yn ysgafn cyn ei agor.

Eisteddai Eddie ar erchwyn y gwely. Cododd wrth i Jenny a fi fynd i mewn. Gorweddai'r un ferch eiddil yn y gwely, ei gwallt yn olau a'i hwyneb wedi'i baentio â chleisiau dulas ac anafiadau browngoch.

'Sandie,' meddai Jenny, a meddyliais innau: *Be ydw i i fod i'w ddeud? Neu i'w wneud?*

'Feeling better?' holodd Eddie, a sylweddolais mai efo fi roedd o'n siarad. Nodiais, bron â marw eisiau tynnu fy llygaid oddi ar wyneb chwyddedig yr hogan yn y gwely ond yn methu'n lân â gwneud hynny. Hwn oedd yr wyneb oedd neithiwr yn goch drosto i gyd, ond roedd y mwgwd gwlyb a gloyw hwnnw'n well o beth wmbrath na'r ddelwedd o ffilm arswyd a orffwysai'n awr ar y gobennydd. Roedd ei llygaid wedi chwyddo ynghau, fel tasan nhw wedi cael eu pigo gan haid o wenyn meirch; felly hefyd ei cheg a'i thrwyn – fel petai bom wedi ffrwydro'r tu mewn iddyn nhw. Roedd y gwallt golau wedi'i gremstio â gwaed sych, a gwisgai'r hogan gadachau wedi'u lapio'n dynn am ei dwylo. Duw a ŵyr sut olwg oedd ar y corff bregus a orweddai dan y gynfas neilon tenau. Roedd yr ystafell yn chwilboeth, ond crynai'r hogan drwyddi bob hyn a hyn, er ei bod yn cysgu, a gwnâi sŵn crio o bryd i'w gilydd wrth anadlu.

'You were right,' sibrydodd Jenny wrtha i. 'You *could* hear someone crying. Girls like Sandie – we help them, you see. From time to time. Eddie and me – we try and help them. Alex, too. If we can.'

Pan edrychais ar Eddie, gwelais ei fod o'n crio – dagrau mawrion fel dafnau o ddŵr yn dod allan o dap heb ei gau'n ddigon tyn, yn llifo i lawr ei ruddiau a diflannu i mewn i'w locsyn.

* * *

Pwy oedd yn gyfrifol am gyflwr 'Sandie'? Ches i ddim gwybod: do'n i ddim eisiau gwybod, meddai Jenny, meddai Eddie, meddai Sandie ei hun, wedyn. Ac wrth i mi wella, wrth i mi ddod dros y sioc, sylweddolais eu bod nhw'n iawn. *Do'n* i ddim eisiau gwybod. Doedd arna i ddim eisiau gwybod *unrhyw beth* am yr holl fusnes afiach, ac ro'n i'n difaru f'enaid fy mod wedi ymlusgo i ben pella'r landin y noson honno, fod y ffliw gythral hwnnw wedi f'anfon i yno. Do'n i ddim ychwaith eisiau meddwl am Sandie'n gorwedd ac yn griddfan ddim ond ychydig lathenni o ble ro'n i'n chwysu ac yn crynu.

Dechreuais deimlo'r dicllondeb mwyaf ofnadwy tuag ati, yn enwedig pan gofiais am yr wyneb bach miniog a chaled hwnnw a welais yn gwgu'n ôl arna i dros ei hysgwydd . . . pryd oedd hynny? Echnos? Y noson cynt? . . . wrth iddi frysio oddi yma. Yn hollol afresymol, efallai, gofynnais sawl cwestiwn a ddechreuai gyda'r geiriau *pa hawl?* – pa hawl oedd gan rywbeth fel honno i sbio fel'na arna i, fel taswn *i'n* lwmp a gachu ci o dan ei hesgid *hi*? Pa hawl oedd ganddi i lusgo'i bywyd blêr i mewn i'r tŷ yma, a'r holl dywyllwch drewllyd a ddeuai efo fo? Pa hawl oedd gan Eddie a'r McGregors i'w gwahodd hi a'i llanast yma, o dan yr un to â phobol waraidd oedd . . . ia, *oedd yn talu am eu lle*, tra oedd *hi*, mae'n siŵr, yn cael gorweddian mewn ystafell oedd fwy neu lai'n union yr un fath â'm hystafell i? A pha hawl oedd ganddyn nhw i rwbio fy nhrwyn i yn yr holl beth? Pwy oedden nhw'n meddwl o'n i – ffycin Florence Nightingale neu rywun?

Pa hawl oedd ganddyn nhw i ddifetha pob dim?

Penderfynais fy mod am fynd o Drumnadrochit cyn gynted ag ro'n i wedi mendio'n ddigon da i fedru chwilio am rywle arall. Yna cofiais fy mod i wedi talu am fis a bod pythefnos o'r mis hwnnw ar ôl. Faswn i'n fforffedu'r arian taswn i'n dewis mynd cyn ddiwedd y pythefnos? Credwn y gallwn fforddio gwneud hynny petai'n rhaid i mi, ond roedd y syniad o roi mwy o bres i'r rhain nag roedden nhw'n ei haeddu yn hollol wrthun.

Ar ben pob dim, cefais yr argraff bendant gan Eddie a Jenny eu bod nhw'n disgwyl i mi edrych ar ôl Sandie – eistedd efo hi, hyd yn oed, a chadw cwmpeini iddi – ar ôl i mi ddechrau gwella. Ddywedon nhw mo hynny'n blwmp ac yn blaen, ond credwn fod yr awgrym yno yn yr holl bethau bach ffwrdd-â-hi roedden nhw'n eu dweud, ac i'w weld yn eu hosgo. Roedden nhw fel tasan nhw wedi ymlacio mwy efo fi erbyn hyn.

Dechreuais gymryd arnaf fy mod yn cysgu pan glywn sŵn traed un ohonyn nhw'n arafu wrth fy nrws, a phan oedd hynny'n amhosib, gwnes ati i fod ychydig yn fwy swta efo nhw. Weithiodd hyn? Do'n i ddim yn siŵr. Ond mi sylwon nhw, oherwydd gofynnodd Eddie, ryw ddeuddydd wedyn, ac ychydig yn nerfus: 'You . . . er . . . about Sandie . . . you won't let on, will you, Marian?'

Rhythais arno.

'Let on to whom, Eddie?'

Edrychodd yn fwy annifyr fyth.

'Anyone. Just if someone should . . . you know, stop you in the street outside, like, and ask after Sandie . . . even if it's perfectly innocent, someone you don't know asking after her health or summat. Not that anyone's likely to, of course. Just . . . well, just in case . . .'

Ochneidiais yn ddwfn a throi i ffwrdd oddi wrtho.

'For fuck's sake, Eddie . . .'

'Marian . . . ?'

Ond edrychais i ddim arno, ac ar ôl ychydig clywais ef yn croesi'r ystafell ac agor y drws.

''Course you wouldn't. Sorry, love,' meddai.

Ar hyn, troais yn y gwely, ond roedd o wedi mynd allan a chau'r drws, yn amlwg i mi wedi cam-ddallt f'ebychiad.

Yn fwriadol, efallai?

Ta waeth. Teimlwn yn fwy cynddeiriog efo nhw nag erioed, a phetai'r nerth gen i, mi faswn i wedi pacio fy nghês a mynd oddi yno'r munud hwnnw. Ond ro'n i'n gaeth yn fy ngwely, yn ddibynnol arnyn nhw i raddau helaeth.

Rŵan, edrychai fel fy mod mewn perygl o gael rhywun yn dŵad ata i ar y stryd. Sut fath o 'rywun'? Dychmygais ffigurau anhysbys mewn cotiau glaw llaes a'u hetiau wedi'u tynnu'n isel i guddio'u hwynebau, ond gwyddwn ar yr un pryd fod hynny'n chwerthinllyd. Alan Ladd, Humphrey Bogart? Na, buasai Richard Attenborough fel Pinkie yn *Brighton Rock* yn nes ati, efallai: rhywun gyda rasal finiog, henffasiwn yn ei boced, neu gyllell fflic y tu mewn i'w lawes – ac ro'n i wedi darllen digon o *thrillers* a straeon papur newydd i wybod sut roedd merched deniadol oedd hefyd ychydig yn 'anhydrin' yn cael eu cosbi. Roedd tystiolaeth o hynny'n gorwedd ychydig lathenni oddi wrtha i ar hyd y landin.

Mr McGregor – lle roedd o yn hyn i gyd? Meddyliais yn ôl at yr hyn ddywedodd Jenny wrtha i'r noson honno, pan arweiniodd fi i ystafell Sandie a'i dangos i mi. Iawn, ro'n i'n eitha ffwndrus, ond mi ges i'r argraff bendant nad oedd Alex cweit mor amlwg yn yr 'helpu' hwn, ac mai Jenny ac Eddie oedd y prif weithredwyr.

Hwyrach bod y ffliw yn rhannol gyfrifol am hyn, ond teimlai'r holl sefyllfa ychydig yn bisâr, os nad yn swreal. Beth am y gwesteion eraill? Hyd y gwyddwn i, doedden nhw ddim mymryn callach fod y ddrama fawr, afiach hon yn digwydd dan yr un to â nhw. Tybed beth fasa gan Dei Parry i'w ddweud tasa fo'n gwybod?

Doedd y McGregors, penderfynais, ddim hanner call. Roedd yn amlwg mai mewn ysbyty y dylai Sandie fod gyda'r ffasiwn anafiadau, nid yma, mewn gwesty, yn denu Duw a ŵyr sut ganibaliaid yma i chwilio amdani. Roedd yn amlwg fod rhai pobol, o leiaf, yn gwybod am y tŷ hwn: rhaid fod *rhywun* wedi dod â Sandie yma, doedd hi ddim mewn unrhyw gyflwr i fod wedi ymlusgo yma ar ei phen ei hun.

A beth am y dyn diarth? Hwnnw a roes ei law dyner, oer ar fy nhalcen gan sibrwd 'Sshh . . .' – pwy, a beth, oedd o?

Roedd yr holl gwestiynau hyn yn troi a throsi yn fy mhen gan wneud i mi droi a throsi yn fy ngwely, er gwaetha'r ffaith fod f'esgyrn yn dal i deimlo'n fregus. Sylweddolais, petawn i'n eu lleisio wrth Jenny neu Eddie, yna buasai hynny'n awgrymu fod gen i ddiddordeb yn yr holl beth a 'mod i'n fodlon bod yn rhan ohono.

Ond roedd un cwestiwn a fynnai gael ei ofyn.

* * *

135

Clywais ei lais – ro'n i'n gwybod, rywsut, mai ei lais o oedd o – ddeuddydd yn ddiweddarach, wrth i mi ddod allan o'r ystafell ymolchi: roedd drws ystafell Sandie yn gilagored unwaith eto.

'This has to stop.'

Euthum at y drws ond chlywais i ddim byd arall, dim ond murmur lleisiau'n siarad yn dawel. Welais i ddim byd ychwaith: doedd y bwlch rhwng y drws a'r postyn ddim yn ddigon llydan i mi fedru sbecian i mewn i'r ystafell, ac yn sicr do'n i ddim am wneud yr un camgymeriad o wthio'r drws yn agored unwaith eto. Erbyn hynny roedd digon o nerth gennyf i fynd i fyny ac i lawr y grisiau; ar fy ffordd i'r parlwr i chwilio am rywbeth i'w ddarllen yr oeddwn i. Arhosais, felly, yn y parlwr nes i mi ei glywed yn dod i lawr y grisiau, a chymryd arnaf mai digwydd dod allan o'r parlwr ro'n i wrth iddo gyrraedd y cyntedd.

'Oh! Hello . . .' – ac yng nghefn fy meddwl roedd yr wybodaeth fod hyd yn oed y perfformiad hwn yn un gwael.

Nodiodd arnaf yn swta, ac ro'n i'n meddwl mai dyna'r cwbwl ro'n i am ei gael nes iddo aros wrth y drws ffrynt a throi ata i.

'You're feeling better, then?'

'Yes, much better now, thank you.' Nodiodd a throi eto am y drws. Ychwanegais yn frysiog: 'And thank you . . . for the other night.'

'What? Oh, yes. Well, I didn't really do anything.'

Siaradai'n ddiamynedd, ond mewn llais, meddyliais, a ddylai fod yn darllen y newyddion ar y radio.

Heb feddwl, dywedais: 'You did, you know. A good deal more than you think.'

Fi â'm ceg fawr, wirion. Edrychodd arna i'n od cyn troi a mynd allan gan fy ngadael yn teimlo fel fy nghicio fy hun am ddweud rhywbeth mor hurt, mor wirion o ddramatig, a diolch i'r nefoedd ei fod o wedi mynd cyn i mi gael y cyfle i ddweud wrtho ei fod wedi gwneud i mi deimlo fel merch Jairus.

Meddyg oedd o. Cadarnhawyd hynny i mi gan Jenny pan holais hi amdano. Roedd o'n eu helpu weithiau, meddai, gyda phwyslais ychydig yn sarrug ar y 'weithiau'. A'i enw oedd Derek – dyn cymharol fyr gyda'i wallt golau yn prysur deneuo a brychni haul dros ei dalcen. Gwisgai gôt law gabardîn dros ei siwt a cherddai'n fân ac yn fuan, wastad ar frys i fod yn rhywle arall, ac allwn i ddim peidio â meddwl am y gwningen fach brysur honno yn fersiwn Disney o *Alice in Wonderland*.

'I'm late, I'm late, for a very important date; no time to say hello, goodbye; I'm late, I'm late, I'm late!' canais i mi fy hun y tro nesaf y gwelais o'n brysio o'i Ford Anglia glas golau i gyfeiriad y tŷ, ei fag yn ei law a phob un blewyn yn ei le. Rhoddai'r argraff fod bywyd yn un anghyfleustra mawr, rhywbeth roedd yn rhaid iddo'i ddioddef cyn y gallai symud yn ei flaen at bethau oedd yn gwirioneddol haeddu'i sylw.

'This has to stop' oedd y geiriau a ddywedodd yn ystafell Sandie. Wrth bwy? Nid wrth Sandie ei hun: roedd hi'n rhy wael i wneud unrhyw beth a fyddai'n haeddu cerydd meddygol. Wrth y McGregors, ac Eddie, mae'n debyg. Rhybudd, felly, gan rywun a wyddai na fedrai'r sefyllfa yma barhau'n hir iawn eto.

* * *

Gwneuthum fy ngorau i anwybyddu presenoldeb Sandie, ond gan fy mod yn gorfod pasio'i hystafell bob tro ro'n i'n mynd i fyny neu i lawr o'm hystafell, roedd hyn yn amhosib. Yn enwedig efo Eddie'n ymddangos yn y drws fel arth mawr yn barod i amddiffyn ei ogof. Eddie, ceidwad y porth, efo'i lygaid brown, Bambïaidd yn llawn disgwyl y byddwn yn holi a oedd Sandie'n well, y byddwn yn aros i sgwrsio ychydig neu i frathu fy mhen heibio i'r drws – yn gwneud unrhyw beth ond gwenu fy ngwên fach dynn wrth frysio heibio.

'Sandie is getting better,' meddai Jenny un bore wrth ddodi fy mrecwast ar y bwrdd.

'Good.'

'But it'll be a while yet before she's up and about.'

'Mmm . . .'

Canolbwyntiais ar fy mwyd, yn ymwybodol iawn o Jenny'n sefyll yno'n disgwyl i mi ddangos rhyw rithyn o ddiddordeb. Torrais fy macwn a'm bara saim yn sgwariau bychain, taclus nes i'r cysgod tenau a thywyll a welwn o gornel fy llygad ochneidio a mynd o'r diwedd.

Roedd y McGregors ac Eddie fel rhyw deulu bach rhyfedd, yn disgwyl gormod oddi wrtha i ac yn ceisio fy llusgo i mewn i rywbeth anghynnes a thywyll.

* * *

Diolch byth, erbyn diwedd fy nhrydedd wythnos ro'n i'n ddigon da i fynd allan am dro, a chael sioc o weld bod y coed eisoes wedi dechrau colli'u dail. Gorweddai llwybrau parc St James dan garped soeglyd o felyn, brown, coch ac oren, a dechreuodd y lliwiau a'r arogl unigryw fy mhigo ag atgofion am gerdded dan goed y Nyrsyri a hel concyrs yng nghoed Bodawen a Glanrafon. 'Ty'd adra'r gloman,' meddai Mam pan ffoniais y noson cynt a dweud am y ffliw, a deuthum o fewn trwch blewyn o ddweud, 'Ocê, Mam' yn ôl, ond roedd hyd yn oed meddwl am ddweud y geiriau wedi llenwi fy llygaid â dagrau poethion. Yn lle hynny, dywedais: 'Argol, rhowch gyfla i mi gyrra'dd yn iawn!' gyda'r un hen chwerthiniad ffug hwnnw.

Ond roedd y colomennod yn dal i'm cymeradwyo'n wawdlyd pan gerddais dan y Marble Arch, a rhith George Einion yn dal i'm hedmygu am fod mor ddewr. Dewrder y creaduriaid hanner call yna sy'n byrlymu dros raeadr Niagara mewn casgenni.

Gwrandawiadau, asiant, cerdyn Equity, gwaith – dyna oedd f'anghenion, a do'n i ddim hyd yn oed yn gwybod ym mha drefn y dylen nhw fod yn digwydd. Os oedd yn anodd cael gwaith actio heb gerdyn undeb Equity, yna roedd yn amhosib cael cerdyn Equity heb fod wedi gweithio rhywfaint. Ychydig iawn, iawn o asiantau oedd yn fodlon cynnal gwrandawiadau yn eu swyddfeydd – ar wahân i ambell un amheus – a go brin y byddai'r un ohonynt yn fodlon fy nghynrychioli heb fy ngweld i'n perfformio yn gyntaf, a hynny o flaen cynulleidfa fyw.

Ymddangosai f'anghenion, felly, fel tasgau Ercwlff, er bod yr haul yn tywynnu gan lenwi'r parc â goleuni euraid, hydrefol. Ac ymddangosai fy mreuddwyd fel dim byd ond breuddwyd – breuddwyd ffŵl, ar hynny. Adra yn Port oedd fy lle i, yn bodloni ar fywyd diogel a chyfforddus yng nghwmni rhyw Faldwyn arall.

Tybed faint o ferched yng nghorneli pell y wlad oedd yn cael eu deffro yn oriau mân y bore gan rith rhyw freuddwyd goll, rhyw ysbryd hudolus a ddychwelai bob hyn a hyn i sibrwd yn bryfoclyd yn eu clustiau? Faint ohonyn nhw oedd yn llithro'n dawel o'r gwely rhag deffro'r gŵr a'r plant, ac yn sefyll yn y ffenestri yn crynu yn eu cobanau wrth rythu allan ac i fyny at y sêr?

'Un o'r rheiny fydda i, decini,' sibrydais wrth y colomennod di-hid wrth fy nhraed.

Taniais sigarét, ac wrth droi i ollwng fy matsien i mewn i fin ysbwriel wrth ochr y fainc, gwelais ffigwr cyfarwydd yn agosáu'n fân ac yn fuan ar hyd llwybr llydan y parc. Adnabûm y gôt law gabardîn yn syth, ond yn hytrach na'r bag mawr, du, pwysig yn llaw Derek, y tro hwn roedd yno fag cynfas glas golau, llai o lawer.

Daeth yn syth tuag ataf, ond cyn iddo fy nghyrraedd, eisteddodd yn ddirybudd ar y fainc agosaf at f'un i. Doedd o ddim hyd yn oed wedi sbio arna i, heb sôn am fy nabod – a sylweddolais y basa hynny wedi bod yn reit anodd heddiw, chwarae teg, gan fy mod wedi fy lapio yn fy nghôt aeaf drwchus gyda sgarff am fy ngwddf a chap gwlân cynnes wedi'i dynnu i lawr yn dynn dros fy nghlustiau.

Gwyliais ef yn tynnu'r *Times* o'i fag a'i ddodi ar y fainc wrth ei ymyl. Yna o'r bag daeth fflasg a phaced o frechdanau wedi'u lapio'n daclus. Tywalltodd baned iddo'i hun a chymryd un sip ohoni cyn agor ei baced brechdanau a'i roi ar ei lin. Agorodd y *Times* a'i roi'n ôl ar y fainc a dechrau ei ddarllen wrth ddeintio'i frechdan gyntaf – eto fel cwningen, meddyliais, cwningen gyda deilen letys. Roedd ei symudiadau'n gynnil a thra chywir – bron yn ddefodol – a gwyddwn na feiddiai'r un briwsionyn anhydrin lanio ar ei ddillad nac ychwaith ar y ddaear, er mawr siom i'r colomennod a heidiodd yn ddisgwylgar at ei fferau. Sychai ei geg â hances bapur bob un tro cyn cymryd sip o'i gwpan, a phan feiddiodd yr haul â llithro'r tu ôl i gwmwl, gwgodd i fyny i'r awyr nes i'r haul gywilyddio ac ailymddangos gyda gwên ddafadaidd.

Wrth iddo dollti ail baned o'i fflasg, clywais eto'r glaw yn disgyn yn drwm ar do, a'r gwynt, a'r môr . . .

'*Wy a letys. Gawn ni roi'r gola ymlaen am chydig?*'

Caeais fy llygaid, cyn tanio sigarét arall gan obeithio medru chwythu John Griffiths i ffwrdd mewn cwmwl o fwg. Pan edrychais yn ôl ar Derek, roedd o yn y broses o orffen bwyta afal. Lapiodd ei weddillion y tu mewn i bapur ei frechdanau a dod â hwy at y bin ysbwriel, reit wrth f'ochor, ei lygaid ar y bin, nid arna i.

'Helô . . .'

Edrychodd arna i'n siarp.

'Marian,' meddwn wrtho. 'From Sussex Gardens? The McGregors' place?'

Nodiodd. 'Of course. The flu – departed, obviously?'

'Yes, thank you. Still a little weak . . . but, yes. Thank you.'

Edrychodd ar fy sigarét. 'Those things don't help.'

Oedd raid iddo fo ddweud rhywbeth mor ystrydebol o feddygol? Ond gwelais rywbeth tebyg i wên fechan yn hofran am eiliad ar ei wefusau tenau.

'Sermon over,' meddai. 'I didn't see you arrive here . . .?'

'I was already here, when you sat down. I didn't call out, I could sense you'd appreciate being left in peace to have your dinner. Lunch,' fe'm cywirais fy hun. Damia . . .

'Thank you for that. Yes, I do enjoy having a few minutes to myself over lunch.' Trodd ei ben wrth i bwff sydyn o wynt aflonyddu ar dudalennau ei bapur newydd ar y fainc. 'Well . . .'

'Have you been there today?' fe'm clywais fy hun yn gofyn yn frysiog. 'To see Sandie, I mean?' Gwgodd. Shit! 'Sorry. I shouldn't have asked . . .'

'It's not that,' meddai'n biwis – cymaint felly nes 'mod i'n hanner disgwyl iddo ychwanegu 'you stupid woman'. Ochneidiodd. 'I make it a point not to ask their names. All these girls. It's easier, the less one knows about them.'

Oedd o'n meddwl mai un o genod y nos o'n i? Nag oedd, sylweddolais; buasai Jenny wedi dweud wrtho pwy o'n i, siawns.

'And yet you do help them,' dywedais.

Edrychodd i lawr arna i fel taswn i newydd ddweud y peth gwirionaf dan haul.

'I'm a doctor. It's what I do.'

'Yes, of course. I'm sorry . . .'

Safodd yno'n sbio i lawr arna i'n feddylgar. Roedd ei lygaid yn llonydd ond yn dreiddgar iawn, fel tasan nhw'n trio darllen fy meddwl, ac unrhyw funud rŵan, meddyliais, dwi am ddechrau gwingo ar y fainc yma fel rhywun sy bron â marw isio pi-pi.

Yna gwenodd, y wên fach oeraidd, ddihiwmor honno oedd ganddo. 'I'm glad to see you're better, at any rate . . . er . . .?'

'Marian.'

'I beg your pardon?'

'Marian. My name.'

Syllodd arna i am eiliad, yna nodiodd. 'Marian.'

Gwyliais ef yn dychwelyd at ei fflasg a'i fag a'i bapur newydd. Rhoes y cyfan efo'i gilydd a chyda nòd fach swta i'm cyfeiriad, trodd tuag at yr allanfa, ei gamau'n cyflymu'n raddol nes iddyn nhw gyrraedd eu rhythm arferol, brysiog, gyda'r dail yn un slwj dan ei draed.

Trebedr i Birmingham New Street, 4 Medi 2005

'I'm late, I'm late, for a very important date . . .'

Ydw, dwi'n canu hon i mi fy hun yn weddol uchel ond does neb yn fy nghlywed: mae'r fam a'i merch od wedi mynd o'r seddau gyferbyn â mi, ac mae'r hogyn sydd wrth f'ochr ar goll yn ei gerddoriaeth.

Dydi'r gân fach hon ddim yn codi gwên erbyn hyn.

Llundain, Medi 1965

Os nad o'n i yn perthyn yn Llundain, yna doedd Derek yn sicr ddim yn perthyn yn y chwedegau. Cafodd ei eni o leiaf ddeng mlynedd yn rhy hwyr; yn wir, basa'r pedwardegau wedi gweddu'n well iddo – neu y fo iddyn nhw.

Trevor Howard yn *Brief Encounter*.

Doedd o ddim digon lliwgar, rywsut, i'r chwedegau, a thrwy roi'r argraff ei fod o wastad ar frys i fod yn rhywle arall, roedd o hefyd yn gwneud i rywun feddwl bod yr un brys arno i gael canu'n iach i'w ieuenctid.

Roedd Eddie yn y parlwr pan gyrhaeddais yn ôl yn Drumnadrochit – efo Mr McGregor. Sbiodd y ddau ar ei gilydd pan soniais fy mod wedi taro ar Derek.

'Lucky you,' meddai Eddie, ac ochneidiodd Alex yn ddwys wrth redeg ei ddwster dros *Monarch of the Glen*.

'Don't you like him?' gofynnais, yn fwy siarp nag ro'n i wedi'i fwriadu.

''Tother way round, love. God knows why,' meddai Eddie, efo'i dafod yn ei foch. Eisteddai wrth y piano, yn ôl ei arfer, yn edrych fel tas wair ar ôl noson wyntog. Mor wahanol i'r Derek trwsiadus. Gwyliais ei fysedd tewion, lletchwith eu golwg yn llithro dros nodau'r piano gan brin gyffwrdd â hwy, ond eto'n llwyddo i droi'r hen offeryn llychlyd yn rhywbeth hudolus. Doedd ond eisiau i Eddie *anadlu* ar y piano i wneud iddo swnio'n wych.

Daeth Jenny i mewn ac euthum innau allan; allwn i ddim wynebu bod efo'r tri ohonyn nhw ar yr un pryd. Cawn y teimlad bob tro fod Jenny, yn enwedig, wastad ar fin gwneud rhyw sylw bwriadol am Sandie, ac ro'n i wedi blino ar droi clust fyddar drwy'r amser.

Ond pan gyrhaeddais fy landin i, dyna lle roedd Sandie ei hun, yn ymdrechu i'w llusgo'i hun yn boenus ar hyd y mur i'r tŷ bach.

O, ffwc jwc . . .

Fy nghamgymeriad oedd petruso. Trodd Sandie a'm gweld yn hofran yno ar ben y grisiau, un droed ar y gris uchaf a'm corff wedi hanner troi. Eto, cefais y teimlad fy mod wedi crwydro i mewn i un o ffilmiau Hammer. Gwisgai Sandie goban wen, laes, a chyda'i gwallt yn gaglau i gyd a'i hwyneb yn gleisiau byw, edrychai fel drychiolaeth. Y gwahaniaeth mawr oedd fod y 'ddrychiolaeth' hon yn edrych fel tasa f'ofn

143

i arni *hi*. Dechreuodd wneud rhyw synau rhyfedd, ac ro'n i ar
fin gorffen troi a ffoi yn f'ôl i lawr y grisiau pan sylweddolais
mai trio siarad roedd hi, ond fod rhywbeth yn bod ar ei
safnau.

Alla i ddim jest sefyll yma fel delw, dwi'n cofio meddwl.
Fedra i ddim troi a dychwelyd i lawr y grisiau, chwaith:
mae'n rhy hwyr i hynny. Yn sicr fedra i ddim cerdded heibio
iddi ac i mewn i'm hystafell fel petai hi ddim yma.

Doedd dim dewis gennyf ond gwneud yr union beth ro'n i
wedi bod yn ei osgoi ers dyddiau: euthum at Sandie a chydio
yn ei braich.

'Do you want the lavatory?'

Ia – 'la-di-da' go iawn. Wendy Hiller yn *I Know Where I'm
Going*. Celia Johnson ym mhopeth.

Ceisiodd Sandie gilio oddi wrthyf ond doedd ganddi
nunlle i fynd.

Ochneidiais.

'It's all right, I'll help you. Come on.'

Craffodd arna i drwy'i chleisiau a'i dal ei hun yn ôl gyda
hynny o nerth tila oedd ganddi. Yna deallais. Doedd ganddi'r
un clem pwy o'n i.

'It's all right,' meddwn eto. 'I live here. Now come on.'

Ceisiais swnio'n ddi-lol ac fel taswn i'n gwybod be ro'n i'n
ei wneud. Anna Neagle yn *The Lady with the Lamp*. Estynnais
fy mraich iddi ac ar ôl ychydig teimlais ei bysedd yn cau
amdani. Gwnâi synau bychain o boen wrth symud, tebyg i'r
synau mae cŵn yn eu gwneud yn eu cwsg.

Cyraeddasom yr ystafell ymolchi o'r diwedd. Helpais
Sandie i eistedd ar sedd y toiled. Edrychodd i fyny arnaf
drwy'i llygaid poenus, ei choesau'n ymwthio allan dan
waelod ei choban fel darnau o sialc.

'I'll wait for you outside.'

Wrth gau'r drws, sylweddolais mai er fy mwyn y hun y

gwnes i hyn; tybiwn fod merched fel Sandie wedi hen golli eu swildod, a do'n i ddim eisiau sefyll yno uwch ei phen tra oedd hi'n gwneud ei busnes. Arhosais yno ar y landin nes i mi glywed sŵn y dŵr yn cael ei dynnu cyn curo'n ysgafn un waith ar y drws a mynd yn ôl i mewn, gan ofalu peidio ag anadlu drwy fy nhrwyn.

Yno roedd Sandie'n sefyll yn simsan ac yn syllu ar y bath.

'All right?'

Troes y llygaid clwyfus 'na ata i, yna'n ôl ar y bath. O, ffyc mi Deleila, meddyliais, ma' hi'n disgwl i mi roid bath iddi rŵan.

'Are you sure you're up to it?'

Nodiodd yn benderfynol. Ochneidiais innau. Erbyn meddwl, mae'n siŵr fod y greadures bron â marw o fod eisiau bath.

Er hynny, petrusais.

'. . . leese . . .'

Plis.

Plygais dros y bath a gwthio'r plwg i'w le cyn troi'r tapiau. Ochneidiodd Sandie wrth i'r stêm ddechrau codi o'i chwmpas.

'I'd better not make it too hot. You'll have to tell me . . .'

Sylwais mai dim ond slefren denau o sebon oedd ar y rac plastig a bontiai'r bath. A Fairy oedd hwnnw.

O'r arglwydd, unwaith roedd rhywun yn dechrau . . .

Troais at Sandie. 'I'll go and fetch you some shampoo, yes? And some . . . well, other stuff.' Caeais ychydig ar y tapiau. 'Shan't be long.'

Yn f'ystafell, cipiais y poteli a safai fel milwyr lliwgar yn gwarchod fy mag ymolchi. Cychwynnais at y drws a phetruso eto. Yn hollol – unwaith mae rhywun yn dechrau . . . Troais yn ôl ac estyn coban lân a dau bâr o nicyrs glân o un drôr a thywel glân, meddal o ddrôr arall.

Neidiodd Sandie yn nerfus pan ddychwelais i'r ystafell ymolchi. Rhythodd ar y pentwr oedd gennyf yn fy nwylo.

'We'll just use what we need, okay?'

Ysgydwais hylif gwyrdd golau i mewn i'r bath, a safodd y ddwy ohonom yn gwylio'r ewyn yn codi'n gwmwl o'r dŵr.

'Hope it's not too hot for you.'

Ceisiodd Sandie dynnu'i choban ond roedd yn rhy laes iddi fedru cyrraedd ei gwaelodion a'i chodi dros ei chorff a'i phen.

'Let me . . .'

Brathais fy ngwefus wrth i gorff tenau'r hogan ddŵad i'r golwg fesul tipyn. Roedd yn gleisiau drosti – o bell, basa hi'n edrych fel tasa hi'n glwstwr o datŵs wedi'u dylunio gan artist meddw gaib. Roedden nhw dros ei chefn, ei chluniau a'i bol – rhai'n dal yn goch a thyner iawn eu golwg, eraill yn las, yn biws ac yn felyn, ac o dan y cleisiau brawychus roedd esgyrn ei hasennau i'w gweld yn glir.

Faint ydi oed hon? meddyliais. Corff hogan yn ei harddegau cynnar oedd ganddi, ei bronnau'n fawr mwy na moch coed a'r twnshiad blewog, golau rhwng ei choesau fel manblu cyw bach. Safai efo'i phen i lawr a'i gwallt blêr, budr yn cuddio'i hwyneb, yn gwybod bod golwg y diawl arni ac yn gwneud ei gorau i beidio â gweld y braw amlwg oedd, dwi'n siŵr, wedi llenwi fy wyneb i.

'Okay, hold on tightly to my arm now. That's it . . . you can do it . . .'

Doedd nemor ddim pwysau iddi a theimlwn y gallwn fod wedi'i chodi a'i gosod i lawr yn y bath fel hogan fach, tasa hi ddim yn gleisiau i gyd. Ochneidiodd yn uchel wrth i'r cleisiau hynny ddiflannu dan yr ewyn fesul tipyn a'r dŵr cynnes gau am ei chorff. Gadewais iddi fwynhau'r teimlad am ychydig; agorais wahanol boteli a thollti ychydig o'u cynnwys i mewn i'r dŵr, cyn gwlychu fy nghadach a rhwbio rhywfaint o'm sebon i drosto.

'Look, you'd better do this. Only you can know how hard to rub.'

Eisteddais ar gaead sedd y toiled wrth iddi ymolchi'n ofalus a thrwyadl. Teimlai'r ystafell yn annifyr o boeth ac roedd arogl y gwahanol hylifau persawrus yn codi pwys arna i braidd, ond er cymaint ro'n i'n ysu am gael mynd o'no, teimlwn fod Sandie eisiau i mi aros lle ro'n i, wrth ei hymyl. Gwingai o bryd i'w gilydd wrth i'r cadach ei brifo, ond daliodd ati nes o'r diwedd y gosododd y cadach a'r sebon yn y rac.

'Shall we try washing your hair now, then?'

Ceisiodd wenu ac roedd yn rhaid i mi sbio i ffwrdd. Roedd rhywun – rhyw *fastard* – yn amlwg wedi plannu'i ddwrn reit yng nghanol ei hwyneb, a hynny droeon, gan dorri'i thrwyn a dinistrio sawl dant, ac roedd hi'n lwcus nad oedd yr ergydion i'w llygaid wedi'i dallu . . .

. . . *'Y ffycin hŵr!' meddai Maldwyn, a rhoi slap i mi ar draws fy wyneb* . . .

. . . ac er bod Derek wedi gwneud ei orau, nid dewin mohono: roedd angen sawl dant gosod ar Sandie yn awr, a go brin y byddai ei thrwyn bach smwt fyth eto'n syth.

A doedd wybod sut effaith roedd hyn wedi'i gael ar ei meddwl.

'Right – head forward, then.'

Ro'n i'n crio erbyn hyn ac wedi siarad yn fwy siarp efo Sandie rhag ofn iddi weld fy nagrau. Plygais i lawr y tu ôl i'w chefn a chodi dŵr o'r bath gyda chwpan blastig a'i dollti'n araf dros ei gwallt, drosodd a throsodd, nes bod yr holl gaglau'n rhydd. Rhwbiais y shampŵ'n dyner i mewn i'w gwallt, yna'i rinsio, a'r un peth eto, deirgwaith i gyd, nes fod ei gwallt yn gwichian wrth i mi rwbio'r cudynnau yn erbyn ei gilydd – a thrwy'r cyfan eisteddodd Sandie'n dawel a'i thalcen yn gorffwys ar flaenau'i phennau gliniau esgyrnog.

Roedd y dŵr wedi dechrau oeri erbyn i mi orffen. Tynnais y plwg a helpu'r hogan i ddod allan o'r bath. Lapiais y tywel mawr, meddal am ei chorff ac un arall o gwpwrdd yr ystafell ymolchi am ei phen gan baldaruo drwy'r amser am fel ro'n i, pan o'n i'n fach, yn protestio'n uchel pan fyddai Mam yn tynnu'r plwg o'r bath a minnau'n dal i eistedd ynddo; fel ro'n i'n argyhoeddedig y baswn yn cael fy sugno i lawr twll y plwg efo'r dŵr, fel y pry copyn hwnnw yn y gân; ac fel ro'n i'n gwybod yn iawn fod hynny'n amhosib, fy mod i'n rhy fawr a'r tyllau'n rhy fach, ond doedd dim ots, ro'n i'n dal i weiddi yr un fath. Dabiais y tywel dros ei chorff yn hytrach na'i rhwbio'n sych, a'i gadw amdani nes roeddem wedi cwblhau'r daith araf ar hyd y landin yn ôl i'w hystafell.

Yno, helpais hi i wisgo'r goban lân ac yna i mewn i'r gwely, ar ei heistedd efo'r gobennydd wedi'i godi i fyny'r tu ôl iddi a'r tywel arall yn dal am ei phen, fel twrban. Rhoddais ddiod o ddŵr iddi a'i gwylio'n llyncu dwy dabled fach frown oedd ar y cwpwrdd wrth ochr ei gwely.

'Feeling a bit better, now?'

Sylwais fod hynny y gallwn ei weld o groen di-glais ar ei gwddf a'i breichiau yn binc ar ôl ei bath; fel arall, amhosib oedd dweud a oedd y profiad wedi gwneud lles iddi ai peidio.

Ond nodiodd Sandie a cheisio gwenu eto.

'I'll just take this wet towel away. When I come back we'll dry your hair, okay?'

Roedd y piano wedi tewi pan euthum yn ôl i'm hystafell. Gwelais fod trichwarter awr wedi mynd heibio ers i mi ddŵad ar draws Sandie yn bustachu'n boenus ar hyd y landin. Rhoddais y tywel ar y gwresogydd i sychu a dychwelyd at Sandie efo chrib a brws a sychwr gwallt, fy radio fechan a phentwr o gylchgronau.

Dylai mudandod y piano fod wedi fy rhybuddio. Eisteddai Eddie wrth wely Sandie gan wneud i'w gadair edrych fel cadair mewn dosbarth babanod. Cododd ei fys i'w wefus wrth i mi ddŵad drwy'r drws a gwelais fod Sandie'n cysgu, ar ei heistedd fel y gadewais hi, a'i gên i lawr dros ei gwddf.

'I have to dry her hair,' sibrydais. 'It'll be one huge tangle otherwise.'

Cododd Eddie ei ysgwyddau. Datodais y tywel oddi am ei phen, ac wrth blygu drosti cefais sioc fechan: agorodd Sandie un llygad a tharo winc arna i, cyn ei chau a chymryd arni ddeffro'n iawn wrth i mi orffen tynnu'r tywel. Be oedd yn digwydd? Dechreuais sychu a brwsio'i gwallt, yn ymwybodol drwy'r amser o Eddie yn fy ngwylio a golwg ryfedd ar ei wyneb, cymysgedd o wg a gwên.

'There we go. Better?'

Nodiodd Eddie'n araf. Sgleiniai gwallt golau Sandie yng ngolau'r lamp fechan wrth ei gwely. Rhoddais fy radio ar y cwpwrdd a'i switsio ymlaen.

Dusty Springfield.

'What a voice,' meddai Eddie, oedd fel arfer mor ddilornus o gantorion pop. Gwelodd fi'n rhythu arno. 'Seriously,' meddai. 'One of the few great white soul voices.'

Sylwais fod llyfr clawr meddal ganddo yn ei law, *Five Little Pigs* gan Agatha Christie. Ond roedd llygaid Sandie ar y cylchgronau oedd gennyf dan fy mraich. Dodais hwy ar y gwely a dechrau hel fy mhethau, yn teimlo llygaid Eddie arnaf drwy'r amser.

'What . . . ?'

Ysgydwodd ei ben. 'Nowt, nowt.' Rhoes y gadair wich uchel o ryddhad wrth iddo sefyll. Trodd y llyfr drosodd a throsodd rhwng ei fysedd, yn golofn anferth o ansicrwydd.

'Right, then, I'll look in on you later,' meddai wrth Sandie, ond roedd hi wedi ymgolli mewn erthygl am Jean a Chrissie Shrimpton. 'Right,' meddai eto, ac allan â fo. Troais innau wrth y drws ond roedd sylw Sandie wedi'i hoelio ar y cylchgrawn.

Ar y landin, wrth ben y grisiau, roedd Eddie a'r ddau McGregor yn sefyll ac yn sibrwd ymysg ei gilydd. Peidiodd y tri'n syth wrth i mi sbio arnyn nhw – bron yn euog, fel tri phlentyn wedi cael eu dal gan athrawes lem yn siarad mewn prawf neu arholiad. Yna gwenodd Jenny wên lydan arnaf, a llwyddodd hyd yn oed Alex i beidio ag edrych fel tasa fo newydd godi oddi wrth wely angau ei fam.

'Bravo,' meddai. 'Bravo!'

Rhythodd Eddie ar ei gopi o *Five Little Pigs* fel na fedrai ddallt sut y bu i'r fath beth gyrraedd ei ddwylo. A sefais innau yno'n benderfynol o ddweud wrthyn nhw am roi'r gorau iddi. Do'n i ddim eisiau iddyn nhw wenu arna i, a faswn i ddim wedi meddwl am helpu Sandie oni bai fy mod i wedi digwydd dŵad ar ei thraws yn stryffaglu yma ar y landin, a bod fawr o ddewis gen i. Felly plis, pidiwch â gwenu arna i mor llywaeth ac mor glên, wir Dduw, oherwydd fory byddaf yn chwilio am rywle arall i fyw.

Sefais yno efo'r geiriau yn dawnsio ar flaen fy nhafod.

Ond aethon nhw ddim pellach.

'Bravo!' meddai Mr McGregor. 'Bravo!'

Trebedr i Birmingham New Street, 4 Medi 2005

Dwi'n gallu eu gweld nhw'n glir. Does ond eisiau i mi gau fy llygaid a gallaf weld y tablo bychan hwnnw'n glir fel darlun yn fy meddwl: gwên lydan Jenny yn gwneud iddi edrych flynyddoedd yn iau, Alex yn gwasgu'i hysgwydd ac yn nodio drosodd a throsodd wrth sbio arna i, ac Eddie yn troi'r nofel Agatha Christie rhwng ei fysedd.

Felly agoraf fy llygaid, ac wrth wneud hynny rhoddaf bwniad go hegar i'r hogyn sydd yn eistedd wrth f'ochr, gan beri iddo neidio fel sgwarnog.

'Sori . . .'

Tynna'r gwifrau o'i glustiau a diffodd ei beiriant. Yna mae'n troi ataf gan wenu. Ydi'r teclyn yn mynd ar fy nerfau? hola. Ysgydwaf fy mhen, er i mi deimlo bod ei glustiau'n sibrwd wrtha i'n aml ers i ni adael Trebedr – 'Tss-tss-tss . . .'

Holaf ef ynglŷn â'r teclyn, a chael sioc o ddeall bod rhywbeth mor fychan yn gallu dal oddeutu deng mil o ganeuon. Buasai'n cymryd tridiau cyfan o wrando di-baid iddo fynd drwy'r mil sydd ganddo wedi'u storio ar ei un ef, medd. Ond dim byd gan y Stones, er eu bod yn 'pretty cool'. Dim byd o'r chwedegau, ychwaith, dim ond metel trwm. Dechreua restru termau sydd yn hollol ddieithr i mi: 'Death metal, doom metal, thrash metal, Goth, darkwave, deathrock (na ddylid drysu rhyngddo, pwysleisia, â death metal), Industrial, Dark Cabaret . . .'

Mae fy mhen yn troi, a gwêl yntau hynny, felly dyma fo'n trio enwau ychydig o grwpiau arna i – hogia capal clên megis Cradle of Filth, Anthrax, Metallica, Napalm Death, Fields of the Nephilim . . .

Dechreuaf giglan ac edrycha'r hogyn arna i'n od. Ond alla i ddim dweud wrtho mai meddwl am ymateb fy nhad a'm mam iddo ro'n i, a 'mod i newydd eu dychmygu'n gofyn iddo a oedd ganddo unrhyw beth gan Barti'r Ffynnon neu Jac a Wil ar ei beiriant.

'Free,' meddwn wrtho – 'All Right Now'.

Nodia'r hogyn, yn gyfarwydd â'r gân, ond yna mae'n ysgwyd ei ben yn ymddiheurol. Ceisiaf gofio enwau grwpiau roeddwn i bron â marw eisiau gwrando arnyn nhw ers talwm ond ddim yn cael gwneud hynny.

'Black Sabbath?' cofiais o'r diwedd.

Mae'r bachgen yn gwenu a nodio'n frwdfrydig cyn rhedeg ei fawd dros gylch bychan ar wyneb ei beiriant. Gwelaf restr ddiddiwedd yn gwibio i lawr ar y sgrin fechan. Yna mae'n tynnu'r gwifrau oddi ar ei wddf a'u cynnig i mi.

'Paranoid,' medd.

Gwasgaf y gwifrau i mewn i'm clustiau.

Gitâr.

Yna'r bas a'r drymiau.

Ac yna'r llais.

Ac unwaith eto dwi'n ôl yn y feddygfa yn ogleuo'r *patchouli* ac yn llygadu'r bechgyn hirwallt a'r merched di-fra yn eu jîns a'u cotiau hirion – eu llygadu â chenfigen lwyr. Dwi'n cofio hon, y gân yma, yn cofio'i chlywed ar y radio pan oeddwn gartref ar fy mhen fy hun – pryd? Bymtheg mlynedd ar hugain yn ôl, dwi'n siŵr . . . ac yna mae'r hogyn yn tynnu'r gwifrau oddi ar fy mhen yn dyner iawn ond mae o wedi'i ddychryn am ei fywyd, ei wyneb yn llawn braw wrth iddo sbio arna i, a sylweddolaf fy mod yn crio, nid yn beichio crio ond mae'r dagrau'n llifo i lawr fy wyneb. Codaf yn sydyn a dechrau dringo dros goesau'r hogyn, nes iddo yntau godi, a baglaf allan i'r eil ac ymwthio drwy'r teithwyr eraill nes cyrraedd y toiled sydd, diolch i Dduw, yn wag.

Dwi ddim eisiau gweld fy wyneb yn y drych. Eisteddaf ar gaead y sedd efo'm dwylo dros fy wyneb i ddechrau, ond symudaf hwy a'u gwasgu dros fy nghlustiau wrth i'r lleisiau ddechrau fy myddaru.

'Sshh . . .'

'So much sadness . . . so much . . .'

'This has to go . . .'

'Ma' isio sbio dy ben di, hogan.'

'Y ffycin hŵr!'

'Sshh . . . sshh . . .' – a meddyliaf am funud fy mod yn

gallu teimlo'i law yn ysgafn ar fy nhalcen unwaith eto. Ond mae hynny'n amhosib, wrth gwrs. Dwi wedi cloi'r drws.

Arhosaf yno ar gaead y toiled nes bod y lleisiau wedi troi'n sibrydion, fel y '*Tss-tss-tss*' a ddeuai o glustiau'r hogyn. Yna codaf a thaflu dŵr oer dros fy llygaid cyn mynd allan a dychwelyd i'm sedd. Mae o'n disgwyl amdana i, yr hogyn ifanc hwnnw, yn ei sefyll, ac ar y bwrdd – hefyd yn fy nisgwyl – mae panad o goffi, dau baced o siwgwr ac un o'r pethau plastig di-ddim yna sydd i fod i weithredu fel llwyau te.

'I got you a coffee,' medd wrth i mi ddringo'n ôl dros ei draed.

'Thank you.'

Eisteddaf yn ôl yn fy nghornel. Ond nid yw'r hogyn yn eistedd. Edrychaf i fyny ato.

'I don't quite know how to tell you this . . .'

'What?'

Crwydra ei lygaid drosodd at y ddwy sedd wag gyferbyn â mi.

'What . . . ?' gofynnaf eilwaith.

Plyga i lawr gan siarad yn dawel. Yn y bwffe, meddai, daeth ar draws y fam a'r ferch oedd yn eistedd gyferbyn. Roedden nhw wedi'i adnabod yn syth a gofyn iddo wneud ffafr â nhw, sef estyn eu bagiau a mynd â nhw draw atyn nhw. Doedden nhw ddim yn gallu meddwl am ddŵad i'w nôl nhw eu hunain, a'm gweld i eto.

Ia, wel, do'n inna ddim yn edrych ymlaen at eu gweld hwythau, chwaith, dywedaf.

Ond dydi o ddim wedi gorffen. Mae'r ferch, yn ôl fel dwi'n dallt, wedi cymryd ati'n ofnadwy. Roedd hi'n sôn, medd yr hogyn, nid yn unig am y tristwch hwnnw sydd i fod yn llifo ohona i – hi a'i ffycin 'so much sadness' – ond hefyd am ryw ddüwch, rhyw dywyllwch ofnadwy, a phobol sydd ar goll yn lân o'm cwmpas i drwy'r amser.

'Un dda i ddeud!' dywedaf. 'Y hi . . . y hi sydd ar goll. Wedi colli arni.'

Dydi'r hogyn ddim yn fy nallt, ond dwi ddim yn poeni'r un iot am hynny rŵan. Mae o i gyd mor *annheg*! Dydi dŵad yma heddiw ddim wedi bod yn hawdd i mi. Be sy'n bod ar bobol, na fedran nhw sylweddoli hynny? Mae o wedi cymryd lot o ddewrder, o *blwc*, i mi wneud hyn.

Dylai plwc o'r fath gael ei wobrwyo, ond teimlaf fel petawn i'n cael fy nghosbi.

Pa hawl oedd gan yr hogan hurt yna i agor ei cheg ddwl a difetha heddiw? Y gloman, y ffurat, yr ast – y gotsan fach! Edrychaf i fyny'n siarp a gweld llygaid yr hogyn yn lledu wrth iddo fo ymsythu oddi wrtha i. Dydi hwn fawr gwell na nhw. Ffycin Saeson. Mae o'n amlwg wedi llyncu pob un gair o rwtsh yr hogan wirion yna. Wedi cymryd ffansi tuag ati mae o, dyna be sy, at ei gwallt coch a'i thits bach pigog. Hwn sydd yn dewis llenwi ei ben efo sgrechfeydd trydanol am angau a thrais – pa hawl sy gan hwn, a'r ddwy 'neb' arall yna, i'm beirniadu i?

'Well then,' meddaf wrtho, 'you'd better do what they're asking, hadn't you?'

Mae'n nodio'n ddiolchgar.

'Will . . . will you be all right?'

Chwarddaf wrth feddwl am Reg Lawrence yn ôl yng ngorsaf Norwich.

'All right now.'

'What?'

'Go on, fuck off.'

Gwyliaf ef yn symud yn ei ôl ar hyd yr adran, yn sgrialu yn yr ystorfa fach gyfyng ger y toiledau am fagiau'r fam a'r ferch wallgof honno, ac yna'n diflannu tuag at y bwffe.

'Gwynt teg ar d'ôl di, washi,' gwaeddaf ar ei ôl.

Ac yn awr, mae'r trên wedi dechrau arafu ar gyfer Birmingham New Street.

Birmingham New Street, 4 Medi 2005

Dwi newydd eu gweld nhw, y fam a'r hogan wirion honno, yn brysio heibio ar hyd y platfform fel tasa haid o Gŵn Annwn ar eu holau nhw. Ond dwi'n dal yma ar y trên, efo'm llygaid yn neidio'n ôl ac ymlaen rhwng y pentwr bagiau a'r ffenestr.

'Dowch yn 'ych blaena, wir Dduw!'

Pethau digon llywaeth ydi pawb sydd o'm blaen, yn cymryd trwy'r dydd i ddŵad o hyd i'w bagiau. Mae'r dyn sydd mewn peryg o sathru fy nhraed yn troi a sbio arna i'n chwilfrydig, a dwi'n sbio'n ôl ar y bwbach nes iddo fo droi i ffwrdd a phlygu i sgrialu am ei fag. O'r diwedd, mae fy mysedd yn cau am handlen f'un i. Wrth i mi ei lusgo allan o'r storfa a throi am y drws, meddyliaf am frysio ar ôl y fam a'r ferch a cherdded y tu ôl iddyn nhw gam wrth gam fel ditectif mewn hen ffilm gomedi ddi-sain, a'm llygaid wedi'u hoelio ar eu penglogau nes iddyn nhw fy nheimlo yno, troi a'm gweld i reit wrth eu sodlau. Yna, wrth iddyn nhw droi i ffwrdd a dechrau ffoi, rhoi cic galed i'r hogan yng nghefn ei phen-glin nes iddi syrthio ymlaen, eistedd arni, plannu f'ewinedd yng nghnawd ei hwyneb a rhwygo tuag at i lawr â'm holl nerth nes i'w chroen ddŵad i ffwrdd fel papur wal wedi'i wlychu.

Ond rŵan, allan ar y platfform, does yna ddim golwg ohonyn nhw. Gallaf weld yr 'Yummy Mummy' erchyll honno yn sgipio – sgipio! – drwy'r dorf efo'i hepil, ac fe'm cysuraf fy hun efo'r syniad y bydd y gloman wirion, mewn ychydig iawn o flynyddoedd, yn destun sbort i'w phlant os nad yn ffynhonnell cywilydd mawr.

Wela i mo'r fam a'r ferch bengoch, fodd bynnag. Edrychaf

i bob cyfeiriad – dychwelaf i sefyll ar stepan y trên, hyd yn oed, a barcuta dros y dorf – ond wela i mohonyn nhw'n unlle.

Maen nhw'n lwcus. Edrychaf i lawr ar fy llaw, a bron y gallaf weld strimynnau o groen gwaedlyd yn hongian o'm hewinedd.

Yn lwcus uffernol.

Dim digon o amser am goffi arall: mae fy nhrên i Aberystwyth yn aros amdanaf. A'm sedd. Sydd yn wag. Diolch byth. Dwy awr a phum deg dau munud arall cyn cyrraedd Aberystwyth.

Ac ychydig yn llai na hynny cyn cyrraedd Dyfi Jyncshiyn.

Sylweddolaf fy mod yn crynu – nid fel jeli, hwyrach, ond yn ddigon i ddenu sylw pwy bynnag fasa'n digwydd bod yn sbio arna i – felly gwthiaf fy nwylo o dan fy nghluniau.

Mae hyn mor annheg, meddyliaf eto. Dim ond eistedd yn fy sedd yn meindio fy musnes fy hun ro'n i, ond roedd yn rhaid i'r ddwy fitsh faleisus yna dorri ar fy nhraws a'u gwthio'u hunain i mewn i'm pen, fy meddwl a'm bywyd. Gan sblasio fel morloi yng nghanol fy meddyliau preifat *i*. Oedd yn ddim byd i'w wneud efo nhw, go damia nhw. Ac yn sicr doedd ganddyn nhw mo'r hawl i wneud rhyw sioe fawr, gyhoeddus ynglŷn â'r peth. Roedden nhw'n hy ac yn anghwrtais. Be taswn i wedi eistedd gyferbyn â rhywun nad oedd yn ofalus iawn ynglŷn â'i lendid personol, ac wedi gwneud ffŷs fawr a chodi a symud i eistedd yn rhywle arall gan gyhoeddi'n uchel fod y person hwnnw'n drewi ac yn codi pwys arna i?

Tybed . . . tybed a ydyn nhw'n teithio i Gymru? Wela i'r un golwg ohonyn nhw ar y platfform hwn, ychwaith, ond efallai eu bod nhw eisoes ar y trên. Mi gawson nhw hen ddigon o amser tra o'n i'n aros i gael gafael yn fy nghês. O leia dydyn nhw ddim yn yr adran yma, a theimlaf ychydig yn siomedig,

156

a dweud y gwir. Baswn i wrth fy modd yn cael gweld eu hen wynebau nhw tasan nhw'n dŵad trwy'r drws pellaf acw ac yn fy ngweld i'n eistedd yma.

Myn diawl, *dwi* ddim am symud!

Edrychaf eto drwy'r ffenestr gan obeithio'u gweld nhw'n dŵad ar hyd y platfform. Fy mwriad ydi gwthio fy wyneb reit yn erbyn y ffenestr a gwgu arnyn nhw yn y modd mwyaf ofnadwy. Pleser aruthrol fasa'u gwylio nhw'n fy ngweld, yn aros yn stond, yn gwelwi, yn petruso, ac yna'n troi ar eu sodlau a honcian i ffwrdd fel dwy ŵydd sy newydd gael cip ar lwynoges yn eu llygadu nhw o'r brwyn.

Cywennod Eban Jones yn ffoi oddi wrth Siân Slei Bach.

Gwenaf, a giglan yn uchel. Tynnaf fy nwylo allan o dan fy nghluniau: dydyn nhw ddim yn crynu rŵan.

* * *

Llai na thair awr i Ddyfi Jyncshiyn . . . ac mae'r trên yma newydd gychwyn.

Teimlaf rywbeth yn deffro yng ngwaelodion fy stumog. Nid deffro'n araf a hamddenol ychwaith, ond dihuno gyda sbonc a naid a bloedd uchel, fel plentyn yn neidio o'i wely ar fore Nadolig.

Birmingham New Street i Aberystwyth, 4 Medi 2005

Dydi'r trên yma ddim mor llawn â'r un i Birmingham. Ddim eto. Ond wrth i mi feddwl hyn, daw dwy ferch ifanc trwodd o'r adran nesaf, y ddwy efo'r rycsacs 'na sydd gan bawb, bron, y dyddiau yma.

Ac maen nhw'n dewis eu ploncio'u hunain yn y ddwy sedd sydd gyferbyn â mi, gan ochneidio'n uchel fel tasan nhw newydd ddringo mynydd serth. Mae golwg wedi blino'n lân arnyn nhw, ac eistedda'r ddwy am rai eiliadau efo'u

157

pennau'n gorffwys yn erbyn cefnau eu seddau a'u llygaid ar gau.

Yna neidiaf.

'Os nad ydan ni ar y trên iawn, yna mi fydda i'n disgwl dy glywad di yn gweddïo,' medd un, heb agor ei llygaid.

Efo fi ma' hon yn siarad . . .?

Naci, wrth reswm.

'Paid â phoeni,' medd ei ffrind, hefyd a'i llygaid ynghau. 'Ella nad ydan ni yn y seti iawn, ond rydan ni'n bendant ar y *trên* iawn.'

Gwena'r ddwy, a throf oddi wrthyn nhw'n sydyn rhag ofn iddyn nhw agor eu llygaid a'm gweld yn rhythu arnyn nhw.

'Deffra fi pan 'dan ni wedi cyrra'dd Aber,' clywaf un yn dweud, ac mae'r llall yn cymryd arni ei bod eisoes yn chwyrnu cysgu. Ai myfyrwyr ydyn nhw, ys gwn i? Ond dydi hi ddim yn ddechrau'r tymor, siawns? Eto, mae gan y ddwy yr hyder llac, arbennig hwnnw sy'n dŵad o'r sicrwydd fod y byd yn aros amdanyn nhw, yn aros yn ddiamynedd i'w croesawu ac mai rhywbeth sydd yn digwydd i bobol eraill ydi henaint. Gwyliaf ben un ohonyn nhw – yr hogan yn y sedd allanol – yn llithro'n is ac yn is efo siglad y trên nes iddo orffwys ar ysgwydd ei ffrind. Mae honno'n hanner agor ei llygaid, ond does ganddi mo'r amynedd na'r egni i symud pen yr hogan arall a dychwela at ei phendwmpian. Gwallt cwta sydd gan y ddwy, wedi'i dorri ychydig yn flêr a ffwrdd-â-hi, ac edrychant yn hynod ddiniwed yn cysgu fel hyn, fel crytiaid stryd, er gwaetha'r clustdlysau a'r stydiau sydd ganddyn nhw yn eu trwynau, ac mae'n anodd iawn meddwl bod yr holl hyder hwnnw wedi llifo oddi wrthyn nhw ddim ond ychydig funudau yn ôl.

* * *

Ai fel hyn ro'n i wedi ymddangos i bobol eraill, ddeugain mlynedd yn ôl i heddiw?

'Ma' 'na rwbath amdanat ti sy'n denu sylw rhywun,' meddai John Griffiths. 'Rhyw . . . dwn i'm be.'

'Je ne sais quoi?' meddwn i, yn llawn gorchest.

'Ma' gin ti blwc aruthrol. A hyder,' meddai wedyn.

* * *

Ond doedd gen i ddim, John Griffiths! Dim o'r ffasiwn bethau – dim plwc na hyder, tasat ti ond wedi gwybod. Perfformiad oedd o i gyd, perfformiad gwael oedd efallai'n ddigon da i dwyllo cynulleidfa feddw o un. Plwc? Na – ffoi roeddwn i. Tasa gen i rywfaint o blwc, mi faswn i wedi wynebu'r gwirionedd a derbyn mai gartref, yn eistedd y tu ôl i ddesg mewn swyddfa, oedd fy lle. Hyder? Dyna i ni jôc. Wedi camu i'r llwyfan, f'ymateb greddfol oedd troi a'i ffaglu hi oddi yno nerth fy nhraed; ffoi rhag y goleuadau cryfion, creulon hynny a ddangosai'n glir i bawb nad oedd gen i unrhyw hawl bod yno yn y lle cyntaf. A'r *je ne sais quoi* hwnnw y sylwaist ti arno fo? Mwgwd, John bach, mwgwd oedd o i gyd a chuddiwn innau'r tu ôl iddo; roedd hynny o bresenoldeb oedd gen i yn annerbyniol i unrhyw gynulleidfa sobor, yn peri iddyn nhw droi'u pennau i ffwrdd yn hytrach na hoelio'u sylw. Roedd y colomennod gwatwarus yna o gwmpas Marble Arch yn llygad eu lle, yn adnabod jôc pan welen nhw un.

'Fools! For I also had my hour,' meddai G. K. Chesterton yn y gerdd honno i'r asyn. 'One far fierce hour and sweet'. Wel, cafodd yr asen hon ei hawr hefyd. Digwyddodd iddi un waith – ar ben y landin mewn tŷ llety di-nod yn Sussex Gardens, yr unig dro iddi glywed cymeradwyo brwd a llais yn galw 'Bravo, bravo!'

Gummidge's, Llundain 1965

'We've gotta get out of this place,' canai The Animals. Dwi ddim yn siŵr erbyn rŵan a oedd y gân yma'n chwarae drosodd a throsodd yn fy meddwl pan lwyddais i ddianc yn y diwedd yn ôl i f'ystafell o'r landin, ond mae gen i'r teimlad ei bod hi.

Dwi'n cofio bod yn hynod aflonydd, yn eistedd ar fy ngwely, yna codi a mynd draw at y ffenestr, yna'n ôl i'r gwely ddim ond i godi eto fwy neu lai'n syth bìn. 'Dwi am fynd o'ma, dwi am fynd o'ma . . .' meddwn yn uchel, yn ymwybodol iawn o fy nghês dillad yn gorwedd yn wag ar ben y wardrob.

Dylwn fod wedi'i dynnu'i lawr. Dylwn fod wedi'i bacio. Dylwn fod wedi codi fy llaw a rhoi stop ar eu cymeradwyo gwirion, allan ar y landin.

Ond wnes i ddim.

Yn lle hynny, cytunais i fynd allan efo Eddie y noson honno.

* * *

Petawn i wedi gweld hynny'n dŵad, mi faswn wedi cael cyfle i ymbaratoi ar gyfer dweud na. Ond daeth ei wahoddiad o nunlle; daeth hefyd ym mhresenoldeb Alex a Jenny McGregor, a rhyngddyn nhw llwyddodd y ddwy elfen yma i'm taflu oddi ar fy echel yn llwyr. Ac efo'r tri ohonyn nhw'n gwenu arna i fel tair giât – a minnau, mae'n rhaid dweud, yn teimlo ychydig yn gynnes y tu mewn i mi ar ôl eu cymeradwyo – methais yn lân â gwrthod.

Gwyddwn ar y pryd fod fy wyneb wedi bradychu fy syndod – ac yn waeth na hynny, fy chwithdod – oherwydd cochodd Eddie a brysio i'm sicrhau nad gofyn i mi am 'ddêt' yr oedd o, ond, yn hytrach ac yn ei dyb ef, gwneud ffafr â mi. Roedd o a thri cherddor arall yn perfformio'r noson honno yn Gummidge's, a meddwl roedd o hwyrach y basa'n syniad i mi fynd yno efo fo.

'Gummidge's?' gofynnais yn hurt, yn ymwybodol fod yr enw'n canu cloch ond yn teimlo fy nhu mewn yn troi'n ddŵr

160

oherwydd gwyddwn mai'r syniad oedd i mi gwrdd â rhai o'i ffrindiau thespaidd.

Eglurodd Eddie mai dipyn o bob dim oedd Gummidge's yn Soho – yn far ac yn gaffi ac yn glwb ac yn fwyty. Roedd o hefyd – ac o'n, ro'n i'n iawn – yn boblogaidd efo'r 'thesps' ac efallai . . . wel, pwy a ŵyr, yntê? Ni wnâi unrhyw ddrwg i mi fynd yno, awgrymodd, a doedd wybod i ble y byddai cyfarfod â'r person cywir yn arwain . . .

. . . a thrwy'r amser, ro'n i (ac Eddie hefyd, oherwydd roedd o'n doman o chwys) yn ymwybodol iawn o'r gynulleidfa o ddau a safai yno'n crechwenu fel dau riant balch yn gwylio'u hepil yn ymarfer rhyw sgit ar gyfer eisteddfod y capel.

*   *   *

Dipyn o *jazz*, dipyn o blŵs, dim byd rhy *avant garde,* meddai Eddie wrthyf ar y ffordd i'r Tiwb: dim ond y fo a'i ffrindiau yn dod at ei gilydd er mwyn chwarae'r stwff roedden nhw'n ei fwynhau. Weithiau byddai ambell i gwsmer yn codi ac yn canu efo nhw . . . o'n i'n ôl-reit?

Nag o'n, do'n i ddim, oherwydd roedd fy stumog yn troi fel menyn mewn buddai wrth feddwl am orfod eistedd yno efo ffrindiau Eddie, y 'thesps' yna oedd erbyn hynny wedi chwyddo'n erchyll yn fy nychymyg i fod yn griw swnllyd o bethau *way out* a 'la-di-da', pobol a fyddai'n chwerthin nes eu bod nhw'n swp sâl am ben fy niffyg hyfforddiant, fy acen – *fi*.

Ond dywedais wrtho fy mod yn tshampion, a difaru'n syth na fanteisiais ar y cyfle i droi'r celwydd bychan yn un mawr drwy gymryd arnaf fy mod wedi mentro allan yn rhy fuan ar ôl fy ffliw a'm bod yn teimlo'n rhynllyd ac yn benysgafn, a'i adael yno a gwibio'n ôl i Drumnadrochit, i fyny'r grisiau ac i mewn i'm gwely fel llyg yn diflannu i mewn i dwll yn y ddaear.

Cefais sedd ar y Tiwb, ond gorfu i Eddie sefyll uwch fy mhen efo'i bawen am belen rwber a hongiai ar raffan ddur o'r to. Gwenai arnaf bob tro yr edrychwn i'w gyfeiriad a phan droais fy mhen oddi wrtho, gallwn ei weld yng ngwydr y ffenestr yn syllu arna i wrth i ddüwch tanddaearol y ddinas ruthro heibio: dyn mawr a blewog mewn côt fawr, drom a thrwchus yn drewi o *patchouli*, yn siglo ar ei sodlau ac yn syllu i lawr arna i drwy lygaid meddal a brown ac yn meddwl ... beth?

Charing Cross.

Codais, a llanwyd fy mhen ag arogl yr olew *patchouli*: roedd yn rhaid i mi sefyll â'm trwyn fwy neu lai yn nefnydd côt Eddie tra oeddem yn fflewtian ein ffordd allan i'r platfform. Deuthum o fewn dim i loetran am ychydig eiliadau a gadael i Eddie fynd yn ei flaen hebddaf cyn troi a llithro i ffwrdd yn slei bach yng nghanol y dorf, ond roedd fy nhraed yn mynnu fy llusgo ar ei ôl.

'Eddie, dwi ddim yn teimlo'n dda iawn, dwi am fynd yn ôl.' Dyna'r cwbwl oedd angen i mi ei ddweud, ond gwrthodai'r geiriau â dod; roedd fy nhafod mor anufudd â'm coesau a'm traed. Dychwelodd arogl y *patchouli* i'm ffroenau wrth i ni fynd i fyny i'r stryd ar y grisiau symudol; yna, roedden ni allan ac roedd yr awel laith yn llyfu fy wyneb a'r palmant yn llithrig dan wadnau fy motasau.

'All right, love?' gofynnodd eto.

Deud wrtho fo! Dw't ti ddim isio bod yma – deud wrtho fo rŵan! Edrychais i fyny i wyneb Eddie, a'r geiriau ar flaen fy nhafod.

Oedd ei wyneb ychydig yn drist? Fel tasa fo wedi synhwyro'r hyn oedd newydd wibio drwy fy meddwl?

Nodiais.

Roedd yn greadur mor hawdd ei frifo. Teimlais awydd sydyn i wasgu'i fraich a gwenodd i lawr arna i pan ildiais i'r ysfa. Teimlais hefyd fel rhoi 'o bach' i'w ben mawr, blewog a'i sicrhau nad unrhyw ddiflastod am fod yn ei gwmni o oedd yr hyn oedd yn bod arna i. Ond fedrwn i ddim gwneud hynny, ddim y noson honno, a gwyddwn petawn i'n dweud unrhyw beth wrtho fo, dim ots beth, y baswn i'n swnio'n biwis ac yn ddiamynedd.

* * *

Yn Soho, arafodd Eddie wrth i ni nesáu at adeilad oedd â llen wedi'i wneud allan o gadwynau o fwclis yn hongian dros y drws agored a cherddoriaeth roc a rôl yn dod o'r tywyllwch y tu ôl iddo, efo'r bas a'r drymiau'n uchel ac yn araf. O flaen y llenni safai hogan a golwg wedi syrffedu'n lân arni. Dechreuodd ei hwyneb oleuo â gwên ddannedd gosod pan welodd hi Eddie yn nesáu, ond ailgaledodd pan sylweddolodd fy mod i efo fo. Trodd oddi wrthym yn surbwch. 'The Pussy Cat Club' meddai'r golau neon pinc uwchben y drws.

Fan'ma . . .?

Troais at Eddie, ddim ond i weld fod ei ben ar yr un lefel â'm pen i. Yna sylweddolais ei fod o wedi cychwyn i lawr stepiau a arweiniai at glwb arall, mewn seler, a bod y llythrennau **GU MID E'S** uwchben ei ddrws. Trodd Eddie a chynnig ei law i mi, wedi camddehongli fy mhetruster ar ben y grisiau am ofn llithro, a minnau yn fy motasau pen-glin ffasiynol.

'I'm all right' – a dilynais ef i lawr y grisiau ac i mewn i'r clwb.

Deallais yn syth pam fod yr enw 'Gummidge's' wedi canu cloch. Wedi'i enwi ar ôl yr hen wreigan hynod honno yn *David Copperfield* oedd y clwb, ac ar y muriau roedd lluniau o wahanol gymeriadau Dickens: Fagin, Pickwick, Squeers, Quilp, Uriah Heep, Mr Micawber a Bill Sykes, ac uwchben y bar roedd y *'lone lorn creetur'* ei hun, yr hen Mrs Gummidge, a phob un llun wedi'i gopïo'n grefftus o luniau gwreiddiol Hablot Browne.

Dilynais Eddie at ddau fwrdd ym mhen pella'r clwb, ger llwyfan bychan, isel gyda phiano, set o ddrymiau, meicroffonau ac uchelseinyddion yn sefyll arni. Eisteddai criw o bobol wrth y byrddau, yr unig bobol yn y lle fwy neu lai gan ei bod yn weddol gynnar o hyd. Teimlai fy nghoesau fel plwm a llifodd diferyn o chwys oer i lawr rhwng fy mronnau, ac wrth weld yr wynebau dieithr yn troi tuag ata i ac yn dŵad yn nes ac yn nes, yr unig beth y gallwn i feddwl oedd, *Dwi isio mynd o'ma*!

'This is Marian.'

Pwyntiodd Eddie at bob un wyneb yn ei dro a rhestru enwau, naw ohonyn nhw i gyd – dim un ohonyn nhw yn aros yn hwy yn fy mhen nag y gwna pluen eira mewn pwll dŵr. Pwyntiodd un ohonyn nhw at gadair wag ac eisteddais, yn ymwybodol iawn erbyn hyn o'm sgert fini ('*Dangos dy din i'r byd a'r betws*,' clywn Dad yn dweud) ac yn ymwybodol o'r ffaith mai fi oedd yr unig un o'r holl griw oedd wedi gwisgo yn weddol ffasiynol. Oherwydd hyn, teimlais flynyddoedd lawer yn iau na phawb arall, er bod nifer ohonyn nhw tua'r un oed a mi. Dim rhyfedd, meddyliais, fod y rhain yn ffrindiau efo Eddie, oherwydd pethau digon blêr oedden nhw i gyd. Roedd gwalltiau nifer o'r hogia yn weddol hir ond mewn ffordd nyth brân-aidd yn hytrach nag mewn unrhyw steil gyfoes, ac roedd siwmperi tyllog a throwsusau melfaréd a jîns yn boblogaidd iawn gan yr hogia a'r ddwy hogan oedd yn y criw. Doedd dim tamaid o golur gan yr un o'r ddwy yma, hyd y gwelwn, a hongiai gwallt coch un a gwallt brown y llall yn hir ac yn syth dros eu hysgwyddau. Gwisgai'r gochan sgert barchus at ei phennau gliniau, gyda siwmper fach dwt a edrychai fel y math o ddilledyn fyddai Mam wastad yn swnian arna i i'w brynu yn Marks Llandudno. Roedd yr

hogan arall mewn siwmper wlân – dyllog, wrth gwrs – a
phâr o jîns fasa wedi gallu gwneud efo cael eu sgwrio'n iawn
(basa Mam wedi cael ffit taswn i wedi mentro allan o'r tŷ yn
y fath bethau).

Roedd pawb yn ysmygu ffwl sbid ac wedi creu cwmwl
llwyd a thrwchus rhwng eu byrddau a'r nenfwd, ac roedd y
byrddau eisoes yn un anialwch o boteli gwin, gwydrau,
blychau llwch gorlawn a photeli cwrw.

Deallais mai cyd-gerddorion Eddie oedd tri ohonyn nhw.
Ffrindiau oedd y lleill. Dododd rhywun wydraid o win gwyn
o'm blaen, a sylweddolais mai dyma'r tro cyntaf i mi fod
allan gyda chriw o bobol ers i mi orffen efo Maldwyn. Tarodd
Eddie winc arnaf cyn codi efo dau o'r cerddorion a mynd i'r
llwyfan i diwnio eu hofferynnau. Teimlais fy stumog yn troi
gyda phanig: doedd o ddim wedi fy nharo tan rŵan y baswn
i'n eistedd yng nghanol criw o ddieithriaid tra byddai Eddie
yn perfformio efo'r grŵp.

Pan glywais am Gummidge's gyntaf – a chael ar ddeall
mai clwb oedd o – ro'n i wedi dychmygu y basa'r lle'n llawn
dop o'r hyn oedd y papurau newydd yn hoffi cyfeirio atyn
nhw fel 'bright young things' – yr hogia efo gwalltiau 'shag'
fel y Beatles, mewn cotiau gyda choleri a llewys melfed, a'r
merched yn goesau i gyd efo'u gwalltiau mewn *chignons* a
bouffants.

Roedd y gair 'clwb' i mi, hogan weddol ddiniwed o Port,
yn fath ar hysbyseb fyw ar gyfer siopau Carnaby Street a
King's Road, a bûm yn pendroni gryn dipyn dros beth
ddylwn i fod wedi'i wisgo ar gyfer heno, ac yn poeni na
faswn i'n edrych yn ddigon 'ffab'. Ond roedd y criw yma i gyd
fel tasan nhw wedi cefnu'n fwriadol ar hynny i gyd, a phan
ddechreuais wrando go iawn ar eu sgyrsiau, sylweddolais
nad oedd diddordeb o gwbwl ganddyn nhw mewn unrhyw
beth oedd yn gysylltiedig â'r gair 'pop'. Roedd Bob Dylan yn

ddyn mawr ganddyn nhw i gyd, ond roedd cryn ddadlau a oedd o wedi bradychu ei wreiddiau a'i ddilynwyr drwy feiddio defnyddio offerynnau trydanol yn ystod ei daith ddiweddaraf.

'*Judas*!' meddai un o'r hogia, sylw a barodd gryn dipyn o chwerthin am ryw reswm. Cododd enw Joan Baez fwy nag unwaith, ac un Dave Brubeck, ond eilun mawr y criw hwn oedd rhywun o'r enw Alexis Korner, dyn diarth i mi ar y pryd: digwyddai llawer iawn o nodio parchus a dwys bob tro y dywedid ei enw.

Trodd y ferch bengoch ataf. 'What do *you* listen to, Marian?'

Deuthum o fewn dim i ddweud, 'Ddy weiarles', ond drwy drugaredd brathais fy nhafod ac enwi'r Stones. Nodiodd yr eneth yn ddwys. Cefais y teimlad y basa hi wedi nodio'r un mor ddwys taswn i wedi dweud Jac a Wil. Roedd hithau'n arfer leicio'r Stones hefyd: eu stwff cynnar, meddai, mewn tôn a awgrymai'n gryf ei bod wedi rhoddi heibio pethau bachgennaidd o'r fath wrth dyfu'n hŷn. Arferai fynd draw i Richmond i'w gwylio mewn clwb o'r enw Crawdaddy – clwb y duwiol Alexis Korner, deallais. 'Their big mistake was writing their own songs,' meddai, 'instead of doing what they do best – interpreting the blues. Now, I'm afraid they'll just . . .' – chwifiodd ei llaw yn amwys.

'Fade away?' cynigiais.

'Precisely,' meddai, yn amlwg heb ddeall y jôc. Aeth ymlaen i ddweud na fyddai unrhyw sôn am y Stones ymhen dwy neu dair mlynedd (ha!), ac y dylwn wrando mwy ar stwff fyddai'n profi i fod yn fythol wyrdd – cyngor a sbardunodd ragor o nodio dwys.

Chwarae teg iddyn nhw, fe wnaethon nhw i gyd eu gorau i'm cynnwys yn eu sgyrsiau ond, Duw a'm helpo, fedrwn i ddim cyfrannu rhyw lawer fy hun. Teimlwn yn annifyr bob tro y byddai rhywun yn gofyn rhywbeth i mi, oherwydd plygai pawb ymlaen tuag ataf fel tasan nhw'n disgwyl i mi lefaru rhyw wirionedd enfawr. Yna meddyliais, tybed a oedden nhw'n cael trafferth i'm deall oherwydd fy acen? Neu o'n i, heb sylweddoli, wedi cyfieithu rhyw idiom Gymraeg yn llythrennol – wedi dweud rhywbeth hollol hurt fel 'going over the dishes' neu 'on my own head'? A oedden nhw i gyd yn brwydro rhag piffian chwerthin bob tro yr agorwn fy ngheg ddwl – neu'n ddistaw bach yn melltithio Eddie am ddŵad â'r fath lygoden fach lywaeth i'w plith?

Sylweddolais ar un adeg fod fy ngwydryn yn wag ers sbelan tra oedd gwydrau pawb arall yn weddol lawn. O'n i wedi llowcio fy ngwin fel potiwr yn llyncu'i gwrw? A beth oedd y protocol yma? Ai fy lle i oedd cynnig prynu potel newydd? Diffoddais fy sigarét a sylwi bod y blwch llwch llawn wedi gadael streipiau llwydion o lwch ar gefnau fy mysedd – rhywbeth na phoenai'r un iot ar yr eneth gyda'r gwallt brown pan ddigwyddodd yr un peth iddi hi: sychodd ei bysedd yn ddi-hid ar ei jîns.

Pam ffwc oedd Eddie wedi mynnu fy llusgo yma, ddim ond i'm gadael ar fy mhen fy hun yng nghanol y ddiadell ddieithr hon?

Aeth y sgwrs yn ei blaen o'm cwmpas. Chlywais i ddim sôn o gwbl am y theatr nac am actio; dylai hynny fod wedi gwneud i mi deimlo'n well, ond ro'n i'n tynhau fwyfwy gyda phob un munud. Roedd Eddie wedi rhoi'r argraff fod y lle yn berwi ag actorion – oedd y rhain i gyd yn actorion proffesiynol a phrofiadol ond eu bod byth yn siarad siop pan oeddynt allan, oherwydd rhyw ofergoeledd thespaidd? Neu oedd Eddie wedi eu *rhybuddio* amdanaf i ymlaen llaw, a hwythau wedi cytuno – na, wedi *cynllwynio* – i beidio â chymryd arnyn nhw na chrybwyll eu gwaith, rhag ofn i mi ddechrau swnian arnyn nhw a'u byddaru? A doedd neb wedi gofyn i mi beth oedd fy ngwaith – onid oedd hynny'n od?

Meddyliais am y ffordd roedd Eddie wedi fy nghyflwyno – 'This is Marian'. Yn union fel petaen nhw i gyd yn gwybod pwy o'n i. A *beth* o'n i. O, roedden nhw wedi fy holi ynglŷn â'm cynefin, ac ers faint o'n i yn Llundain a beth oedd fy marn am y lle a ballu, ac wedi nodio'n araf wrth i mi ateb fel taswn i ddim ond yn cadarnhau rhywbeth yr oedden nhw eisoes yn ei wybod.

Ond dim un gair am be o'n i'n ei wneud yno.

Eisteddais yno'n smocio, yn gwylio'r clwb yn llenwi ac yn disgwyl i Eddie godi oddi ar ei stôl a dychwelyd at y bwrdd, ond yn lle hynny cododd un o'r hogia oedd gyferbyn â mi a mynd i eistedd y tu ôl i'r drymiau. Dechreuodd y grŵp chwarae, yn uchel ond nid yn fyddarol, gan gychwyn gyda'r 'Take Five' offerynnol (er na wyddwn ar y pryd beth oedd enw'r darn). Chwaraeai Eddie efo'i lygaid ynghau a gwên fach fodlon ar ei wyneb, yn ei elfen, ac er bod y criw o'm cwmpas fwy na thebyg wedi clywed y pedwarawd yma'n perfformio droeon, roedd llygaid pob un ohonyn nhw wedi'u hoelio ar y llwyfan wrth iddyn nhw wrando'n astud, a chymeradwyodd pawb yn frwd ar ddiwedd y gân. (Ymhen blynyddoedd i ddod, defnyddiwyd 'Take Five' fel arwyddgan rhaglenni teledu am y sinema. Fedrwn i byth wrando arni heb ail-fyw'r noson honno yn Gummidge's – nac ychwaith heb deimlo rhith o'r panig hwnnw'n gwasgu fel rhaffan am wddf ac yn troi stumog yn ddŵr.)

* * *

Er bod y clwb bellach wedi llenwi gryn dipyn, ac yn swnllyd, roedd y ddau fwrdd ger y llwyfan yn hollol dawel ar wahân i'r cymeradwyo ar ddiwedd pob cân. Roedd hynny'n fendith i mi, wrth gwrs: dim siarad, felly dim holi. Yn raddol teimlais y rhaffan am fy ngwddf yn llacio rhywfaint ar ei gafael – ond byddai'n fy ngwasgu eto bob tro y plygai rhywun tuag ataf i wneud rhyw sylw diniwed neu'i gilydd, un ai am y grŵp neu, yn fwy sarrug, am y cwsmeriaid eraill hynny a fynnai barhau efo'u sgyrsiau tra oedd y grŵp yn chwarae. *Jazz* oedd y rhan fwyaf o'u caneuon, heblaw am ambell i gân roeddwn wedi'i chlywed yn cael ei chanu gan Sinatra neu Vic Damone a'u tebyg ar *Family Favourites* efo Cliff Michelmore a Jean Metcalfe ar amser cinio dydd Sul.

Plygodd yr eneth bengoch ataf eto wrth i'r grŵp orffen medli o ganeuon Cole Porter. 'They usually up the tempo a bit in their second set,' meddai. Nodiais innau a gwenu fel tasa hyn yn newyddion da o lawenydd mawr, ond doedd gen i ddim affliw o ots y naill ffordd na'r llall mewn gwirionedd. Roedd fy meddwl ar yr egwyl, pan fyddai'r sgwrsio'n ailgychwyn, a gwyddwn mor anochel oedd hi y byddai *rhywun* yn hwyr neu'n hwyrach yn troi ataf ac yn dweud bod Eddie wedi sôn mai actores o'n i, ac ym mhle y ces i hyfforddiant? Byddai'r 'rhywun' hwnnw neu honno'n methu cuddio'r wên sbeitlyd o glywed mai ym Mangor y bûm i yn hytrach nag yn RADA neu'r Guildhall.

Be taswn i'n honni mai yn un o'r rheiny y bûm i? Na – basa *rhywun arall* yn siŵr o fod wedi bod yno. Cyn mynd allan, ro'n i wedi paratoi rhaffau o gelwyddau ynglŷn â'r holl ddramâu Brecht ac Ibsen a Chekhov y bûm i'n actio ynddyn nhw, ond gwyddwn yn awr na fedrwn i byth – byth – ddweud celwydd fel yna ag unrhyw argyhoeddiad. Byddai pawb yn gweld drwof yn syth bìn.

Do'n i ddim yn ddigon o actores. Do'n i ddim yn actores o gwbwl.

Codais yn sydyn.

'I'm sorry . . .'

Ro'n i'n sbio i lawr arnyn nhw i gyd rŵan – ar yr holl wynebau.

'Tell Eddie . . . I have to go. I'm sorry . . .'

Trawais fy nghoes yn giaidd yn erbyn cornel y bwrdd isel wrth geisio camu heibio iddo. Ymwthiais drwy'r dorf tuag at y drws ond roedd yr holl gyrff fel tywod gwlyb a phoeth yn cau amdana i. Teimlais fy mod ar fin mygu, ond yna o'r diwedd ro'n i allan wrth waelod y stepiau a'r glaw mân fel eli oer ar fy wyneb. Daeth y ferch wynebgaled honno allan drwy lenni mwclis y Pussy Cat Club, fel cwcw allan o'i chloc, wrth i mi ddringo'r stepiau llithrig; gwgodd arna i cyn diflannu'n ôl, wysg ei chefn ac fel cwcw eto, i gyfeiliant Gene Vincent yn canu 'Be-Bop-A-Lula'. Sefais ar y palmant prysur yn dal fy wyneb i fyny i'r glaw caredig, prin yn sylwi bod nifer o'r bobol o'm cwmpas yn sbio arna i'n ddiamynedd wrth gamu heibio imi. Meddyliais fod yna fatri anferth dan y palmant, batri poeth yn pweru'r holl ddinas, batri oedd yn agos iawn at ordwymo.

Yn raddol, arafodd fy nghalon ddigon i mi fedru sefyll a symud heb deimlo bod y ddinas yn troi'n wyllt o'm hamgylch. Dechreuais gerdded i ffwrdd oddi wrth y clwb, ychydig yn simsan i gychwyn ond yn fwy a mwy hyderus wrth i'm coesau gryfhau a'm penderfyniad flodeuo yn fy meddwl.

Yn Charing Cross, dringais i mewn i gefn y tacsi gwag cyntaf a ddaeth heibio: doedd dim rhaid i mi boeni'n awr am wylio pob ceiniog. Eisteddais yn ôl ar y sedd lydan, gyfforddus a gwylio'r ddinas hudolus a 'swinging' hon yn hercian heibio. Am y tro cyntaf, gwelais yn glir drwy golur twyllodrus ei goleuadau at ei chnawd crychiog, budur.

Edrychwn ymlaen at deimlo awyr iach y môr ar fy wyneb unwaith eto, at glywed y gwynt yn chwibanu dros y Traeth Mawr ac at flasu'r heli ar flaen fy nhafod.

'Dwi'n mynd adra,' meddwn yn uchel. 'Dwi'n mynd adra.'

Birmingham i Aberystwyth, 4 Medi 2005

Mae un o'r genod gyferbyn â mi newydd agor ei llygaid a gwenu arna i. Yna mae ei llygaid yn cau'n araf yn eu holau a'i hwyneb yn llacio drwyddo wrth iddi fynd yn ôl i gysgu.

Ydw i wedi siarad yn uchel eto fyth? Ydw i wedi siarad *Cymraeg* yn uchel? Bydd yn rhaid i mi fod yn fwy gofalus, efo'r ddwy yma gyferbyn â mi. Dwi ddim yn cofio pryd y gwnes i siarad Cymraeg ddiwethaf, pryd y gwnes i *sgwrsio* yn Gymraeg, cyn heddiw. Mae'n siŵr fod pethau fel fy nhreigladau dros y lle i gyd – os nad ydi o fel nofio neu reidio beic, yndê: pethau sydd efo rhywun am oes unwaith y maen nhw gynnoch chi.

Dwi ddim isio gweld y ddwy yma'n sbio'n slei ar ei gilydd ac yn brwydro'n galed rhag chwerthin, bob tro y byddaf yn agor fy ngheg.

Llundain, 1965

Doedd ffrindiau Eddie ddim wedi gwneud hynny – ddim yn ôl Eddie, beth bynnag, pan ofynnais hynny iddo fore trannoeth. Curodd wrth fy nrws ar ôl amser brecwast – curo penderfynol: doedd o ddim am roi'r gorau iddi nes byddwn i wedi agor iddo.

Roedd o'n amlwg wedi dod yno efo'r bwriad o fod yn flin efo fi, ond diflannodd ei wg pan welodd o fy wyneb.

'Jesus . . . are you all right?'

Dwi ddim yn cofio be ddwedes i wrtho fo'n ôl – rhywbeth digon coeglyd, mae'n siŵr, oherwydd basa hyd yn oed rywun dall wedi gallu dweud 'mod i'n bell o fod yn iawn. Cefais gip arnaf fy hun yn y drych wrth fynd i agor y drws i Eddie: ro'n i'n edrych fel drychiolaeth, efo fy ngwallt yn hongian yn llipa ac yn llaith dros wyneb gwyn, a'm llygaid yn goch fel llygaid penwaig.

Deffrais ben bore efo'r pwys mwyaf ofnadwy, a dim ond

cael a chael i gyrraedd y lle chwech wnes i cyn taflu i fyny. Dychwelais yno droeon i wneud yr un peth ond gan gynhyrchu dim byd mwy na hen gyfog gwag a phoenus, rhywbeth a'm gadawodd yn teimlo'n wan fel brechdan. Allwn i ddim meddwl am wynebu brecwast na phobol. Fy mwriad neithiwr, pan euthum i'r gwely, oedd dweud wrth Jenny ac Alex y peth cyntaf yn y bore fy mod am fynd adref, ond doedd gen i mo'r nerth i fynd i lawr y grisiau.

'The flu,' dywedais wrth Eddie. Roedd y ffliw yn gyndyn o ollwng ei gafael; ar y pryd ro'n i'n coelio hynny fy hun. Eisteddais ar erchwyn y gwely a sbio i fyny arno. 'I'm going back home, Eddie,' fe'm clywn fy hun yn dweud.

Rhythodd arnaf. Gallwn weld ei feddwl yn troi fel coblyn. Ai piciad adref nes fy mod wedi mendio o'n i'n ei feddwl? Naci, penderfynodd. Sylwais fod gwaelodion ei grys o dan ei siwmper yn ddau bigyn gwyn a bwyntiai i lawr at ei falog.

Yna gwthiodd ei fysedd drwy'i wallt.

'Why?'

Teimlais fy llygaid yn llenwi a throais i ffwrdd oddi wrth ei lygaid meddal, ymbilgar. Codais oddi ar y gwely a chychwyn i . . . ble? Nunlle. Roedd Eddie yn y ffordd. Gwthiais heibio iddo a sefyll wrth y ffenestr. Sylwais am y tro cyntaf y bore hwnnw ei fod yn ddiwrnod bendigedig o hydref, gyda'r awyr yn ddigon glas i frifo'r llygad.

Sefais yno yn yr haul â'm cefn ato.

'Why, Marian?'

Oherwydd nad o'n i ddim yn ffitio.

Ddylwn i ddim fod wedi dŵad yma yn y lle cyntaf, ddywedais i yn lle hynny, a phan geisiodd Eddie ddweud nad o'n i wedi rhoi llawer o gyfle i mi fy hun, torrais ar ei draws yn ddigon piwis iddo dewi. Syllais drwy'r ffenestr ar y swyddfeydd a'r bragdy; roedd ffenestri eu lloriau uchaf yn wincian arnaf yn bryfoclyd yn yr haul.

Siaradais yn bwyllog. Doedd gen i ddim busnes dŵad yma o gwbwl, meddwn wrtho. Hulpan wirion o'n i, rhywun oedd wedi cael llawer gormod o sylw pan o'n i'n fach, a hynny wedi mynd i fy mhen. Do'n i ddim yn actores. Breuddwyd wag a di-sail oedd y cwbwl, a'r gwir amdani oedd fy mod yn gwybod hynny ymhell cyn gadael am Lundain. Do'n i ddim yn gallu actio – ro'n i'n gwybod hynny ers dyddiau coleg. Ond ro'n i wedi dewis defnyddio hynny fel esgus dros . . .

Dros beidio â ffitio – ddim yn y coleg, ddim yma, a ddim gartref.

Tewais er mwyn osgoi gorfod dweud hynny'n uchel. Arhosais yn ddistaw am eiliadau hirion, nes i Eddie, o'r tu ôl i mi, glirio'i wddf a gofyn – esgus dros beth?

Methais â'i ateb. Ro'n i mewn cryn dipyn o stad erbyn hynny. Wedi ffoi i Lundain ro'n i, meddyliais – ond ffoi oddi wrth beth? Maldwyn? Na, allwn i mo'i ddefnyddio fo fel esgus. Basa Maldwyn yn hwyr neu'n hwyrach wedi derbyn nad oedd arna i eisiau bod yn wraig iddo.

Faswn i ddim wedi ffitio ym mywyd Maldwyn chwaith.

Efallai mai chwilio am rywbeth ro'n i. Ond eto, yr un cwestiwn: chwilio am beth?

Am rywle y baswn i'n ffitio ynddo. Mor braf fasa gallu dweud mai chwilio amdanaf fi fy hun ro'n i, ond roedd yr ateb hwnnw'n troi arnaf, cyn waethed bob tamaid â'r pwys mawr hwnnw oedd gen i'n gynharach. Roedd yn ateb mor rhodresgar, mor gyfleus – esgus llipa gan bobol oedd angen cic go iawn i fyny eu tinau.

A ph'run bynnag, ro'n i wedi fy ngadael 'i fy hun' gartref, fel hen dedi bêr annwyl, o'r golwg mewn drôr yn fy llofft neu yng ngwaelod fy wardrob. Dim ond pan deimlais freichiau anferth Eddie yn cau amdanaf o'r tu ôl i mi y sylweddolais fy mod yn ysgwyd o'm corun i'm sawdl a bod y dagrau'n powlio i lawr fy ngruddiau.

Troais a chladdu fy wyneb yng ngwlân trwchus ei siwmper.

* * *

Dyna oedd yr unig dro i mi deimlo breichiau Eddie amdanaf. Mae'n rhyfedd fel mae'r cof yn gallu chwarae hen driciau twyllodrus, yn dydi? Rŵan, dwi'n argyhoeddedig mai'r tu mewn i'r cofleidiad hwnnw oedd y lle brafiaf a mwyaf diogel yn y byd i gyd yn grwn. Dwi'n dal i allu teimlo'r gwlân garw yn erbyn fy wyneb.

Duw yn unig a ŵyr am faint y bûm i'n sefyll yno'n crio yn ei erbyn: dwi ond yn gwybod bod ei siwmper yn wlyb pan ddechreuais ddŵad ataf fy hun. Cofio hefyd chwilio am hances bapur a chwythu fy nhrwyn a sychu fy llygaid, ac fel roedd Eddie drwy'r amser wedi sefyll yn ei unfan yn llywaeth, bron, efo'i freichiau hanner i fyny a hanner i lawr fel tasa fo'n disgwyl i mi daflu pêl ffwtbol iddo fo.

Rhyw lobsgows o atgofion sydd gen i o'r hyn a ddigwyddodd wedyn – bod Eddie, rywbryd, wedi cymryd fy mhaned oer oddi arnaf a pharatoi rhai ffres i'r ddau ohonom, a bod y gwpan yn edrych yn fach ac yn fregus ofnadwy rhwng ei ddwylo, fel cwpan tseina tŷ dol henffasiwn. Roedd o'n dal i fethu deall pam oeddwn i'n rhoi'r ffidil yn y to mor fuan, ac yn wfftio pan ddywedais wrtho nad oedd yr un affliw o ddim gen i i'w gynnig fel actores.

'Eddie, I know, okay? I just know. It'd be like going to Harrods knowing I haven't a penny in my purse.'

Dwi'n cofio dweud yr union eiriau hynny wrtho fo, ac Eddie'n ysgwyd ei ben yn ddiamynedd, yn amlwg yn anghytuno ond ar yr un pryd yn gorfod derbyn. Gofynnodd pryd roeddwn i'n bwriadu dweud wrth Mrs Mac.

'Tomorrow,' meddwn wrtho, gan deimlo'n fwy pendant am hyn nag ro'n i wedi'i deimlo am unrhyw beth ers i mi orffen efo Maldwyn.

174

Ond pan wawriodd yr yfory hwnnw, yno 'ro'n i unwaith eto ar fy ngliniau uwchben y lle chwech yn cyfogi fel hen ast, gan wybod na fedrwn feio dim rhagor ar y ffliw nac ychwaith y nerfusrwydd ro'n i wedi dechrau ei deimlo wrth feddwl am fynd yn ôl adref efo'm cynffon rhwng fy nghoesau.

Birmingham i Aberystwyth, 4 Medi 2005

Mae'n haws cofio teimlad na chofio blas neu arogl. Ddaw'r rheiny ddim ond yn ôl pan fo rhywun yn eu hailbrofi, ond nid yw'n cymryd llawer i fedru ail-fyw rhyw deimlad arbennig – yn aml iawn cyn gryfed, os nad yn gryfach, ag roedd o'r tro cyntaf. Mae fel tasa amser yn gallu chwyddo'r emosiynau gwreiddiol: eu gorliwio os oeddynt yn rhai pleserus, a'u chwerwi a'u suro fwyfwy os nad oeddynt.

Teimlo fel taswn i'n mygu – neu'n cael fy mygu – ro'n i. Fel pe bai rhywun wedi sleifio'r tu ôl i mi a thynnu bag plastig i lawr dros fy mhen, a chau ei waelodion yn dynn am fy ngwddf.

Ond alla i ddim dweud pryd yn union y dechreuodd y mygu hwn. Hwyrach mai'r eiliad y deffrais i'r bore hwnnw a theimlo'r pwys yn fy nghodi o'r gwely a'm herlid i'r lle chwech. Neu hwyrach ei fod o wedi dechrau cyn hynny, pan sylweddolais – â rhyw hen bigyn bach annifyr yng ngwaelod fy stumog – fy mod i, am y tro cyntaf i mi fedru cofio, yn hwyr.

O mor hawdd oedd beio'r ffliw am gant a mil o bethau'r dyddiau hynny.

A dyna pryd y neidiaist ti allan o'r cwpwrdd efo bloedd uchel, John Griffiths, gan ddawnsio a phrancio'n bryfoclyd o'm cwmpas, mor glir â phetaet ti yno efo mi yn yr ystafell. Gwelais dy wyneb ddim ond modfedd neu ddwy oddi wrth f'un i, yn crychu fel tasat ti mewn poen. Roedd dy ochenaid

175

yn fy nghlust yn llenwi fy mhen, a gallwn deimlo pwysau dy
gorff yn fy ngwasgu yn erbyn llawr caled yr ystafell aros yn
Nyfi Jyncshiyn wrth i rywfaint o'th hylif tanboeth ffrwydro'r
tu mewn i mi cyn i ti dynnu allan, yn rhy hwyr . . .

. . . *rwyt ti wedi'i gadael hi'n rhy hwyr eto!*

. . . er mwyn i'r gweddill lanio fel cawod o law taranau
dros fy nghluniau a'm bol. Daethost â'th arogl gyda thi hefyd,
dy bersawr hallt, a bron y medrwn, unwaith eto, flasu'r gwin
a'r baco yn dy boer.

Ffwciaist fi, John Griffiths, a'm troi'n ystrydeb.

* * *

Tasat ti yno yn y cnawd, baswn wedi dy ladd – wedi gafael
mewn siswrn neu gyllell a'u plannu yn dy lygad, dy wddf, dy
galon. Dy fol. Dy gwd – yn enwedig dy gwd, drosodd a
throsodd. Mi'th felltithiais, mi'th regais, mi'th elwais yn bob
enw dan haul. *Takes two to tango*, ia, ro'n i'n gwbod hynny, a
gwbod hefyd fod cymaint o fai arna *i*, ond wyddost ti be? Y
chdi ro'n i'n ei gasáu'r bore hwnnw, 'mond y chdi, a hynny
efo chasineb na theimlais i erioed mo'i fath o'r blaen.

Casineb a gododd ofn arna i, ond eto ro'n i'n gorfoleddu
ynddo, yn sblasio ynddo fel aderyn y to mewn pwll dŵr.

* * *

Fe'm gwelais fy hun yn gwneud pob mathau o bethau. Dal y
trên nesaf i ble bynnag roeddat ti. Do'n i ddim yn gallu cofio
enw'r blydi lle am ychydig, ond o'r diwedd mi ddaeth yn ôl
i mi. Crymych – dyna lle roeddat ti. Ac wedyn, ar ôl cael hyd
i ti – beth? Plannu'r siswrn neu'r gyllell yn dy galon? Ynteu
dy lusgo allan o'th ddosbarth bach clyd a mynnu dy fod yn
gwneud 'y peth iawn'?

Ond efallai y basat wrth dy fodd, go damia chdi, wedi
gwirioni dy fod wedi sgorio bwls-ai efo'th ffwc gyntaf erioed.

A wyddost ti be, John Griffiths?

Mi fasa'n well gen i fod wedi marw na rhoi'r pleser hwnnw i ti.

Ac wrth feddwl am ddal trenau, sylweddolais na fedrwn i fynd adref wedi'r cwbwl: roedd hynny, rŵan, allan o'r cwestiwn – on'd oedd o? Efallai y medrwn fynd adref fel pe na bai unrhyw beth yn bod, a dweud wrth bawb fy mod wedi cael popeth allan o'm system – fy 'nghastiau', chwedl Dad – ac ailddechrau efo Maldwyn, ei hudo i gysgu efo mi ac yna cyhoeddi fy mod yn disgwyl ei blentyn.

Ond na.

Duw a'm helpo, anghofiais y syniad hwnnw – nid oherwydd unrhyw gywilydd moesol ond oherwydd i mi sylweddoli na fasa Maldwyn yn fy nghredu. Roedd o wedi ein gweld ni, John Griffiths, y chdi a fi efo'n gilydd y bore hwnnw yn Nyfi Jyncshiyn – wedi ein gweld ac yn gwybod yn iawn beth oedd wedi digwydd rhyngom. A choelia neu beidio, dechreuodd ochr fy moch losgi mwyaf sydyn, yno yn Sussex Gardens; llosgi fel y cythral, yn union fel tasa Maldwyn wedi cerdded i mewn, fy ngalw'n 'ffycin hŵr' a rhoi slasan galed i mi ar draws fy wyneb nes o'n i'n tincian.

Yna gwneuthum yr hyn dwi wastad wedi'i wneud ar hyd f'oes – gorwedd ar fy ngwely a chau fy llygaid, a deffro bron i ddwyawr yn ddiweddarach a'm coesau wedi'u tynnu i fyny reit yn erbyn fy mronnau a'm pen i lawr nes bod fy ngên bron iawn â chyffwrdd â'm pennau gliniau. Ac yn yr ennyd fechan, fendigedig honno rhwng cwsg ac effro, meddyliais yn siŵr fy mod yn ôl adra, yn hogan fach unwaith eto pan oedd pob dim yn iawn a'r byd yn dal i droi o gwmpas hogan ieuengaf Gwil Glo. Ac roedd Dad yno hefyd, yn sefyll uwchben fy ngwely yn canu 'On Top of Old Smoky' fel yr arferai ei wneud pan o'n i'n fach, fach, yn y gobaith y byddwn o'r diwedd yn cysgu.

Ond yna rhoes y gorau iddi. Clywais ef yn ochneidio, ac

yna ei lais yn dweud, 'Y chdi, yndê, Mari. Rw't ti mor . . .
dwn i'm . . . jest y chdi.'

Gwrthodais yn lân ag agor fy llygaid, oherwydd tra
oedden nhw ar gau roedd Dad yno'n chwerthin yn iach ac yn
ysgwyd ei ben mewn anobaith, ei domboi fach ddigri wedi'i
oglais unwaith eto efo'i 'chastiau'.

Ond yn raddol mynnodd y tŷ a'i synau f'atgoffa lle ro'n i
go iawn: sŵn radio – fy radio i – yn dod o ystafell Sandie ar
hyd y landin, hwfyr Mrs Mac yn griddfan wrth iddi lanhau'r
grisiau, driliau niwmatig criw o weithwyr o'r stryd, a'r traffig
diddiwedd a diamynedd, ac er fy ngwaethaf dechreuodd fy
llygaid agor yn araf a diflannodd Dad.

Ond roeddet *ti*'n dal yno, John Griffiths, yn fy ngwylio'n
lluchio dŵr oer dros fy wyneb yn yr ystafell ymolchi a chribo
fy ngwallt a sgwrio fy nannedd, yn gysgod i mi pan sleifiais
yn ddistaw bach i lawr y grisiau a heibio i ben-ôl siapus Mrs
Mac wrth iddi hwfro yn nrws y parlwr, yn cydio yn fy mraich
wrth i mi frysio i lawr y stryd ac yn aros amdanaf ar gadair
y tu allan i ddrws y brif nyrs yn adran famolaeth ysbyty
mawr Charing Cross.

Deuthum allan o'r ystafell gyda llongyfarchiadau'r nyrs yn
adleisio'n gywilyddus yn fy mhen – o'n, ro'n i wedi cymryd
arnaf fy mod eisoes yn briod, er i mi ddal ei llygaid yn
chwilio fy mysedd noethion am fodrwy. Thwyllais i mohoni,
dwi'n gwybod, ond yn garedig iawn dewisodd chwarae fy
ngêm i: roedd hi'n rhy brysur i wneud fawr o ddim byd arall,
decini – 'mor lân a dideimlad â'r starts ar ei brat', a do,
llamodd y cwpled yna i flaen fy meddwl, cwpled o gerdd a
ddarllenais yn yr ysgol. Neidiaist ti'n ôl ar dy draed pan
ddeuthum allan o'r ystafell ond cerddais heibio i ti ar hyd
llawr gwichlyd y coridor diderfyn, ffit-ffat, ffit-ffat, tuag at y
drysau dwbl trymion ac allan i'r awyr iach gan deimlo'r bag

plastig uffernol hwnnw'n cau yn dynnach ac yn dynnach am fy mhen.

Llundain, 1965

Ar ôl dyddiau o droi fel top heb wybod yn iawn ble i droi, penderfynais droi at Sandie.

Allwn i ddim fod wedi dweud wrth Eddie. Na Jenny chwaith, tasa hi'n dŵad i hynny. Ro'n i wedi dechrau eu hoffi, ac allwn i ddim troi at bobol ro'n i'n eu hoffi.

Ond Sandie . . . wel, roedd Sandie'n wahanol. Credais – nefi wen, ro'n i'n beth nawddoglyd! – y basa Sandie wrth ei bodd yn cael y cyfle i'm helpu, i dalu'r gymwynas yn ôl am ei helpu i gael bath y diwrnod hwnnw. Dechreuais dreulio mwy o amser efo hi wrth iddi wella, ei helpu i olchi a steilio'i gwallt; prynais sawl paced o sigaréts iddi, a chylchgronau a cholur a siocled (roedd ganddi wendid am siocled gwyn Milky Bar), a threuliais oriau yn ei hystafell yn . . .

Wel, ro'n i am ddweud 'yn sgwrsio', ond doedd Sandie ddim yn un hawdd iawn cynnal sgwrs efo hi, hyd yn oed wedi i'w chleisiau a'i briwiau ddechrau cilio. Edrychai arnaf yn aml fel tasa hi'n fy amau o rywbeth neu'i gilydd, o chwilio am rywbeth y medrwn ei ddwyn oddi arni. Cefais y teimlad y basa hi'n poeri a chrafu fel cath wyllt taswn i'n trio cymryd fy radio'n ôl. Fe'i daliais droeon hefyd yn sbio arna i'n reit od, fel tasa hi'n gallu gweld drwydda i ac wedi gwybod o'r cychwyn cyntaf mai dim ond yno'n cadw cwmpeini iddi oherwydd fod arna i eisiau rhywbeth ganddi yr o'n i. Yn gwybod drwy'r amser, hefyd, nad o'n i'n ei leicio ryw lawer.

Go damia hi, roedd hi'n iawn hefyd, yn doedd?

Does wybod sut fagwraeth gafodd hi. Gwrthododd sôn am ei chefndir. 'Mind your own fucking business' ges i ganddi pan geisiais ei holi un diwrnod, a gwgodd arna i mor ffyrnig nes i mi fwmblan ymddiheuriadau a mynd o'r ystafell am fy mywyd. Ar wahân i ambell i 'Ta' cyndyn, dwi ddim yn credu i mi gael gair o ddiolch ganddi am yr holl gylchgronau, sigaréts, sebonau, sent a ballu, ac ar ôl ychydig sylwais fel roedd ei llygaid yn saethu'n syth at fy nwylo pan gerddwn i mewn i'w hystafell, ac fel y byddai gwg bychan yn ymddangos ar ei hwyneb bach miniog pan gyrhaeddwn yno'n waglaw.

Daeth y diwrnod o'r diwedd pan lwyddais i'w pherswadio i ddŵad allan am baned o goffi. Roedd Sandie wedi gwrthod cyn hynny, er ei bod o gwmpas y lle ers rhai dyddiau ac yn cerdded i mewn ac allan o'm hystafell i fel petai hi'n berchen arni. Safai yn y ffenestr bob tro, yn sbecian allan i'r stryd, ei llygaid yn dawnsio o un cyfeiriad i'r llall, yn amlwg yn ofnus. Ceisiais ei sicrhau un diwrnod ei bod yn ddiogel yma, ac na fasa neb yn dŵad yma i chwilio amdani.

Trodd ataf yn siarp. 'Who?'

Wel, atebais – pwy bynnag oedd wedi ymosod arni, gan ddifaru agor fy ngheg o gwbwl.

Syllodd arnaf am eiliadau hirion nes i mi ddechrau teimlo'n reit annifyr.

'What the fuck do you know about it?' gofynnodd.

'Me? Nothing.'

'Has he been saying things?'

'Who?'

'Fat Eddie.'

Baswn wedi gwenu ar hyn tasa hi ddim yn rhythu mor gas arna i. Gwnaeth i Eddie druan swnio fel gangstyr mewn ffilm ddu a gwyn.

Ysgydwais fy mhen. 'What sort of things?'

Ches i ddim ateb. Yn lle hynny, gofynnodd a oedd gen i newid ar gyfer y ffôn. Cefais fy nhemtio i glustfeinio ar y sgwrs ond ro'n i'n ormod o fabi: beth tasa hi'n digwydd fy nal? Y noson honno, gwelais hogan ddieithr yn mynd i fyny'r grisiau efo Jenny, a'r diwrnod wedyn cytunodd Sandie i ddŵad efo fi am banad.

* * *

Aethom i gaffi yng nghanol Soho, y lle diwethaf y tybiais y byddai Sandie yn fodlon mynd iddo. Ond mi ges i ail. Y fi, yn bendant, oedd y fwyaf nerfus. Doedd wybod beth a ddywedwyd wrth Sandie y noson cynt gan yr hogan honno a welais yn mynd i fyny'r grisiau, ond roedd y rhan fwyaf o'r ofn yr oedd wedi'i ddangos dros y dyddiau diwethaf wedi diflannu. Aflonydd oedd hi, yn fwy na dim byd arall, yn edrych o'i chwmpas drwy'r amser fel aderyn bach chwilfrydig, wedi'i lapio'n gynnes yn fy nghôt aeaf i a chap bach gwlân y cafodd ei fenthyg gan Jenny am ei phen.

Ac yn edrych yn aml ar ei wats, un rad efo strap plastig pinc a llun o un o'r Thunderbirds ar ei hwyneb. Allai neb fod wedi'i chyhuddo o barablu fel melin bupur, ond roedd wedi siarad mwy efo fi'r bore hwnnw nag erioed. Os nad oedd hi'n siarad, yna roedd hi'n cydganu'n dawel efo pa bynnag gân oedd ymlaen ar y jiwcbocs, a neidiai o un pwnc i'r llall gan wingo ar ei chadair fel plentyn oedd ar bigau eisiau mynd i'r lle chwech.

Neu eisiau bod yn unrhyw le arall heblaw yma, efo fi.

Chwarddai yn aml hefyd, chwerthiniad bach nerfus bob tro, rhyw hen chwerthin gwneud. Taniai un sigarét ar ôl y llall. Roedd cysgodion ei chleisiau yn dangos yn glir dan gnawd ei hwyneb, a phan chwarddai roedd bylchau hyll i'w gweld rhwng ei dannedd.

Dwy o genod eraill y nos – ni wyddai pa rai – oedd wedi dŵad a hi draw i Drumnadrochit: roedd brith gof ganddi o freichiau tyner yn ei chodi oddi ar y ddaear, o arogl persawr a lleisiau merched yn tuchan. Roedden nhw wedi canu'r gloch a'i gadael yno ar y rhiniog – dwy eneth a wyddai o brofiad, mae'n siŵr, am garedigrwydd y McGregors.

181

Ac Eddie.

'Poor bugger,' meddai am Eddie. Yn gaeth yn ei gwely, yn methu hyd yn oed â siarad oherwydd y boen yn ei safnau, daeth Sandie i gasáu clywed curiad tawel Eddie ar ei drws. Arferai gau ei llygaid, meddai, a chymryd arni ei bod yn cysgu. Nodiais: ro'n i wedi'i dal yn gwneud hyn, yn doeddwn? Doedd dim llawer o sgwrs gan Eddie, cwynai, dyna beth oedd y drafferth. Eisteddai wrth ei gwely yn dweud nemor ddim ar ôl sibrwd ei 'It's only me, love' arferol cyn mynd i mewn i'w hystafell, a daeth Sandie'n wych am ddynwared rhywun oedd mewn trwmgwsg . . .

'Sometimes I really did fall asleep but then I'd wake up again and he'd always catch me. You can't control how you wake up, can you? Me eyes would open before me brain knew I'd stopped sleeping, before I could catch meself and close me eyes again and carry on pretending, you know? And there he'd be, smiling down at me like he was some fucking saint or something, and I'd be lying there just thinking – fuck off! Just fuck off somewhere and leave me alone – wanting to scream it at 'im but with me jaw hurting so fucking much, well I just couldn't do that, could I?'

Yna dechreuodd Eddie ddarllen iddi.

'That wasn't *your* idea, was it?' gofynnodd yn siarp.

Ysgydwais fy mhen. Allwn i ddim dweud wrthi mai dyna'r adeg pan o'n i'n gwneud fy ngorau glas i gymryd arnaf nad oedd Sandie'n bodoli.

Nofelau Agatha Christie. Dechreuodd Eddie ddarllen y rheiny'n uchel, a Miss Marple a Hercule Poirot a phob un wan jac o'r myrdd gymeriadau eraill yn llefaru ag acenion Swydd Efrog.

'. . . and I could feel me eyes filling up with tears, you know? Like I was being tortured and couldn't do fuck all about it. Yeah, he was only trying to help, I know that, but

Jesus Christ, fucking Agatha Christie for fuck's sake . . . the radio, that was all I wanted, the fucking radio but he'd always switch it off and start reading . . .'

Cau dy geg! teimlais fel sgrechian arni. Jest cau dy geg am un munud a gwranda arna i, 'nei di? Ro'n i wedi cymryd dyddiau i benderfynu fy mod am drio siarad efo hon: y peth lleiaf allai'r bitsh fach hunanol ei wneud oedd gadael i mi sôn am yr hyn oedd wedi fy nghadw'n effro am oriau maith bob noson ers bron i bythefnos, bellach. Teimlais fel codi a rhoi slasan iawn iddi, hi a'i 'fi, fi, fi' drwy'r amser.

Do'n i ddim wedi gallu dweud wrth Mam a Dad, a bu'r ymdrech i fod yn siriol a swnio'n naturiol dros y ffôn bron iawn yn drech na fi. Ond ro'n i *eisiau* dweud wrth Mam, dyna oedd y peth mwyaf uffernol – ro'n i bron â marw eisiau dweud wrthi, ond fedrwn i ddim. Roedd arna i ormod o ofn: do'n i ddim eisiau iddi hi a Dad sbio arna i fel roedd Maldwyn wedi sbio arna i'r bore hwnnw yn Nyfi Jyncshiyn. A fedrwn i ddim meddwl am droi at Sulwen; roedd gormod o bellter rhyngom ni'n dwy erbyn hynny.

Er hynny, teimlwn yn ofnadwy am fethu dweud wrthyn nhw, ac yn lle hynny dewis dweud y cwbwl wrth *hon*, yr hwran fach goman, annymunol ac anniolchgar hon a eisteddai gyferbyn â mi'n rhegi bob yn ail gair, yn gwisgo fy nghôt *i*, yn drewi o'm sebon a'm persawr *i* ac yn smocio fy ffags *i*. Yn yfed y coffi ro'n *i* wedi talu amdano . . .

Ymysgydwais pan glywais hi'n dweud rhywbeth am symud allan o lety'r McGregors cyn gynted â phosib.

'Where will you go?' gofynnais.

Daeth hen olwg brwnt a chaled dros ei hwyneb; petaen ni wedi bod yn sefyll wyneb yn wyneb, baswn wedi camu'n ôl oddi wrthi.

'I've got to work. I'm skint.'

'Yes, I know, but . . .'

'What?'

Ochneidiais. Doedd arna i ddim eisiau iddi fynd yn ôl i ble bynnag roedd hi'n byw. Ddim eto, beth bynnag.

'Look, Sandie. I need to . . .' Edrychais o'm cwmpas.

'What?' Gwgodd arnaf â drwgdybiaeth amlwg. Gallwn weld ei meddwl bach milain yn troi – ro'n i'n gwbod fod ar hon isio rhwbath, a dyma fo'n dŵad rŵan.

Gostyngais fy llais. Eisteddai dyn a dynes wrth y bwrdd y tu ôl i Sandie, ac roedd rhywbeth ynglŷn ag osgo'r dyn a awgrymai ei fod yn clustfeinio ar ein sgwrs. Yn wir, roedd y ddynes a eisteddai gyferbyn â fo wedi gwthio'i hwyneb ymlaen er mwyn gwgu arno, neu hisian arno dan ei hanadl.

'I need to ask you something,' meddwn yn dawel.

Syllodd Sandie arna i'n fud, ei hwyneb yn fwy gwyliadwrus nag erioed.

'Your advice,' dywedais.

Birmingham i Aberystwyth, 4 Medi 2005

Cefais ddial bychan arnat ti, John Griffiths. Soniais wrth Sandie am Ddyfi Jyncshiyn, am y glaw a'r gwynt a'r llanw a'r llifogydd gan gyfeirio atat ti fel 'neb o bwys'. Wnes i ddim cymryd arnaf fy mod hyd yn oed yn gwybod dy enw, a rhoddais yr argraff, dwi'n gobeithio, mai dy ddefnyddio di wnes i, ar fympwy, fel rhyw degan cyfleus er mwyn lladd amser yn ystafell aros y stesion, a'm bod i i bob pwrpas wedi anghofio popeth amdanat ti o fewn eiliadau imi droi fy nghefn arnat ti'r bore wedyn.

Ceisiais roi'r un argraff i'r Sandie galed ag ro'n i wedi ymdrechu i'w roi i'r hogyn ifanc, hoffus ac addfwyn hwnnw a adewais ar blatfform Dyfi Jyncshiyn.

Ond doedd dim diddordeb gan Sandie yn y manylion, mi fyddi di'n falch o wybod. Llithrai ei llygaid fwy nag unwaith i gyfeiriad y drws neu at y ffenestr, er bod gormod o stêm ar honno iddi fedru gweld allan drwyddi'n iawn – iddi fedru gweld llawer iawn mwy na siapau llythrennau arwydd y bwyty Tsieineaidd oedd gyferbyn. Roedd Sandie wedi hen synhwyro sut oedd y stori hon am ddiweddu. Daeth i mi'r syniad ei bod yn well actores o beth myrdd na faswn i byth; roedd yr hogan bowld hon yn haeddu Oscar am ei phortread o blentyn bach coll a chlwyfus ddim ond ychydig dros bythefnos ynghynt.

Tewais ar ganol brawddeg a gofyn iddi'n blwmp ac yn blaen a o'n i'n ei diflasu. Edrychodd arnaf efo'r wyneb caled hwnnw a dweud ei bod wedi clywed straeon fel f'un i ganwaith. Gwyddai fy mod yn feichiog: roedd wedi fy nghlywed yn chwydu bob bore, meddai, a hoffai wybod be yn union oeddwn i'n disgwyl iddi hi ei wneud ynglŷn â'r peth?

Unwaith eto, mygais y demtasiwn i roi slap iddi. Rhoi enw imi, atebais hi'n swta: enw a chyfeiriad a rhif ffôn rhywun a allai fy helpu.

Oherwydd ro'n i am gael gwared ohono, John Griffiths – w't ti'n clywed? Ei rwygo allan ohonof cyn iddo dyfu'n ddim mwy, cyn i mi ddechrau gwanhau a – Duw a'm helpo! – cyn i mi ddechrau ei garu.

* * *

Mae'r toiled ym mhen pella'r adran yma o'r trên. Codaf o'm sedd yn ddigon cyflym i ddeffro'r fyfyrwraig sydd â'i phen yn gorffwys ar ysgwydd ei ffrind: mae'n rhaid fy mod wedi rhoi jeriad i'r bwrdd wrth i mi sefyll. Brysiaf heibio i'r rhesi o wynebau di-hid a dieithr. Daw dynes ganol oed allan o'r lle chwech wrth i mi ei gyrraedd, a chamaf i mewn i arogl persawr anghyfarwydd a chloi'r drws y tu ôl i mi.

'O . . .'

Dynes echdoe sydd yn syllu'n ôl arna i o'r drych. Nid yr un hwyliog honno oedd yn gwenu dros ei hysgwydd arna i cyn i mi adael y tŷ fore heddiw, nid y ddynes gefnsyth gyda'r bronnau llawn a balch, ond ei mam. Ro'n i'n meddwl bod y crychau 'na a ddiflannodd bob un pan ges i wneud fy ngwallt i gyd wedi dŵad yn eu holau, mor ddwfn ag erioed, mor *hyll* ag erioed, ac mae fy ngwallt yn hongian yn llipa ac yn llac – yn union fel, dwi'n gwybod, y byddai fy mronnau'n hongian tawn i'n tynnu amdanaf. Dwi yn fy nghwman, bron, ac mae f'esgyrn i gyd yn brifo wrth i mi drio ymsythu, ac mae'r blas drwg sy gen i yn fy ngheg yn dweud wrtha i'n blaen mai arogl rhywbeth hen ac wedi llwydo sydd ar fy ngwynt.

Golchaf fy ngheg a thaflu dŵr oer dros fy wyneb. Dwi'n gallu fy nghlywed fy hun yn igian crio wrth dynnu fy siwmper a'm bra, a defnyddiaf gledrau fy nwylo i slempio mwy o ddŵr dan fy ngheseiliau a thros a rhwng fy mronnau. Tynnaf frws drwy fy ngwallt cyn ailwisgo a mynd i'r afael â'r colur.

Yna mentraf sbio eto yn y drych.

Dynes echdoe.

'Rw't ti'n hen, Marian. Yn rhy hen.' Swnia fy llais, hyd yn oed, yn hen – yn grynedig ac yn gwynfanllyd. Pam ddiawl na ches i ei fenthyg o, dim ond am un diwrnod arall – yr ieuenctid bendigedig hwnnw? Hyd yn oed os mai dim ond rhith oedd o drwy'r amser?

Oedd yn rhaid iddo fy ngadael i *rŵan*?

Neidiaf wrth i rywun guro ar y drws: dwi wedi bod yn y toiled yma ers hydoedd, mae'n siŵr, felly dyma gipio fy mag a mynd allan heibio i dri o bobol, chwe llygad yn dawnsio dros fy wyneb. Gwasgaf heibio iddynt gan fwmblan ymddiheuriad a dychwelyd i'm sedd. Mae'r fyfyrwraig a gafodd ei deffro wrth i mi godi yn dal yn effro. Gwena arnaf yn gysglyd. Mae ei ffrind wedi symud ychydig hefyd, ac yn eistedd rŵan â'i thalcen yn gorffwys yn erbyn y ffenestr ond â'i llygaid ar gau; os nad ydi hi'n cysgu, yna mae'n gwneud ei gorau glas i fynd yn ôl i gysgu.

Tynnaf *Portraits of America* o'm bag a'i agor, a throi'r tudalennau nes i mi ddod at ddau ddarlun wedi'u gosod un uwchben y llall ar y dudalen. *Summertime* a *Hotel Window*. Dau arwyddbost ydi'r rhain i mi, yn hytrach na dwy garreg filltir – un yn pwyntio'n ôl, a'r llall, gwn, yn pwyntio at yr hyn sydd eto i ddod.

Summertime a *Hotel Window*:

Summertime, Edward Hopper, 1943
Hotel Window, Edward Hopper, 1955

Yn *Summertime*, saif merch ifanc y tu allan i adeilad mewn dinas. Arweinia pedwar gris o gerrig caled a thrwchus o'r palmant at ddrws yr adeilad, a saif yr eneth ar yr un isaf, ar fin camu i lawr ar y palmant.

Ond mae rhywbeth wedi ei hatal. Gwres yr haul ar ei hwyneb a'i chorff, efallai, neu'r awel fechan sydd yn chwythu'r llenni sy'n hongian y tu mewn i'r ffenestr dywyll ger y drws. Mae pileri cryfion bob ochr i'r grisiau, a gorffwysa llaw dde'r eneth ar un ohonynt fel petai hi'n ei anwesu.

Gwisga ffrog wen, denau sydd ddim ond yn cyrraedd i lawr at ei phengliniau; mae bron iawn yn bosib gweld trwy'r defnydd ac yn sicr gellir gweld ei chlun dde a chysgod ei dillad isaf. Unrhyw funud rŵan, teimlwn, mae'r awel sy'n anadlu dros y llenni yn y ffenestr am ddarganfod ffrog yr eneth a chwythu ei gwaelodion i fyny fel y digwyddodd i ffrog Marilyn Monroe ddeuddeng mlynedd yn ddiweddarach yn *The Seven Year Itch*, neu ei chwythu fwyfwy yn erbyn ei chorff nes bod cryn ychwaneg ohono i'w weld.

Rhywsut, cawn yr argraff nad yw'r eneth yn poeni rhyw lawer am hynny. Efallai y byddai'n croesawu'r awel fach hy honno, hyd yn oed, oherwydd ni ellir gwadu erotigiaeth y darlun hwn: y llenni chwareus yn dawnsio'n bryfoclyd yn y ffenestr (mae llenni'n chwythu mewn ffenestr yn symbol traddodiadol o gnawdolrwydd, cofier), y pileri ffalig, y ffordd y mae llaw dde'r eneth yn anwesu'r garreg, a'i ffrog denau, fregus.

Mae hwn yn ddarlun o hyder hefyd oherwydd edrych ymlaen a wna'r eneth – yn llythrennol felly yn y llun, a hefyd, fe deimlwn, at beth bynnag sydd gan y diwrnod heulog hwn i'w gynnig iddi.

Un arall o'r Merched yn yr Haul yw hi.

Ac mor wahanol i'r ddynes sydd i'w gweld yn *Hotel Window*.

Nid oes y mymryn lleiaf o heulwen i'w weld yn y darlun hwn. Dynes mewn oed a welwn yma, yn eistedd wysg ei hochr – bron fel yr oedd merched yn arfer marchogaeth erstalwm – ar soffa galed ac anghyfforddus ei golwg mewn ystafell fawr ac agored: cyntedd rhyw westy swanc ond amhersonol, ond dim ond teitl y darlun sy'n dweud hynny wrthym yn blaen. Gwisga'r ddynes ffrog goch, barchus, a het fach goch, a thros ei hysgwyddau mae ganddi gôt laes a choler ffwr iddi. Yn rhyfedd iawn, edrycha'r gôt fel petai yna wynt, neu o leiaf ryw ddrafft cryf, yn dod o'r ochr a'i chwythu.

Syllu allan drwy'r ffenestr anferth i dywyllwch y nos a wna'r ddynes. Ydi hi'n syllu ar rywbeth penodol – ynteu ai wedi ymgolli yn ei meddyliau y mae hi? Anodd yw dweud. Anodd hefyd yw dyfalu beth yn union y mae hi'n ei wneud yma. Credwn i ddechrau mai aros yma am dacsi y mae hi, neu am rywun sydd i fod i fynd â hi allan i rywle – rhywun na fydd byth yn cyrraedd. Ar y llaw arall, hwyrach mai dim ond newydd gyrraedd yma yn ei hôl y mae hi, a'i bod yn eistedd yma er mwyn cael ei gwynt ati cyn codi a chymryd y lifft i'w hystafell unig. Efallai fod eistedd yma'n syllu ar y tywyllwch yn well ganddi na'r syniad o fynd i'w hystafell i rythu ar y muriau.

Ar wahân i'r ffigurau unigol, rhywbeth arall sydd gan y ddau ddarlun yma yn gyffredin yw'r pileri. Mae un i'w weld y tu allan i'r ffenestr yn *Hotel Window*, ac oni bai am y tywyllwch trwm sydd y tu allan i'r ffenestr, hawdd fuasai dychmygu mai syllu allan ar yr eneth ifanc a wna'r ddynes hŷn, a fuasai, wrth reswm, â'i chefn ati ar y stepiau y tu allan i'r gwesty – syllu allan arni gyda chymysgedd o genfigen a hiraeth am y dyddiau sydd, efallai, ond megis ddoe i'r ddynes, y dyddiau pan arferai hithau, hefyd, wthio'i chorff allan i gusan yr haul wrth anwesu'r piler yn nwydus.

Ac yma hefyd, wrth gwrs, y mae'r tywyllwch. Yn *Summertime*, y tu mewn i'r adeilad y ceir y tywyllwch; mae'r eneth ifanc wedi dod ohono ac allan i'r goleuni – wedi cefnu ar y tywyllwch am y tro, ac ar fin cerdded i ffwrdd oddi wrtho.

Ond yn *Hotel Window* mae'r tywyllwch i gyd y tu allan, tra bo'r goleuni sydd oddi mewn, goleuni'r gwesty, yn llachar ac yn annaturiol. Efallai mai oedi cyn mentro allan iddo y mae'r ddynes wedi'r cwbl, ac nad yw'n edrych ymlaen o gwbl at y profiad.

Ac mor debyg yw'r gair 'window' i 'widow' . . .

Birmingham i Aberystwyth, 4 Medi 2005

Arwyddbost? Na – nid arwyddbost yw'r darlun *Hotel Window* wedi'r cwbwl, sylweddolaf, ond carreg filltir arall. Dydi o ddim yn pwyntio at yr hyn sydd eto i ddod. Darlun ydi o o'm presennol, a fi ydi'r ddynes unig ar y soffa yn syllu i mewn i'r gwyll. Wedi'r cwbwl, dyna be ydw i wedi bod yn ei wneud ers i mi adael Norwich.

Caeaf y llyfr a gorffwyso fy nhalcen yn erbyn y ffenestr, yn union fel yr eneth ifanc gyferbyn â mi.

Syllaf i mewn i'r gwyll.

Cofleidiaf ef.

Llundain, 1965

Naddo, John Griffiths, ches i ddim enw neb gan Sandie y diwrnod hwnnw: roedd yn well peidio â gwybod enwau, meddai.

'I'll take you there,' dywedodd.

Sylweddolais nad cyfeillgarwch oedd yn gyfrifol am hyn, ond y rheswm syml na chawn i fynd ar gyfyl y lle heb rywun fel Sandie i dystio trosof. Cofia, John, fod hyn ddwy flynedd cyn y Ddeddf Erthylu, a'r unig beth y cefais ei wybod am y person yma oedd ei fod (ei bod?) wedi 'sortio allan' (chwedl Sandie) sawl un o'r genod eraill.

Genod y nos.

'Y ffycin hŵr!' meddai Maldwyn, a rhoi slasan galed i mi ar draws fy wyneb . . .

Doedd hyn ddim yn rhad, rhybuddiodd Sandie fi. Oedd yr arian gen i? Nodiais, er ei fod am gostio fwy neu lai pob puntan oedd gen i ar ôl. Eisteddodd Sandie yn ei hôl yn ei chadair a syllu arnaf.

'What?' gofynnais.

Ysgydwodd ei phen. 'Nothing.' Safodd a gofyn i mi (eto) am newid ar gyfer y teliffon. Syrthiodd y ceiniogau a'r dimeiau a'r pishynnau tair a chwech a swllt dros y bwrdd wrth i mi agor fy mhwrs.

Caeodd Sandie ei llaw dros f'un i. Roedd ei bysedd yn oer, oer.

'It'll be okay.'

O'n, ro'n i wedi griddfan yn uchel. Edrychais i fyny arni.

'You're *sure*?' gofynnodd, braidd yn ddiamynedd, teimlais. Edrychai ei hwyneb bach siarp yn fwy pigog nag erioed dan gap gwlân Jenny McGregor. A nag o'n, do'n i ddim *yn* siŵr – ond nid am unrhyw reswm y gallwn fod yn falch ohono. Ofn oedd arnaf, a dim byd mwy na hynny, a chrynwn fel deilen gyda dim ond y syniadau mwyaf erchyll o beth yn union oedd yn aros amdanaf.

Pwniodd Sandie fi yn fy mraich. Edrychais arni eto. Nodiais.

* * *

Dwi'n cofio sbio i lawr wedyn ac i mewn i waelod fy nghwpan goffi oedd â dim ond ychydig o ewyn gwyn wedi'i gremstio ar ei hochrau a chylch brown caled yn ei gwaelod. A dwi'n cofio meddwl y peth mwyaf dwl, sef pam, o pam na wnes i ofyn am banad iawn o de, rhag ofn y basa rhyw neges neu'i gilydd wedi'i chuddio ym mhatrwm y dail a fyddai'n siŵr o fod yn britho'i hochrau? Y fi, o bawb, oedd wastad wedi wfftio at bethau felly. Hyd yn oed petai f'enw wedi'i sgwennu'n glir yn y dail, faswn i ddim wedi gallu ei ddarllen, heb sôn am fedru dehongli unrhyw neges.

* * *

Y peth nesaf dwi'n ei gofio ydi sbio i fyny a gweld bod Sandie wedi cyrraedd yn ei hôl.

'Sorted.'

Dyna'r cyfan a ddywedodd. Mae'n rhaid fy mod wedi eistedd yno'n sbio arni fel llo llywaeth oherwydd dwi'n ei chofio hi'n ochneidio'n ddiamynedd ac yn dweud, 'Come on!' gan gydio yn fy mraich, a sylweddolais nad o'n i am gael y cyfle i hel meddyliau o gwbl.

'Now?' gofynnais.

Nodiodd Sandie.

'No, no . . . what I mean is, now? We're going . . . there, today. Now?'

'Bank first, okay?'

Tasa Sandie ddim wedi bod yn gafael yn fy mraich, mi faswn i wedi syrthio'n ôl ar f'eistedd. Teimlai fy nghoesau'n wan ofnadwy, yn rhy wan i'm cynnal, ond er mawr syndod i mi, fe aethon nhw â mi allan o'r caffi ac i fyny'r stryd.

Mae o'n digwydd rŵan, meddyliais. *Rŵan*. Edrychais ar Sandie yn cerdded wrth f'ochr. Y hi oedd bellach yn edrych ar f'ôl i. Y fi oedd yr un nerfus, yr un ofnus. A'r un oedd yn ddigon naïf i feddwl mai sgwennu siec y baswn i.

Roedd toiledau gyferbyn â'r banc a diflannodd Sandie i mewn i'r rheiny tra o'n i yn estyn fy mhres. Wyddost ti be, John Griffiths? Dwi ddim yn amau, taswn i wedi gorfod sefyll yng nghefn rhes hir o gwsmeriaid yn disgwyl fy nhro, y baswn i wedi troi a rhedeg allan, rhedeg i'r stesion Tiwb agosaf a mynd yn syth i Euston ac oddi yno adref, yn ôl i Port. Ond doedd dim ciw o unrhyw fath yn y banc ac ymhen eiliadau ro'n i'n stwffio'r papurau decpunt i mewn i'm pwrs.

Wrth droi am y drws, gwelais Sandie yn dod allan o'r toiledau ar draws y ffordd. Gwyliais hi'n oedi am ychydig yn nrws y toiledau, ei llaw ar friciau cochion yr adeilad fel tasa hi'n eu hanwesu, a'i chorff a'i hwyneb wedi'u gwthio allan i wres tila'r haul. Roedd gwên fechan ar ei hwyneb ac am eiliad edrychai unwaith eto fel y ferch fach eiddil honno y bûm i'n ei helpu i gael bath. Yna camodd i'r stryd a gwyliais ei hwyneb yn caledu eto wrth iddi groesi'r ffordd brysur tuag at y banc.

* * *

Ar ôl hynny, aeth pethau braidd yn flêr cyn belled ag y mae fy nghof yn y cwestiwn. Dwi'n cofio cael y teimlad rhyfedd hwnnw fy mod, rywsut, wedi camu allan o'm corff ac yn fy ngwylio fy hun fel taswn i'n gwylio hogan nad o'n i ond yn gwybod pwy oedd hi, yn hytrach na'i hadnabod yn dda. Ar y Tiwb, gwelwn ddwy hogan yn eistedd ochr yn ochr, un mewn sgert fini a'i chluniau i'w gweld reit i'w topiau, gyda botasau plastig gwynion at ei phennau gliniau a chôt law oedd yn swishian wrth iddi symud, ei hwyneb yn golur tew, ei gwallt brown yn hongian yn hir ac yn syth dros ei hysgwyddau, ei hamrannau'n las a'u blew hirion yn ddu. Roedd y llall mewn pâr o slacs duon, côt aeaf gall a pharchus a chap bach gwlân am ei phen, a nemor ddim colur ar ei hwyneb. Oherwydd hyn, roedd hi'n edrych yn iau o rai blynyddoedd na'r eneth arall. Edrychai o bryd i'w gilydd ar yr eneth yn y sgert gwta, ond chymrodd honno ddim sylw ohoni, dim ond eistedd yno'n cnoi ei gwefus isaf a'i meddwl ymhell. Pan safodd yr eneth yn y cap gwlân o'r diwedd a mynd at y drysau, edrychai'r llall o'i chwmpas a golwg ar goll ar ei hwyneb; dilynodd yr eneth ieuengaf allan o'r trên ac ar hyd y platfform heb unrhyw syniad yn y byd lle roedd hi. Rywle'r ochr arall i'r afon, mae'n debyg, yn nwyrain y ddinas ac yng nghanol strydoedd o dai poenus o gyffredin: semis bach taclus, gyda gerddi a lawntiau a garejys bach taclus.

Pan edrychais yn ôl dros f'ysgwydd, edrychai'r orsaf yn rhyfedd, rywsut, fel tasa hi'n rhy egsotig i fod mewn ardal mor gyffredin. Arhosodd Sandie y tu allan i un o'r tai, a'i llaw ar y giât. Ro'n i wedi disgwyl rhyw hofel yng nghanol y slyms – stryd ysglyfaethus gyda phuteiniaid sgraglyd a dynion meddw'n ffraeo ar dopiau eu lleisiau, a phlant budron a charpiog yn chwarae yn y gwteri: y math o le y basa Dickens yn rhoi min ar ei bensil tasa fo'n dod ar ei draws. Roedd y tŷ hwn – y stryd gyfan – yn rhy *lân*, yn rhy barchus, gyda'r rhiniog yn sgleinio a llechen carreg y drws fel carreg fedd newydd sbon.

Atebwyd y drws gan ddynes a edrychai fel nifer o ffrindiau Mam o gangen y WI gartref – dynes ganol oed â'i hwyneb yn garedig. Gwasgodd fy llaw ar ôl mynd â fi i'w pharlwr, a bu'n rhaid i mi fygu rhyw gigl fach wirion, hysterig wrth ei dychmygu'n cynnig platiad o fara brith a sgons i mi.

'What?' gofynnodd Sandie ar ôl i'r ddynes fynd allan.

Ysgydwais fy mhen; roedd yr holl sefyllfa mor afreal, y cyfan wedi digwydd mor wallgof o sydyn, mor wirion o hawdd. Llanwyd y parlwr ag arogl polish cryf, ac eisteddai Sandie dan gopi llachar o *The Haywain*, yn amlwg yn teimlo'n gartrefol iawn yma. Roedd antimacasars ar y cadeiriau a llenni rhwyd yn y ffenestr a chwpwrdd gwydr yn llawn ornaments rhad mewn cornel. Yn y gegin, teimlwn yn siŵr y byddai yna ddysgl dal wyau a'i chaead fel iâr yn gori.

Daeth y ddynes yn ôl i mewn. 'Got your money?' gofynnodd Sandie.

'Oh . . . yes.'

Esgusododd y ddynes ei hun yn gwrtais cyn troi ei chefn arnaf a chyfri'r arian cyn ei wthio i boced ei ffedog. Gwenodd arnaf a mynd allan, gan fy ngadael yn sefyll fel llo ar ganol y carped trwchus, ddim yn siŵr a o'n i i fod i'w dilyn ai peidio, ond ysgydwodd Sandie ei phen.

'Her husband,' meddai Sandie, ac yn union fel tasa hi wedi'i gyflwyno, daeth dyn canol oed i mewn i'r parlwr, dyn anghyffredin o dal a wnaeth i mi feddwl yn syth am grëyr

195

glas neu'r garan. Syllodd arnaf am rai eiliadau gan anwybyddu Sandie yn llwyr.

Yna nodiodd yn swta.

'Come with me, please,' meddai, gan ddal y drws yn agored, yn union fel y gwnâi Iorwerth y Deintydd adra yn Port ar ôl i rywun fod yn ei barlwr am hydoedd yn byseddu drwy lyfrau cartŵn Fred Bassett a *The Gambols* a hen rifynnau o'r *Reader's Digest*, ac yn gwrando'n anghyfforddus ar wichian milain y dril yn dŵad drwy'r mur.

Gydag un edrychiad olaf i gyfeiriad Sandie, a'm coesau fel clai unwaith eto, allan â fi.

Office at Night, Edward Hopper, 1940

Anodd yw dweud faint o'r gloch yw hi'n union. Gwyddom ei bod yn hwyr – dangosir hynny'n blaen gan y stribyn tenau o ddüwch sydd i'w weld drwy'r ffenestr, a golau ffug y stryd sydd yn melynu hynny o garreg yr adeilad a welwn mewn cornel o sil y ffenestr. Pe na bai yna unrhyw olau arall, efallai y buasai rhyw glydwch cynnes yn perthyn i'r swyddfa, ac efallai wedyn y buasai'n demtasiwn mawr i wthio'r gadair yn ôl a chlertian ynddi gyda'r ddwy droed i fyny ar y ddesg, fel ditectif preifat mewn ffilm yn pendwmpian i furmur y traffig o'r stryd ac ochneidiau'r adeilad wrth iddo setlo ar ddiwedd diwrnod arall o brysurdeb.

Ond mae dau olau arall yn y swyddfa hon. Daw'r cyntaf o gyfeiriad y nenfwd, ac er na fedrwn weld ei ffynhonnell, fe gymrwn mai un neon, cryf ydyw, y math o olau didrugaredd sy'n dangos popeth. Dim ond y cysgodion mwyaf slei sy'n gallu bodoli yng nghrechwen y goleuni hwn; ymguddia un cysgod o dan y ddesg, ac un arall o dan y gadair galed, bren sydd wrth y drws.

Daw'r ail olau o lamp fechan ar y ddesg, ac anodd yw credu bod ei angen ar y dyn sydd yno'n eistedd. O syllu ar ei wyneb gwelwn mai dyn cymharol ifanc ydyw – yn ei ugeiniau hwyr, efallai, neu ei dridegau cynnar – ond mae ei ddillad, ac yn wir ei holl osgo, yn awgrymu dyn sydd o leiaf ddeng mlynedd yn hŷn na hynny. Efallai ein bod yn gwneud cam â'r creadur, ond argraff arall a gawn yw mai dyn go ddihiwmor ydyw – y math o ddyn sydd yn ei chael yn anodd iawn i ymlacio. Dyma fo rŵan, yn hwyr yn y nos, yn dal i weithio heb hyd yn agor botwm uchaf ei grys na llacio'r un mymryn ar ei dei.

197

Gwallt golau a thenau'r olwg sydd ganddo, gyda phob un blewyn yn ei le. Gwisga siwt drwchus: mae ei siaced yn dal amdano, a cheir awgrym hefyd fod gwasgod oddi tani. Dim ond blaen ei esgid ddu sydd i'w weld yn ymwthio allan o'r cysgod dan ei ddesg, ond mae'r blaen hwnnw'n sgleinio.

Adlewyrchir y taclusrwydd hwn gan ei ddesg. Nid yw'n edrych fel desg rhywun sydd wedi bod yn gweithio trwy'r dydd a hanner y nos. Mae pentwr bychan o ddogfennau wrth ei law dde, ac un arall, ychydig yn llai, wrth ei law chwith gyda theliffon du yn dal y rheiny i lawr, ac o'i flaen, dros draean o'r ddesg, mae blotiwr mawr, gwyrdd. Mae ganddo ddogfen arall yn ei ddwylo, wedi ei dal reit o dan oleuni'r lamp; canolbwyntia'r dyn yn o hegar ar hon, a braf iawn fuasai meddwl ei fod efallai'n teimlo'r straen erbyn hyn o fod wedi bod yn gweithio am amser mor faith a'i fod yn *gorfod* canolbwyntio oherwydd bod ei feddwl wedi blino, ond, rywsut, cawn yr argraff nad ydi'r dyn yma'n hidio'r un iot am yr amser, a bod ei feddwl yr un mor finiog ag yr oedd pan gyrhaeddodd ei swyddfa ben bore.

A chyda phob parch, hen swyddfa ddigon diflas yw hi hefyd. Petai neb ynddi, a phetaech yn digwydd brathu'ch pen i mewn drwy'r drws, nid oes yma unrhyw gliw a fuasai'n dweud wrthych swyddfa pwy yw hi, nac ychwaith pa fath o waith sy'n cael ei wneud yma. Ar wahân i ddau ymbarél sydd wedi'u cuddio, bron, yn y gornel rhwng y cwpwrdd ffeiliau a'r drws, nid oes yma unrhyw addurn personol o gwbl. Nid oes darlun o unrhyw fath ar y mur mawr gwyn y tu ôl i'r dyn, na'r un llun wedi'i fframio ar ei ddesg. Nid oes yma hyd yn oed galendr i lygru'r lle, na phlanhigyn yn tagu i farwolaeth mewn pot llychlyd ar ben y cwpwrdd ffeiliau, na thegell, na mygiau, na phaced o fisgedi ar ei hanner.

Swyddfa dyn sych yw hi, gydag tri lliw yn unig yn teyrnasu yma: gwyrdd, brown a gwyn. Lliwiau paent hen sefydliad mewn oes gymharol ddi-liw – ail hanner y pedwardegau, dyweder, neu'r pumdegau. Lliwiau paent mewn ysbytai, swyddfeydd llywodraethol, clinigau, ambell i ysgol a'r mannau cyhoeddus y tu mewn i garchardai.

Mae'n eithaf peth, felly, nad y swyddfa – nad ychwaith y dyn wrth y ddesg – sydd yn denu'r sylw cyntaf pan edrychwn ar y darlun hwn. Na, merch sy'n gwneud hynny – neu efallai mai fel dynes y dylem ei hystyried. Ia – dynes, yn bendant: mae hon wedi hen flodeuo ac yn llond ei chroen a'i dillad; o graffu ar ei gwallt du, gwelwn fod ychydig o arian ynddo, fel haen denau o eira mân neu we pryf copyn.

Diolchwn iddi am ddod ag ychydig o liw i'r swyddfa fach annifyr hon. Y hi, yn sicr, yw perchen yr ymbarél efo'r handlen fach werdd sydd yn sbecian allan o'r gornel ger y cwpwrdd ffeiliau. Yno wrth ei ochr, ac yn edrych fel petai'n ymwthio drosto ac yn ceisio'i guddio, hwyrach oherwydd cywilydd drosto, mae ymbarél arall, un â handlen bren, ffurfiol, wedi'i rowlio'n dwt ac yn dynn – ac mae'n amlwg pwy sy piau hwn, yn dydi?

Mae desg arall yn y swyddfa, yng nghornel chwith isaf y darlun; desg y ddynes yw hon, ac mae rhagor o liw i'w weld arni. Wrth ymyl y teipiadur trwm, du, gorwedd rhywbeth sy'n edrych fel map wedi'i blygu, ac oddi tano ddarn o bapur hir a melyn. Tocyn theatr, efallai? Ac er mai ffrog las a choler wen iddi sydd gan y ddynes amdani, rhy'r dilledyn yr argraff ei bod yn fwy lliwgar – yn fwy *llawen*, rywust, ac yn fwy siriol – nag y mae mewn gwirionedd. Mae'r ffrog yn dynn iawn am gorff y ddynes, ac am ei thraed gwisga esgidiau duon a sodlau go uchel iddynt, ac y mae'r rhain, gyda chymorth y ffrog dynn, yn tueddu i bwysleisio siâp lluniaidd a rhywiol ei chluniau a'i phen-ôl. Tanlinellir y rhywioldeb hwn gan ei minlliw coch a llachar – minlliw a fuasai'n sgleinio petai'r ddynes yn troi ei phen yn fwy at y golau. Nid yw'r ddynes, ychwaith, yn edrych fel rhywun

sydd wedi bod yn gweithio ers ben bore, ond – yn wahanol i'r
dyn – hawdd yw credu ei bod wedi piciad allan o'r swyddfa bob
hyn a hyn i dwtio'i gwallt, i olchi'i hwyneb ac adnewyddu'r paent
ar ei gwefusau.

Rhaid felly yw gofyn, pam y trafferthodd wneud hynny? Saif
gyda'i dwylo ar un o ddroriau agored y cwpwrdd ffeiliau, yr ail
ddrôr o'r top, sydd ar yr un lefel yn union â'i bronnau, a chan ei
bod wedi hanner troi i gyfeiriad y dyn wrth y ddesg, edrycha'r
drôr fel petai'n rhwbio yn erbyn ei bron chwith.

Syllu mae hi, fe dybiwn, ar yr unig beth sy'n edrych allan o'i
le yn y swyddfa. Dim ond ei gornel a welwn ni, ond mae'n
ddigon i dorri ar wyrddni undonog y llawr: darn o bapur gwyn,
rhan o ddogfen y bu'r ddynes yn chwilio amdano drwy'r ffeiliau,
efallai. Nid yw'r dyn trefnus, effeithiol hwn wedi sylwi arno, ond
gallwn gymryd ei fod wedi gweld ei golli, ac wedi dweud wrth y
ddynes – ei ysgrifenyddes – am chwilio amdano.

Ond ydi hi am ddweud wrtho fod y dudalen ar y llawr?

Dyna'r cwestiwn mawr. Mae'r darlun hwn ymysg darluniau
mwyaf eiconig ac enigmatig Hopper. 'I hope it will not tell any
obvious anecdote, for none is intended,' ddywedodd y dyn ei
hun am y darlun, gan roi rhwydd hynt i ni greu ein dramâu
bychain ein hunain unwaith eto.

Rydym eisoes yn ymwybodol o'r tensiwn sy'n bodoli rhwng
y dyn a'r ddynes. Tensiwn seicig; tyndra rhywiol. Mae holl
osgo'r dyn – yn stiff fel procer y tu ôl i'w ddesg, a'r ffordd y
mae'n canolbwyntio ar y ddogfen yn ei ddwylo, fel petai'n
canolbwyntio ar ganolbwyntio – yn awgrymu'n gryf mai
anwybyddu'r ddynes a wna. Tybed faint o weithiau y mae hi
wedi siglo 'nôl a 'mlaen rhwng ei ddesg a'r drws a'r cwpwrdd
ffeiliau, gan adael ei phersawr ar y gwynt y tu ôl iddi? Fel ni, nid
oes ganddi unrhyw syniad sawl gwaith y symudodd y dyn ei
lygaid rhyw fymryn er mwyn llygadu ei chluniau a'i phen-ôl yn
slei; eto fel ni, mae hi'n rhyw led amau na wnaeth o hynny

unwaith. Go brin ei fod wedi dweud yr un gair o ganmoliaeth wrthi am ei gwisg, nac erioed wedi sylwi ar ei gwallt.

Eto fe deimlwn yr erys y ddynes yn ffyddlon iddo, a bod yn fodlon gweithio bob awr er mwyn cael bod yn ei gwmni, tra bod pob un ysgrifenyddes arall drwy'r adeilad cyfan wedi hen fynd adref, a dim ond synau'r glanhawyr i'w clywed yn dod i mewn drwy ddrws agored y swyddfa. Efallai, yn wir, fod hyd yn oed y glanhawyr wedi hen orffen eu gwaith, ac mai'r unig sŵn sydd i'w glywed yw sŵn papurau'n cael eu hestyn, eu hastudio, a'u cadw yn eu holau.

Mae'r ddynes yn parhau i fynd i'r tŷ bach bob hyn a hyn i roi rhagor o finlliw ar ei gwefusau, i dwtio'i gwallt a sythu ei sanau. Mae'r ffrog wedi costio ffortiwn iddi, ei chyflog wythnos i gyd, bron, ac mae ar fin dod yn amser talu'r rhent am ei hystafell fach unig mewn rhan arall o'r ddinas, ac mae wedi dechrau poeni, efallai, na fydd yn gallu fforddio ei dalu nes iddi dderbyn ei chyflog nesaf – ond mae ffydd ganddi yn y ffrog. Yn hwyr neu'n hwyrach, medd wrthi'i hun, mae'r dyn am edrych i fyny o'i waith a sylwi arni. Mae'n *rhaid* iddo, Dduw mawr, neu bydd y ddynes druan wedi colli arni: all hi ddim dioddef cael ei hanwybyddu fel hyn yn hir iawn eto.

Dyma esbonio'i hansicrwydd ynglŷn â'r pishyn papur ar y llawr. Beth sydd i'w wneud? Dyma gyfle gwych i ddenu rhywfaint o sylw'r dyn. Beth am ddweud wrtho'n bryfoclyd ei bod yn gwybod rhywbeth nas gŵyr ef? Ond go brin y buasai hwn yn ymateb yn ffafriol i bryfocio o'r fath, waeth pa mor ddiniwed. Hwyrach y buasai'n well petai hi'n mynd i'w chwrcwd wrth ochr y ddesg a gadael i waelod ei ffrog symud ychydig o fodfeddi i fyny ei choesau . . . Ond na, go brin y buasai hwn yn hyd yn oed sbio arni, a buasai hi yn y diwedd yn gorfod ymsythu a dodi'r papur ar ei ddesg, a chael dim ond rhyw gliriad gwddf o gydnabyddiaeth am ei thrafferth.

Neu, efallai y dylai hi ddweud nad oes ganddi unrhyw syniad

ble mae'r dudalen goll – nad yw'n llechu'r tu mewn i 'run o'r droriau nac ychwaith wedi'i gwthio, fel cwcw gyndyn, i mewn i ffeil anghywir; yna, dweud ei bod wedi cael digon am heddiw, ei bod yn hwyr y nos a hithau bron â marw eisiau ei gwely, cydio yn ei hymbarél gyda'i handlen fach werdd, troi a mynd allan, gan adael i'r bwbach dideimlad godi oddi ar ei din a chwilio am y dudalen ei hun.

Ond wnaiff hi mo hynny. Gŵyr hi hynny'n iawn, a gwyddom ninnau hefyd. Mae'n siŵr mai'r unig beth a wna yw dweud, 'O! dacw hi, drychwch, ar y llawr . . .' – ac efallai gael gwên fach denau ganddo wrth iddi blygu a'i chodi a'i rhoi yn ei ddwylo. Yna dychwelyd at ei desg i syllu ar ei map a'r tocyn theatr na chafodd hi'r cyfle i'w ddefnyddio, ac i wrando ar fywyd yn rhuthro heibio iddi'r ochr arall i'r ffenestr gan wybod y bydd hi, fwy na thebyg, yma eto ymhen pedair awr ar hugain, yn hel yr un meddyliau.

Os nad yw hi'n ddiwedd yr wythnos, wrth gwrs. Yna caiff dreulio'r deuddydd yn edrych ymlaen at yr wythnos arall sydd eto i ddod.

Birmingham i Aberystwyth, 4 Medi 2005

'This has to go.'

Neidiaf a throi'n wyllt, yn siŵr ei fod wedi eistedd wrth f'ochr a siarad yn fy nghlust.

Ond mae'r sedd yn wag, diolch i'r drefn.

Gwenaf ar draws y bwrdd ar y ddwy fyfyrwraig gyferbyn â mi, ill dwy rŵan yn effro ac yn sbio arna i ychydig yn ansicr. Wedi pendwmpian ydw i eto, mae'n rhaid gen i, a rhywun wedi dweud rhywbeth wrth gerdded heibio a'm plycio allan o'm hanner cwsg.

Ydan ni wedi croesi'r ffin bellach? Caeau sydd i'w gweld drwy'r ffenestr, un sgwâr gwyrdd ar ôl y llall, yn wyrddach nag arfer oherwydd y glaw mân sy'n sgubo dros y wlad.

Byd trilliw, o wyrdd, brown a gwyn.

Mae fy ngên yn wlyb, a sylweddolaf fy mod wedi glafoerio drosti wrth gysgu. Mae'n siŵr fod golwg ofnadwy arna i, a chwiliaf am hances bapur arall; dwi wedi bod yn gorwedd fel sachaid o datws a'm gwefus isaf yn hongian yn llac a'r poer gloyw fel llysnafedd malwen yn llifo'n hyll i lawr fy ngên.

Ac mae'n siŵr fod y genod druan hyn, wrth sbio arna i, yn teimlo fel eu bod nhw'n edrych i mewn i ryw ddrych uffernol i'r dyfodol.

* * *

Mae fy llyfr wedi llithro i lawr rhwng fy nghluniau. Er ei fod wyneb i waered ar y llawr, gwn ar ba dudalen y mae o wedi syrthio'n agored.

Ia, y dudalen lle mae'r darlun *Office at Night*, wedi ei ysbrydoli gan gipolygon o ffenestri trên, fel nifer o ddarluniau Hopper. Cipolwg ar gaethiwed, dyna be ydi o, y ddynes yn gaeth yn ei charchar gwyrdd, brown a gwyn, yn methu dianc er bod drws y gell yn agored led y pen iddi. Mae grym y ceidwad y tu ôl i'r ddesg yn rhy gryf. Does dim rhaid iddo hyd yn oed sbio arni er mwyn ei chadw yn ei lle.

'This has to go.'

Bron y gallaf deimlo'i ddwylo yn fy ngwallt, y gwallt hir hwnnw yr oeddwn mor falch ohono, y gwallt a ddiflannodd yn ufudd y bore ar ôl iddo ddweud y geiriau yma wrtha i am y tro cyntaf. Yr unig dro, erbyn meddwl. Doedd dim rhaid iddo ddweud unrhyw beth fwy nag unwaith.

'Rw't ti yma'n rhy fuan, dwi ddim yn barod eto!'

Gwn fod y ddwy eneth wedi ymateb i hyn, ond gwrthodaf edrych arnyn nhw. Teimlaf fel bod rhywun wedi ysgwyd fy mhen yn galed gan chwalu f'atgofion dros y lle i gyd. Fel un o'r addurniadau bach gwydr yna, yn llawn dŵr, sy'n creu cawod o eira wrth i chi'u hysgwyd nhw. Mi brynais i un yn o fuan ar ôl cyrraedd Llundain, un efo model bach o Eglwys Sant Paul ynddo fo – roedden nhw'n boblogaidd iawn ar y pryd oherwydd y ffilm *Mary Poppins*, ond mai cawodydd o golomennod oedd ynddyn nhw yn lle eira. Pharodd f'un i ddim mwy nag wythnos cyn bod yr eglwys wedi'i boddi a'r holl adar fel mwd caled ar y gwaelod. Hen beth digon rhad oedd o, a'r colomennod yn debycach i wylanod sgraglyd.

A sôn am golomennod, roedd y rhai yn sgwâr Marble Arch yn rhyfedd o dawel pan aeth Sandie â fi 'nôl adref ar ôl fy nhaith dros yr afon – fel plant creulon oedd, ar waetha popeth, yn ddigon call i wybod yn reddfol pryd oedd hi'n iawn i alw enwau ar rywun a phryd i beidio. Doedd gen i ddim digon o bres i dalu am dacsi, a dwi'n cofio fel y cydiais yn dynn ym mraich denau Sandie wrth i ni igam-ogamu ar draws y sgwâr fel dwy hogan feddw. Roedd yr awyr yn dywyll erbyn hynny a'r gwynt yn chwythu'n oer – ond erbyn meddwl, hwyrach mai dychmygu'r gwynt rydw i. Ro'n i'n oer drostaf ac yn crynu fel dwn i ddim be – eto fyth.

Euthum i'r gwely ar f'union ar ôl cyrraedd yn ôl i Drumnadrochit gyda photel o dabledi yn fy nwrn – anrheg 'ta-ta' gan y ddynes WI – a chael y teimlad fy mod wedi treulio mwy o amser yn fy ngwely ers i mi gyrraedd y ffycin lle yma nag yn unlle arall.

Pryd aeth Sandie, does wybod. Dwi'n ei chofio hi'n sefyll wrth y gwely yn sbio i lawr arna i, ei hwyneb yn ddi-wên a difynegiant, tra mai'r unig beth o'n i ei eisiau oedd clywed ei llais profiadol hi yn dweud wrtha i am beidio â phoeni, ac na fyddwn i'r un un erbyn y bore. Ond chlywais i mohono, ac mae'n rhaid fy mod wedi cau fy llygaid oherwydd pan agorais hwy wedyn roedd hi wedi mynd.

* * *

Rw't ti am gael clywed pob dim, John Griffiths, pan wela i di heno 'ma. Pob un manylyn. Dwi am ddisgrifio'n fanwl yr holl gigyddiaeth a ddigwyddodd yn y llofft gefn honno efo'r copi o ddarlun *Bubbles* Millais ar y pared. O, mi gei di wrando ar y cwbwl lot, washi – paid ti â phoeni.

* * *

Dechreuodd y poenau yn ystod oriau mân y bore.

Deffrais yn domen o chwys, llawer iawn gwaeth na phan oedd y ffliw arna i, ac yn teimlo fel bod rhywun yn gwthio procer eirias drwof â'i holl nerth, yn benderfynol o'm gwanu i'r gwely. Llyncais rai o'r tabledi gyda ffydd druenus y diniwed, ond roedd hynny fel ceisio diffodd tân gyda chegaid o boer. Gorweddais yno yn y tywyllwch, yn fy nyblau, mewn gormod o boen i grio ond isio Mam yn y modd mwyaf ofnadwy. Ro'n i'n gwaedu hefyd; gallwn ei deimlo'n llifo allan ohonof fel rhyw hylif gludiog, triog neu suryp, a thrwy'r cyfan dechreuais boeni am y dillad gwely ac fel y byddai Jenny McGregor yn siŵr o chwarae'r diawl hefo mi, a phenderfynais fynd allan y diwrnod wedyn a phrynu rhai newydd yn eu lle – gyda lwc cyn i Jenny sylwi – ond yna cofiais nad oedd gen i nemor ddim pres ar ôl, a be goblyn o'n i am ei wneud, felly, ar fy mhen fy hun mewn lle fel hyn a bron heb geiniog i'm henw?

Theimlais i erioed mor unig, John Griffiths; theimlais i erioed mor uffernol o unig. Nid fel y teimlais yn yr ystafell aros yn Nyfi Jyncshiyn: teimlo *ar fy mhen fy hun* o'n i yn fan'no, nes i chdi sgweltshian i mewn o'r nos. Doedd o ddim yr un peth â theimlo'n *unig*.

Ond eto, do'n i ddim *yn* unig chwaith, yn nag o'n? Roedd cwmpeini gen i, ac roedd o'n fy nghnoi'n ffiaidd ac yn giaidd ac yn ddidrugaredd efo'i ddwsinau o ddannedd bach miniog a milain, pob un fel rasal, fel nodwydd, fel cyllell stileto, a'r unig beth ro'n i'n gallu meddwl amdano oedd fod rhywbeth byw wedi cael ei adael y tu mewn i mi wedi'r cwbwl a'i fod yn benderfynol o gnoi ei ffordd allan ohonof.

Ac yna, rywbryd, ar ôl oriau, dyddiau, misoedd o boen – o'r diwedd – teimlais law oer ar fy nhalcen a llais unwaith eto'n sibrwd, 'Sshh . . . sshh . . .'

Llundain, 1965

Roedd o'n fwy na dim ond blin efo fi. Roedd o'n lloerig, yn gandryll ac yn gynddeiriog, ei wefusau'n dynn ac yn wyn ond doedd o ddim yn gallu dweud llawer, ddim efo Eddie yn eistedd yno wrth fy ngwely, a llygaid hwnnw'n llaith fel dau bwll dŵr ac yn gwasgu'r botel Lucozade rhwng ei fysedd fel tasa fo'n ceisio ei llindagu.

Y tu ôl i'r ddau roedd yna nyrs yn cyniwair, ffit-ffat, ffit-ffat – ro'n i'n methu'n glir â chael y gerdd allan o'm meddwl: dychwelai fel mantra bob tro y byddai un o'r nyrsys yn cerdded heibio, nes i mi deimlo weithiau fy mod ar fin drysu.

Dywedodd wn i ddim faint o bobol wrtha i fy mod i'n

206

lwcus uffernol fy mod i'n fyw. I Eddie roedd y rhan fwyaf o'r diolch am hynny. Fe'm clywodd i'n griddfan, daeth i mewn i'm hystafell a rhoi'r golau ymlaen . . . a llewygu yn y fan a'r lle. Ei sŵn ef yn taro'r llawr a barodd i Alex McGregor garlamu i fyny'r grisiau.

* * *

'Marian, Marian . . .' ochneidiodd Eddie, wrth fy ngwely ysbyty.

Gwgodd Derek arna i. Anodd oedd credu mai'r un person oedd berchen y llaw honno ar fy nhalcen â'r dyn cynddeiriog hwn a edrychai fel petai'n ysu am gael fy llusgo o'r gwely a rhoi chwip din iawn i mi. O'n i'n sylweddoli, gofynnodd, pa mor agos y deuthum at farw? Nid y fi fasa'r gyntaf i wneud hynny, o bell ffordd: roedd dros ddeugain o ferched fel y fi'n marw bob blwyddyn.

'Yeah, all right!' torrodd Eddie ar ei draws. Doedd pregethu a dyfynnu ystadegau ddim yn helpu neb. Edrychodd Derek arno â'i wyneb yn llawn dirmyg oer. Roedd Eddie, mentrai Derek ddweud, yn gwybod yn iawn pwy oedd wedi gwneud hyn i mi – rhywun roedd o wedi'i argymell, mae'n siŵr? Ysgydwodd Eddie ei ben a throi oddi wrtho, a cheisiais innau ysgwyd rhyw fymryn ar fy mhen pan drodd y llygaid oerion 'na ataf i.

Na. Nid Eddie.

Ymdrechais i wenu arno efo'm llygaid, gan geisio cyfleu pa mor ddiolchgar o'n i iddo am ei law ar fy nhalcen, ganmil gwell na phroffesiynoldeb amhersonol y dynion ambiwlans.

Syllodd yn ôl arnaf am eiliadau hirion a minnau'n dyheu am gael gweld y rhew yn ei lygaid yn dadmar ychydig. Yna nodiodd yn araf. Roedd am ddod yn ei ôl, meddai, i'm gweld i eto . . .

. . . pan na fydd *hwn* yma, meddai ei edrychiad i gyfeiriad Eddie.

Dechreuais feichio crio ar ôl i Eddie gael ei hel allan o'r diwedd gan y nyrsys. Torrais fy nghalon wrth feddwl am eiriau'r meddyg yn gynharach y diwrnod hwnnw – geiriau fel gwaedlifoedd a madredd, a difrod pydrol wedi'i achosi gan facteria; fy nghroth wedi'i handwyo, ac oni bai iddi gael ei rhwygo allan ohonof buasai wedi dial arnaf drwy fy lladd.

A thrwy'r holl wylo, rhyfeddais fod gen i'r nerth i grio fel hyn a minnau wedi methu dweud yr un gair funudau ynghynt.

* * *

Un peth dwi am i chdi 'i ddallt heno 'ma, John Griffiths. Mi gollais i Dad a Mam hefyd, y diwrnod hwnnw. Baswn wedi rhoi'r byd am gael agor fy llygaid a'u gweld nhw'u dau yn sefyll yno wrth fy ngwely, a deffrais yn ffwndrus ar un adeg gan feddwl yn siŵr fod Dad yno, yn canu 'On Top of Old Smoky' allan o diwn yn rhacs.

Ond ar yr un pryd, Dad a Mam oedd y bobol ddiwethaf roedd arna i eisiau eu gweld. Daeth Jenny i edrych amdanaf, a chrefu arna i i adael iddi eu ffonio: crefais innau arni hi i beidio.

'I'd want to know, if I were your mother,' meddai Jenny.

'I know – but I don't *want* them to know,' atebais.

Poenais wedi iddi fynd y buasai Jenny yn anwybyddu fy nghrefu a phenderfynu bod hawl gan fy rhieni i gael gwybod amdanaf. Ofnais nad o'n i wedi bod yn ddigon pendant; efallai y dylwn fod wedi dweud clwydda wrthi, rhywbeth i'r perwyl fod Dad a Mam yn grefyddol iawn a bod Dad yn enwedig mewn gwth o oedran ac y basa hyn yn ddigon amdano.

Ffwndrais wedyn drwy'r nos, ffwndro a chrio bob yn ail. Wylais dros Dad a Mam, dagrau o euogrwydd a hunan-gasineb am i mi godi wal drwchus rhyngom: fyddai pethau byth eto'r un fath rhwng Dad a Mam a fi, a sylweddolais fy mod wedi gwneud cam aruthrol â nhw drwy gael i'm pen y basan nhw'n cefnu arna i. Fasan nhw ddim yn gwneud peth felly, nid Dad a Mam. O, basa Dad wedi chwarae'r diawl a go brin y basa 'run o'r ddau yn falch iawn ohona i, ond fasan nhw ddim wedi troi yn f'erbyn i'n gyfan gwbl.

Hen hogan wirion o'n i, hen gnawas fach orchestlyd oedd angen slap iawn.

'Ma' isio sbio dy ben di, hogan,' clywn Dad yn dweud.

Ac am y tro cyntaf, a finnau'n gorwedd yno efo gwaed dieithryn llwyr yn llifo drwy fy nghorff, ro'n i'n cytuno efo fo.

Bob gair.

* * *

'Slut!' meddai'r ddynes yn y gwely drws nesaf i mi.

Agorais fy llygaid a'i gweld yn rhythu arna i.

'Dirty little bitch,' meddai. 'Slut!'

Caeais fy llygaid.

* * *

Daeth yr heddlu i edrych amdanaf, plismones ifanc mewn lifrai a ditectif mewn siwt lychlyd – dyn tal a llwyd a chanol oed, ei fysedd yn felynfrown a'i wynt yn ogleuo o dda-da mint. Roedd arnyn nhw eisiau gwybod lle ro'n i wedi bod, a phwy oedd yr erthylwr. Cefais y teimlad fod gan y ditectif fwy o gydymdeimlad efo fi na'r blismones ifanc. Sbiodd honno arna i fel taswn i'n lwmp o gachu ci. Sbiodd arna i fel roedd yr hen ddynes gas yn y gwely drws nesaf wedi sbio arna i.

Gofynnodd hon yr un cwestiynau drosodd a throsodd. Sut o'n i wedi gwybod lle i fynd? oedd un ohonyn nhw. Yn y diwedd bu'n rhaid i mi ddweud mai gofyn i un o genod y nos wnes i. Pwy? Sandie . . .

Ochneidiodd y ferch ac edrych ar y ditectif. Roedd dwsinau o 'Sandies' o gwmpas y lle, meddai, diolch i'r hogan honno oedd yn leicio canu'n droednoeth. Beth oedd ei henw iawn?

'Sandra?' cynigiais.

'Oh, for God's sake!' ebychodd y blismones. Gwgodd arna i fel tasa hi wedi hoffi f'arestio i am ei chymryd yn ysgafn.

Sut o'n i'n adnabod y 'Sandie' arbennig hon? holodd y ditectif. Dywedais mai wedi'i gweld o gwmpas y lle ro'n i: do'n i ddim eisiau iddyn nhw wybod am garedigrwydd Eddie a'r McGregors. Ond ceisiais ddisgrifio'r tŷ semi yr ochr arall i'r afon, a'r ddynes WI a'i gŵr. Roedd yn amlwg nad oedd ganddyn nhw ddim syniad am bwy ro'n i'n sôn.

'You do realise you've broken the law, don't you?' meddai'r blismones pan gododd y ddau i fynd. Torrodd y ditectif ar ei thraws drwy besychu'n arwyddocaol; ysgydwodd ei ben arni pan edrychodd y blismones arno. Cochodd honno a throi ar ei sawdl tuag at y drysau, a'i hesgidiau'n gwichian yn biwis. Gwyliodd y ditectif hi'n mynd cyn troi'n ôl ata i.

'If the name of the Tube station comes back to you . . .' meddai, ond nid mater o fod wedi anghofio enw'r orsaf dros yr afon oedd o. Do'n i ddim wedi sylwi arno o gwbwl. Nodiodd y ditectif a gwasgu fy llaw yn annisgwyl. Fe gyrhaeddodd ddrysau'r ward fel roedd Derek yn dod i mewn drwyddyn nhw, ac ar ôl sgwrs fach frysiog aeth y tri allan efo'i gilydd.

Daeth Derek yn ei ôl ymhen ychydig funudau, efo'r newyddion mai fo fyddai fy meddyg cartref o hyn ymlaen, cyn belled ag y gwyddai'r awdurdodau. Eisteddai ar y gadair wrth ochr fy ngwely, yn plygu ymlaen ychydig a'i lygaid llwydion yn syllu i mewn i'm llygaid i, ac yn fy holi ynglŷn â'm gwahanol boenau. Yna nodiodd yn swta a chodi.

'Thank you,' meddwn wrth ei gefn.

Rhewodd am eiliad, yna trodd.

'You should have come to me,' meddai. 'Immediately.'

Syllodd arnaf am ychydig cyn edrych ar ei oriawr. 'I'll call in tomorrow at some point.'

Diflannodd y Gwningen Wen drwy'r drysau. Eisiau osgoi Eddie ac un o'r McGregors roedd o, penderfynais: roedd yr awr ymweld ar fin dechrau.

Ond ddaethon nhw ddim. Bu cryn sibrwd o amgylch gwelyau'r cleifion eraill, gyda sawl pen yn troi i'm cyfeiriad ac yna i ffwrdd yn sydyn wrth i mi rythu arnyn nhw'n ôl. Llwyddais i berswadio un nyrs garedig i aildynnu'r llenni o gwmpas fy ngwely, ac yno y bûm i'n ymguddio tan ymhell ar ôl i'r gloch ganu ac i'r ymwelydd olaf ymadael. Bwytais rhyw fymryn, yna cysgais a deffro'n ffwndro eto yn oriau mân y bore, wedi breuddwydio bod y dyfroedd oerion hynny'n cau amdanaf unwaith eto, a'r un llaw gadarn honno'n cydio ynof a'm tynnu i fyny, yn uwch ac yn uwch, tua'r goleuni.

Gorweddais yn gwylio'r wawr yn ymwthio drwy'r llenni.

'Slut,' meddai'r ddynes yn y gwely drws nesaf. Meddyliais ei bod am boeri arnaf. Troais a gorwedd ar fy ochr arall nes i'r nyrsys ddŵad a'm golchi, y ddwy ohonyn nhw'n clebran efo'i gilydd fel pe na bawn i yno o gwbl.

'Sawr disinffectant ac alcohol . . .' meddyliais. 'Ffit-ffat, ffit-ffat . . .'

Cymrais arnaf fy mod yn cysgu – hen dric Sandie, sylweddolais – a gwrando ar yr oriau'n crwbanu heibio fesul un.

Daeth diwedd y prynhawn ac o'r tu ôl i'r llenni clywais y gloch yn canu a'r ymwelwyr yn mynd. Pan ddaeth y nyrs garedig heibio gyda nyrs arall a chadair olwyn, profais innau – eto fel Sandie – y nefoedd syml o gael fy helpu i mewn i fath poeth. Teimlais gymysgedd rhyfedd o bigo a chosi rhwng fy nghoesau ac ar ôl brwydro am ychydig yn erbyn y demtasiwn i sbio i lawr yno, ildiais yn y diwedd a gweld bod fy nghedors i gyd wedi diflannu, wedi'u shafio.

Roedd y ddynes gas yn cysgu pan gefais fy ngwthio'n ôl i'r ward, a Derek yno'n eistedd ar y gadair. Gwyliodd y nyrsys yn fy helpu i mewn i'r gwely, dan ddillad glân. 'Have I got a temperature?' gofynnais iddo ar ôl i'r nyrsys fynd, a chau fy llygaid ag ochenaid fechan wrth iddo osod ei law ar fy nhalcen.

'*Talitha, cwmi* . . .'

'Pardon?'

Ysgydwais fy mhen. 'Doesn't matter.'

'Welsh, was it? No, you haven't got a temperature. What is it?'

'Sorry . . .?'

'You're smiling.'

'Yes. Sorry, it's nothing.' Petrusais am eiliad cyn dweud na fu neb arall yn edrych amdanaf, ddoe na heddiw.

Teimlais ei law yn codi oddi ar fy nhalcen.

'Oh . . .?' meddai.

Agorais fy llygaid i'w ddal yn sbio ar ei oriawr eto.

'I must go,' meddai, a phan brotestiais mai dim ond newydd gyrraedd yr oedd o, fe'm hatgoffodd mai ymweliad proffesiynol oedd hwn a bod yr awr ymweld wedi hen fod. Chwaraeais â'r syniad o achwyn am y ddynes gas y drws nesaf – unrhyw beth i'w rwystro rhag mynd.

'Anything you need?' gofynnodd.

O'r nefi, lle roedd rhywun yn dechrau? Cwynais fod amser yn llusgo yma, a nodiodd; roedd hynny'n arwydd da, meddai, yn arwydd fy mod yn dechrau mendio, os o'n i wedi dechrau sylwi ar beth felly. Meddyliais am Eddie efo'i Agatha Christies, a soniais fod gen i lyfrau yn Drumnadrochit, ond roedd Derek yn ysgwyd ei ben a golwg flin ar ei wyneb.

'I am not going near there,' meddai. Gwelodd fi'n syllu arno. Doedd Sussex Gardens ddim yn rhan o'i rownd o fory, meddai; châi o ddim cyfle i fynd yno. 'I'll bring you something,' meddai. 'Some light reading. *A History of Western Philosophy*.'

Brysiodd y Gwningen Wen tuag at y drysau, ond y tro hwn arhosodd a throi a gwenu ei wên fach denau cyn mynd allan drwyddyn nhw.

Argol fawr – ydi o newydd ddeud jôc, dwi'n cofio meddwl. Fe'm daliais fy hun yn gwenu, nid oherwydd doniolwch y jôc (doedd hi ddim yn rib ticlar, chwara teg) ond oherwydd ei fod wedi ymdrechu i'w dweud. Yna roedd o wedi brysio'n gyflymach nag arfer am y drysau, fel tasa fo wedi gollwng clamp o rech yn hytrach na dweud jôc fach dila.

Neb o Drumnadrochit gyda'r nos ychwaith.

Yfais ychydig o'r Lucozade roedd Eddie wedi ddod imi.

Deffrais yng nghanol y nos i glywed rhywun yn hisian 'Slut!' Agorais fy llygaid i weld y ddynes o'r gwely nesaf yn sefyll uwch fy mhen yn ei choban wen fel rhyw fampir filain o un o ffilmiau Hammer. Gallwn deimlo'i phoer yn oer ar fy wyneb. Caeais fy llygaid gan deimlo fy nhymer yn dechrau berwi. Ro'n i wedi cael coblyn o job cysgu yn y lle cyntaf, ac wedi gorwedd ar ddi-hun am hydoedd ar ôl i'r goleuadau gael eu diffod gan fy nghysuro fy hun mai arwydd da oedd hyn – fod fy nghorff yn gwella ac felly angen llai a llai o gwsg arna i.

A rŵan, a minnau ond newydd gysgu o'r diwedd, dyma'r hen astan sbeitlyd yma'n dechrau perfformio.

'Fuck off,' sibrydais wrthi. 'Fuck off and die, you old bitch.'

Caeais fy llygaid gan ddisgwyl ymosodiad arall, ond ddaeth dim byd. Pan fentrais sbecian eto, roedd y ddynes wedi mynd yn ôl i'w gwely. Ond roedd ei phoer yn dal i wlychu fy moch. Gallwn ei deimlo yno.

Deffrais eto i glywed cynnwrf o'm cwmpas. Roedd y llenni o gwmpas gwely fy nghymdoges ar gau.

Pan ddeffrais yn y bore, roedd ei gwely'n wag.

'She went peacefully in her sleep,' meddai'r nyrs garedig.
Pryd? holais.

'Soon after lights out.'

Golygai hyn fod y ddynes wedi gorwedd yno'n gelain am
oriau cyn i neb sylweddoli. Tra o'n i'n troi a throsi, yn
methu'n lân â chysgu, meddyliais. Yna cofiais fel ro'n i wedi
deffro i'w gweld yn sefyll uwchben fy ngwely yn hisian arna
i yn ei choban wen.

Crynais a rhwbio fy mreichiau. Bob hyn a hyn yn ystod y
dydd, gallwn deimlo rhywbeth oer a gwlyb yn taro fy moch,
ond doedd byth unrhyw beth ar flaenau fy mysedd pan
geisiwn eu sychu.

Wedi breuddwydio ro'n i, penderfynais – wedi ffwndro'n
lân. Doedd y ddynes ddim wedi codi o'i gwely angau a sefyll
uwch fy mhen yn hisian ac yn poeri arna i. Nid os oedd hi
eisoes wedi marw.

* * *

Penderfynais beidio â son am hyn wrth Derek pan alwodd at
ddiwedd y prynhawn. Roedd wedi dod â llond bag o lyfrau
efo fo. Digon o amrywiaeth – Howard Spring, A. J. Cronin,
Georgette Heyer, Dorothy L. Sayers, a thua hanner dwsin o
lyfrau oren Penguin: Waugh, Wodehouse, *Northanger Abbey*,
Women in Love – a *Wuthering Heights*, sylwais, gyda gwên
rhywun oedd newydd ddŵad ar draws hen ffrind.

Roedd un llyfr arall yn y bag. Rhewais pan welais pa un
oedd o.

'Something wrong?'

'Mm . . .?'

'Have you already read it?'

Codais fy llygaid i fyny o glawr *A Kind of Loving* gan Stan
Barstow. Na, rhywun oedd yn ei ddarllen ar y trên pan ddois
i i Lundain, eglurais. Ymdrechais i wenu ac i swnio'n
ddiolchgar, ond teimlwn fel petawn i wedi gwelwi.

Cyn iddo fynd y diwrnod hwnnw, mentrais ofyn iddo beth oedd ei enw llawn. Ro'n i wedi dechrau ei alw yn 'Derek', ond roedd un o'r nyrsys eisoes wedi gofyn i mi beth oedd enw fy meddyg cartref.

'Hartley,' meddai. 'Derek Hartley.'

Fel y bobol jam, meddyliais. Yna sylwais fel roedd ei lygaid wedi llithro i ffwrdd oddi wrth fy rhai i, bron yn swil – ac ai ychydig o wrid oedd yr awgrym bychan o gochni a liwiai ei wyneb? Nefi! Do'n i ddim wedi gofyn unrhyw beth ofnadwy o bersonol, ond dyna lle roedd o, yn amlwg yn trio'i orau i beidio gwingo ar flaen y gadair. Am y tro cyntaf, ymddangosai yn ifanc iawn i mi, fel hogyn bach oedd wedi cael benthyg dillad ei dad.

'I have to go . . .'

Nodiais a gofyn am faint y byddwn i'n gorfod aros yn yr ysbyty. Tua wythnos arall, meddai.

A diflannodd y Gwningen Wen drwy'r drysau, heb sbio'n ôl y tro hwn.

Birmingham i Aberystwyth, 4 Medi 2005

Fedrwn i ddim dianc oddi wrthot ti, John Griffiths. Dim ond swllt oedd y copi ail-law hwn o *A Kind of Loving* wedi'i gostio – roedd y pris wedi'i nodi mewn pensil y tu mewn i'w glawr. Ac fe'm daliais fy hun yn meddwl tybed a oeddet ti wedi gorffen dy gopi di bellach. Do'n i ddim wedi'i ddarllen fy hun, ond ro'n i wedi gwylio'r ffilm pan o'n i yn y coleg.

Y cof cliriaf oedd gen i oedd yr un ohonot ti'n dangos y llyfr i mi yn yr ystafell aros honno. Mwyaf sydyn aethost yn wyn fel y galchen a bu'n rhaid i ti fynd allan am ychydig o awyr iach. Dwi'n cofio teimlo ychydig yn flin efo chdi am hynny, John Griffiths, gan ofni dy fod wedi yfed gormod o'r gwin ac y baswn i'n gorfod treulio noson gyfan yn nhwll din y byd yng nghwmni dyn chwil a fasa'n fy nghadw'n effro efo'i falu awyr a'i grio a'i chwydu a'i chwyrnu. Ond roeddet ti'n well o lawer pan ddaethost i mewn yn d'ôl, ac wrth syllu ar glawr y nofel yn fy ngwely ysbyty, ni fedrwn lai na meddwl tybed oni fyddai'r dyn meddw hwnnw wedi bod yn well i mi wedi'r cwbwl?

Darllenais y crynodeb o'r stori oedd ar gefn y clawr, am fab i löwr o Swydd Efrog oedd wedi gwirioni'n rhywiol ar eneth nad oedd o mewn gwirionedd yn ei charu, a daeth sawl golygfa o'r ffilm yn ôl i mi. Cofiais mai Thora Hird oedd yn chwarae rhan y fam-yng-nghyfraith – draig o ddynes. Cofiais hefyd fy mod wedi cysgu efo Alan Bates wn i ddim faint o nosweithiau ar ôl gweld y ffilm, ac fel roedd perfformiad dwys June Ritchie, fel yr Ingrid ddiniwed, wedi'm cyffwrdd.

Ond nid yn ddigon, roedd yn amlwg, oherwydd buasai ei beichiogrwydd annisgwyl wedi codi mwy o ofn arna i, wedi f'ysbrydoli i addunedu na fasa'r un peth byth yn cael digwydd i mi. Ro'n i'n cydymdeimlo â'r cymeriad, ond wnes i ddim breuddwydio y baswn i, un diwrnod, mewn picil tebyg. Roedd gormod o feddwl gennyf ohonof fy hun yn y dyddiau hynny – ro'n i'n rhy glyfar, siŵr, tra oedd Ingrid druan yn ddwl.

Dwi'n cofio gwthio'r llyfr yn ôl i mewn i'r bag, ac yna'r lleill i mewn ar ei ôl, pob un ond *Wuthering Heights*: roedd angen hen ffrind arnaf. Troais at dudalen olaf un y llyfr, a darllen y paragraff olaf sydd yn disgrifio'r storïwr yn loetran wrth feddau Cathy a Heathcliff: 'I lingered round them, under that benign sky; watched the moths fluttering among the heath and hare-bells; listened to the soft wind breathing through the grass; and wondered how anyone could ever imagine unquiet slumbers, for the sleepers in that quiet earth.' Ro'n i wastad wedi mwynhau'r darn bychan hwn o ysgrifennu, ond y diwrnod hwnnw sylweddolais rywbeth gwahanol. Ar ddechrau'r nofel, mae'r un storïwr yn cael ei ddychryn am ei fywyd gan ysbryd Cathy wrth ffenestr ei ystafell wely, ond dyma fo rŵan yn gwadu bodolaeth ei hysbryd hi ac un Heathcliff. Oedd yna ddim dysgu ar y dyn?

Ond wedyn, ro'n innau hefyd, i raddau, wedi gwneud yr un peth y bore hwnnw. Ciledrychais ar y gwely wrth f'ochr, yn falch o weld ei fod yn dal yn wag ac yn ddisgwylgar, a chyda'r holl ffit-ffatian o'm cwmpas, murmur gwahanol leisiau a phelydrau o haul diwethaf y prynhawn yn dŵad drwy'r ffenestri, peth hawdd iawn oedd gwadu unwaith eto a chymryd arnaf mai dim ond breuddwyd oedd y cyfan.

* * *

Dechreuodd nosi. Yn fuan wedyn dechreuodd yr ymwelwyr gyda'r nos ymlusgo i mewn, nifer ohonyn nhw'n edrych fel tasan nhw'n teimlo'n anghysurus yn eu cotiau a'u dilladau amrywiol, a phawb arall mewn cobanau a gynau nos. Roedd rhai yn amlwg wedi dŵad yno dros eu crogi, a dwi'n cofio meddwl fel y baswn i wedi casáu hynny, sef gorwedd yn fy ngwely gan wybod yn iawn fod y person a eisteddai wrth ei ymyl bron â marw eisiau codi, mynd a'm gadael.

Y peth oedd, ro'n i wedi dechrau edrych ymlaen at ymweliadau Derek, a hefyd wedi dechrau ymgaledu yn erbyn y siom o beidio â gweld Eddie yn cerdded i mewn i'r ward, neu Jenny. Ar ôl i bawb arall fynd y deuai Derek. Gyda phob prynhawn, felly, yn teimlo mor hir, doedd gen i ddim dewis ond gorwedd yno'n ymdrechu i ymddangos fel taswn i'n hidio dim fod y gadair wrth ochr fy ngwely i wastad yn wag.

Ro'n i yn gwella, doedd dim dwywaith am hynny. Ro'n i'n gallu mynd yn ôl ac ymlaen i'r lle chwech ar fy mhen fy hun, ac i'r ystafell ddydd; ro'n i hyd yn oed wedi dechrau ailddyheu am sigarét, ond roedd fy rhai i, ynghyd â gweddill fy stwff, yn f'ystafell yn Drumnadrochit.

O'n, ro'n i'n gwella – yn gorfforol. Ond doedd yr un meddyg, gan gynnwys Derek, yn gallu gweld y tu mewn i mi. Mae'n swnio'n anhygoel mewn oes fel heddiw, lle mae rhywun yn cael cynnig cyngor seicolegol ar ôl gwylio pennod arbennig o ryw opera sebon arwynebol ar y teledu, ond ddaeth yna neb ar fy nghyfyl i i *siarad* hefo mi. Neb o gwbwl.

Ond faint o les fyddai hynny wedi'i wneud? Yn sicr, do'n i ddim yn teimlo fel siarad efo rhywun oedd yn cael ei dalu am wneud hynny. Hwyrach mai dim ond gwneud i mi grio a dweud wedyn fod hynny wedi gwneud byd o les i mi fasan nhw. Ac wrth gwrs, doedd arna i ddim angen help neb i grio: ro'n i'n gwneud hen ddigon o hynny'n barod, dagrau a ddeuai o nunlle wrth i mi alaru ar ôl rhywbeth nad oedd gen i bellach unrhyw obaith o'i gael. Ia, y fi, na fu erioed ag affliw o ddim byd i'w ddweud wrth blant, y llances falch oedd wedi dweud ar goedd ddwsinau o weithiau nad oedd *hi* am gael plant a'i chaethiwo'i hun am flynyddoedd maith.

Wel, doedd dim rhaid i mi boeni am hynny rŵan, yn nag oedd?

Y peth rhyfedd oedd, doedd y plant a ddeuai i edrych am fy nghyd-gleifion ddim yn cael llawer o effaith arnaf, ar wahân i fynd ar fy nerfau. Wnes i ddim troi mwyaf sydyn yn ddynes famol ac addfwyn. Dwi'n cofio clywed yn yr ysgol Sul am un o broffwydi'r Hen Destament – Eliseus, dwi ddim yn amau – a orchmynnodd i ddwy arth larpio criw o blant digywilydd oedd wedi meiddio galw enwau arno. Roedd y stori honno wedi aros yn fy nghof, ac wrth dyfu'n hŷn deuthum i'r casgliad mai tipyn o gês oedd yr hen Eliseus. Baswn wedi gallu gwneud efo gair o gyngor ganddo ambell i brynhawn neu gyda'r nos yn yr ysbyty honno.

* * *

Deffrais fore trannoeth efo'r teimlad sicr fy mod wedi breuddwydio llawer am Eddie a'r McGregors. Ond er nad o'n i wedi deffro o gwbl yn ystod y nos, nac ychwaith yn gallu cofio unrhyw beth a ddigwyddodd yn y breuddwydion hyn, teimlwn fel taswn i wedi profi un hunllef erchyll ar ôl y llall – hen deimlad annifyr a arhosodd efo mi drwy'r bore.

Chwyddodd y teimlad hwnnw'r tu mewn i mi pan welais y ditectif efo'r bysedd melynfrown yn dod tuag ataf ar hyd y ward. Plismones wahanol oedd efo fo'r tro hwn – dynes hŷn a edrychai'n gleniach o beth wmbrath na'r un ifanc, atgas honno a fu'n fy holi'r tro diwethaf.

Ond ar y dyn roedd fy sylw wedi'i hoelio, a gwyliais ei wefusau'n symud wrth iddo siarad ond doedd ei eiriau ddim yn cyd-fynd, rywsut, â symudiadau ei geg. Roedd fel gwylio ffilm dramor oedd wedi cael ei dybio'n wael, ond deallais o'r diwedd fod Eddie wedi cael ei ladd.

* * *

Rydym yng Nghymru rŵan ers sbelan reit dda, ac mae'r trên yn hanner gwag ers i ni adael yr Amwythig. Mae fy llyfr ar gau, ond erys fy mys rhwng y ddwy dudalen sy'n dangos *Office at Night*. Ar y ffenestri mae yna stribedi o law sydd yn edrych fel cod Morse, ac mae'r awyr wedi troi o lwyd tywyll i lwyd golau.

Dydan ni ddim yn bell iawn o'r arfordir.

Mae'r eneth gyferbyn â mi yn pwnio'i ffrind ac mae honno'n deffro a sbio o'i chwmpas yn hurt. Does dim angen i'w ffrind ddweud gair wrthi, oherwydd mae holl awyrgylch y trên wedi newid mewn ffordd gynnil a basa person dall yn gallu dweud bod pen y daith yn nesáu. Mae pawb rŵan yn eistedd yn sythach yn eu seddau, gyda chryn dwtio ar walltiau a sythu ar ddillad a chadw ar lyfrau a phapurau a chylchgronau. Gwyliaf sawl pen yn troi er mwyn gweld faint o bellter sydd yna rhwng y seddau a'r ystorfa gul lle mae eu bagiau (gyda lwc) yn aros amdanynt, a bron y medraf glywed y pennau gliniau'n symud ychydig fodfeddi i wynebu'r eil er mwyn bod yn barod i godi a symud eu perchnogion cyn gynted ag y bydd y trên yn dechrau arafu.

Ond ddim eto – plis, ddim eto. Gawn ni fuwch neu ddafad neu ddeilen ar y cledrau, unrhyw beth i'n harafu.

Dwi ddim cweit yn barod eto, ac mae arogl yr olew *patchouli*'n llenwi fy ffroenau unwaith eto.

*   *   *

'Cry for me now, then,' meddai.

Ac fe wnaf fy ngorau. Meddyliaf amdano'n eistedd uwchben ei frecwast, ei geg yn llawn ac yn fy nghyfarch drwy chwifio'i fforch arna i. Meddyliaf fel y diflannai ei lygaid o'r golwg pan chwarddai. Meddyliaf am y llanast ofnadwy yn ei ystafell, ac fel yr ymddangosai ei gluniau fel dwy fatres fawr pan eisteddai ar gadair gyffredin. Meddyliaf am y darlun sydd gen i yn fy meddwl ohono'n eistedd wrth wely Sandie yn ymlwybro drwy straeon Agatha Christie yn ei acen hoffus.

Cofiaf ei gerddediad trwm ar y landin, a'i guriad bach delicet ar y drws. Cofiaf fel y byddai'n tywyllu pob ystafell, ac fel y safai yn un talp o anesmwythder heb ddim syniad beth i'w wneud efo fo'i hun na ble i roi ei ddwylo. Cofiaf ei besychu a'i disian uchel ac fel yr ebychai 'Oh God!' bob tro ar ôl gwneud, fel tasa grym ei disian wedi torri rhyw addurn bach bregus a drudfawr.

Cofiaf ei gofleidiad swil a gofalus pan dorrais fy nghalon yn erbyn ei siwmper flêr, flewog, ac fel roedd o prin wedi cyffwrdd â mi, dim ond digon i mi wybod ei fod o yno, fel tasa arno fo ofn i mi dorri'n ddau ddarn yn ei freichiau.

Ond caf drafferth i gofio'r tro diwethaf – y tro olaf, felly – i mi ei weld, ar y gadair ger fy ngwely yn yr ysbyty. Yn bryfoclyd, hwnnw ydi'r darlun mwyaf amwys ohonynt i gyd. Ond dwi *yn* cofio fel yr oedd o wedi mynd ar fy nerfau yn troi a throsi'r botel Lucozade rhwng ei ddwylo, ac nad o'n i wedi yfed ond ychydig ohono gan na fûm i erioed yn hoff iawn o'r stwff. Gadewais iddo fynd yn fflat. Gallaf weld y botel rŵan, yn glir yn fy meddwl, ar y cwpwrdd wrth ochr fy ngwely; mae hi'n dal i wisgo'r papur euraid hwnnw sydd â'r ddawn o droi diwrnod llwyd a gwlyb o aeaf yn ddiwrnod o heulwen hirfelyn haf, dim ond i rywun edrych trwyddo.

Brith gof sydd gennyf ohono'n gadael yr ysbyty – un o'r nyrsys wedi'i hel o allan ar ôl i'r gloch ganu, wedi'i shŵio fo allan fel ci *chihuahua* yn erlid St Bernard.

Y darlun mwyaf clir o Eddie yw'r un ohono wrth y piano ym mharlwr Drumnadrochit efo'r alawon bendigedig yna'n llifo o dan ei fysedd. Pwy tybed oedd wedi'i ddysgu i chwarae fel yna? Wyddwn i mo'r peth cyntaf amdano – o ble'n union roedd o'n dŵad, oedd ganddo deulu, a oedd ei rieni'n dal yn fyw. Wyddwn i ddim beth oedd ei gyfenw, hyd yn oed.

Wyddwn i ddim ond mai Eddie oedd Eddie.

'Cry for me now?' gofynna, ond fedra i ddim a chlywaf ef yn ochneidio'n drist ac o bell, fel sŵn y môr ar noson wlyb a niwlog.

Dwi ond yn gallu crio drosof fy hun. Fy hanes i erioed.

Dyfi Jyncshiyn, 4 Medi 2005

Mae'r awyr yn wyn fel llefrith dyfrllyd. Mae'n bwrw glaw: glaw mân a thrwchus, y math o law sy'n treiddio trwy bob dilledyn.

Gwn pa orsaf ydi'r un nesaf, ac wrth i'r trên arafu teimlaf rywbeth tebyg iawn i banig yn chwyddo'r tu mewn i mi.

Dwi ddim wedi meddwl digon cyn heno am hyn – am gyrraedd y lle yma.

Dwi ddim yn barod i sbio arno fo eto, mae'n rhy fuan rŵan.

Y peth ydi, ro'n i wedi fy ngweld fy hun un ai'n cysgu nes

bod y trên yn arafu ar gyfer Aberystwyth neu wedi ymgolli mewn llyfr, heb unwaith godi fy mhen a sbio allan drwy'r ffenast ar Ddyfi Jyncshiyn.

Ia, rhagor o hunan-dwyll, dwi'n gwbod. O'n i mewn difri calon wedi dychmygu y baswn i'n gallu ista'n ddidaro wrth i'r trên aros *yma*, o bob man?

Ar ba ochor y mae'r platfform, tybad? Hwyrach, taswn i'n syllu'r ffordd arall i gyfeiriad y môr, y basa f'ewyllys yn ddigon cryf i'm harbad rhag troi a gweld y platfform a'r caban signalau a'r ystafell aros.

Wrth i mi droi at y ffenast, mae'r llyfr yn syrthio oddi ar fy nglin eto fyth. Plygaf a'i godi a'i sodro i lawr ar y bwrdd, a sylwaf wrth i mi wneud hyn ar un o'r genod sy gyferbyn â mi'n rhoi pwniad i'r llall. Ond doedd dim raid iddi wneud hynny: mae sylw ei ffrind eisoes wedi'i hoelio ar y llyfr. Rŵan, mae'r ddwy'n sbio ar ei gilydd a chwerthin.

'I'm sorry,' medd yr un sy agosaf at y ffenast. 'Edward Hopper – we've been doing quite a lot of work on him recently. At college. We went to see the exhibition at the Tate Modern, and that's where we had the idea for our project. Er . . . did you see it?'

Ysgydwaf fy mhen. Naddo, siŵr Dduw – fasa dynas echdoe ddim wedi breuddwydio am fynd i ganol Llundain ar ei phen ei hun.

Ond ma'r hogan arall yn craffu arna i.

'Ydach chi'n siarad Cymraeg?'

Nodiaf.

'Ro'n i'n ama,' meddai, 'yn meddwl fy mod i wedi'ch gweld chi'n sbio arnon ni pan dda'thon ni ar y trên, fel 'sa chi wedi dallt be oeddan ni'n ei ddeud.'

Rŵan, ma'r trên yn peidio ag arafu, ac yn aros. Dwi'n gorfod brwydro'n galad rhag sbio allan drw'r ffenast.

'Blydi Dyfi Jyncshiyn,' medd yr hogan sy wrth y ffenast.

'Un ai mi fyddan ni o 'ma mewn chwinciad, ne'n styc yma am hydoedd.'

Edrycha'r llall allan dros ei hysgwydd. 'Am le anial . . .'

Basa'n naturiol rŵan i minnau sbio allan drwy'r ffenast hefyd, ond cwffiaf yn erbyn yr ysfa i wneud hynny. Cydiaf yn fy llyfr, a dim ond er mwyn cael rhwbath i fynd â'm sylw, dyma fi'n gofyn i'r genod:

'Y project 'ma sy gynnoch chi . . .'

'Sori?'

'Roeddach chi'n sôn gynna am ryw broject 'dach chi'n 'i neud, am Edward Hopper . . .' – ac wrth i mi ddeud y geiriau hyn, dyma fi'n sylweddoli fy mod i'n teimlo'n reit flin tuag at y genod 'ma oherwydd, dros y blynyddoedd, dwi wedi dŵad i feddwl am Hopper fel f'arlunydd i. Teimlaf fod y genod ifainc, digywilydd yma'n tresmasu.

Yr hogan sy agosaf at yr eil sy'n atab. *'Ffigurau drwy Ffenestri,'* meddai. 'Sioned a fi sy wedi'i sgwennu hi – drama gerdd wedi'i seilio ar wahanol luniau gan Hopper.'

Rhythaf arni.

'Drama . . .?'

'Ia, wel, drama gerdd. 'Ychi – miwsical.'

'Miwsical?'

'Ma'i ddarlunia fo wastad yn atgoffa rhywun o'r cipolwg dach chi'n 'i ga'l drw' ffenestri ar eiliada bychain ym mywyda pobol erill,' medd yr hogan arall, y Sioned 'ma. 'Fel sy'n digwydd pan fyddan ni'n gwibio heibio iddyn nhw mewn trên, y math yna o beth. Ma'r ddrama'n sôn am dair merch; y nhw ydi'r prif gymeriada ac maen nhw wedi dŵad i'r ddinas fawr am wahanol resyma . . .'

'Mae o i gyd wedi'i osod yn y pedwardega a'r pumdega,' medd yr hogan arall ar ei thraws, 'efo digonadd o fiwsig *jazz* a blŵs.'

Edrychaf yn hurt o un i'r llall. Ma' nhw mor ffycin

223

brwdfrydig, damia nhw, a dwi'n teimlo fel jest agor 'y ngheg
a chwdu drostyn nhw. Ma'r bitsh fach Sioned yna rŵan yn
byrlymu yn ei blaen, ei hwyneb atgas hi wedi'i oleuo, ac ma'
hi'n gwenu fel giât.

'Ma' un o'r merchaid wedi dŵad yno er mwyn chwilio am
waith digon cyffredin – teipydd ne' ysgrifenyddes ne' rwbath
tebyg. Ma' 'na un arall ar dân isio bod yn actoras, tra bo'r
drydedd wedi dŵad yno i chwilio am yr hogyn roedd hi wedi
syrthio mewn cariad efo fo yn yr ysgol, ac er nad ydi 'run o'r
tair yn nabod 'i gilydd, 'dan ni'n gweld fod eu bywyda nhw'n
gwau i mewn ac allan o'i gilydd drw' gydol y ddrama . . .'

Ma' hi'n tewi'n sydyn ac yn sbio i fyny arna i, achos dwi
wedi codi ar fy nhraed erbyn hyn. Crynaf drostaf i gyd a
gwasgaf fy llyfr yn erbyn fy mronnau i drio llonyddu
rhywfaint.

'Sgynnoch chi ddim hawl!' clywaf rywun yn deud, a
sylweddoli mai fi fy hun sy newydd siarad.

Ma'r ddwy fitsh yn rhythu i fyny arna i, wedi dychryn, a
dwi'n falch o hyn: ma' isio dychryn rhyw betha coci, gwbod-
pob-dim, ca'l-pob-dim-ar-blât fatha'r rhein.

'Be . . .?' cychwynna'r Sioned annifyr 'ma.

'Sgynnoch chi ddim hawl! Dach chi'n 'y nghlywad i?
Sgynnoch chi ddim ffycin hawl!'

Mae'u hwynebau nhw'n troi'n wyn rŵan, ond dim ond
pan welaf sawl pen busneslyd arall yn troi a rhythu arna i y
sylweddolaf fy mod i'n sgrechian ar y genod ar dop fy llais.
Gallaf glywed fy sgrech fy hun yn adleisio o'm cwmpas,
drwy'r trên, y tu mewn i'm pen . . .

Ydyn, ma' pawb rŵan yn rhythu arna i, gwelaf. Sbiaf yn ôl
ar y genod a mwynhau eu gweld nhw'n eu gwasgu eu
hunain yn eu holau yn erbyn cefnau eu seddau, fel tasan
nhw'n trio cilio yn ôl oddi wrtha i. Does dim ond isio i mi
godi fy llaw a rhoi waldan i'r ddwy ar draws eu hen wyneba

efo'r llyfr 'ma ac mi fydd y plesar hwn gymaint yn fwy melys
. . . Yna trof, ac mae fy llaw ar handlen drws y trên cyn i mi
gofio am fy nghês dillad. Yn ôl â fi, a'i weld yng nghornel yr
ystorfa fach wrth y lle chwech. Syrthia dau neu dri o fagia
eraill i'r llawr wrth i mi halio f'un i allan, a chlywaf rywun
yn protestio'n llugoer ond ffwcio nhw, dduda i, ffwcio nhw i
gyd. Ac wrth i mi ddychwelyd at y drws a'i agor mae'r trên
yn rhoi herc fach sydyn a dechrau symud a gwthiaf fy nghês
dillad allan a hannar baglu, hannar camu allan ar ei ôl, ond
wrth i'm traed gyffwrdd a'r ddaear, syrthiaf yn fy mlaen dros
fy nghês a glanio ar fy nwylo a'm pennau gliniau. A phan
edrychaf yn ôl dros f'ysgwydd, gwelaf y trên yn symud i
ffwrdd oddi wrtha i a'r drws yn hongian yn agorad, ac yna
fraich a llaw yn dŵad allan drwy'r ffenast a thynnu'r drws
ynghau, ac yna ben yn ymwthio allan ac yn sbio'n ôl arna i
yno ar fy mhedwar ar blatfform gwlyb Dyfi Jyncshiyn.

Nighthawks, Edward Hopper, 1942

'Unconsciously, probably, I was painting the loneliness of a large city.'

Dyna'r hyn a ddywedodd Hopper am *Nighthawks*, ei ddarlun enwocaf heb os nac oni bai. Paentiodd ef yn fuan iawn ar ôl ymosodiad Siapan ar Pearl Harbor, ac efallai fod ei isymwybod hefyd wedi ymateb i hynny, gyda meddyliau'r cwsmeriaid yn y bwyty ar yr erchyllterau oedd eto i ddod.

Ers iddo ymddangos gyntaf, mae dwsinau lawer o ffilmiau, straeon a chaneuon wedi cyfeirio ato; mae wedi'i ailgynhyrchu ar gyfer posteri, cardiau, crysau-T a mygiau. Os bu darlun eiconig erioed, yna *Nighthawks* yw'r darlun hwnnw.

Un o hoff straeon Hopper oedd un o'r enw 'The Killers' gan Ernest Hemingway, stori a gafodd ei ffilmio ddwywaith – y tro cyntaf yn 1947 gan Robert Siodmak, gyda Burt Lancaster ac Ava Gardner, a'r ail dro yn 1964 gan Don Siegel, gyda Lee Marvin, Angie Dickinson a Ronald Reagan (hon oedd ffilm olaf Reagan). Roedd gan Hopper wendid am ffilmiau, yn enwedig ffilmiau gangstyr megis *Little Caesar* a *Scarface,* a gall y darlun hwn fod yn 'shot sefydlu' mewn ffilm o'r fath; yn wir, roedd nifer o'i ddarluniau'n sicr yn hanner cyfrifol, o leiaf, am ysbrydoli'r ffilmiau trosedd a ymddangosodd yn y pedwardegau a'r pumdegau – y ffilmiau *noir*.

'Unigrwydd dinas fawr,' meddai Hopper. Y ddinas dan sylw yw Efrog Newydd, ac mae'r bwyty ar gornel Greenwich Avenue – cornel lle mae dwy stryd yn cwrdd. Mae'n hwyr yn y nos – yn hwyr iawn, teimlwn – gyda'r strydoedd o gwmpas yn llawn tywyllwch a'r unig oleuni'n dod o'r bwyty. Petaem ni'n digwydd dod ar ei draws ar ôl cerdded yn ofnus drwy'r strydoedd tywyll a pheryglus, buasem yn hynod o falch o'i weld, fel rhywun yn dod o hyd i werddon ar ôl crwydro'r anialwch. Edrycha ar yr olwg gyntaf yn gynnes a chroesawgar – yn noddfa, hyd yn oed.

Ond arhoswch. Ydi'r bwyty mor groesawgar â hynny mewn gwirionedd?

Mae pobman arall o'i gwmpas ar gau a than glo – os nad, yn wir, yn wag. Nid oes nwyddau i'w gweld yn ffenestri'r siop gyferbyn â'r bwyty, dim ond til henffasiwn sydd yn sicr o fod yn cynnwys dim byd ond llwch, a rhai 'deillion' yw'r ffenestri sydd uwchben y siop. Hawdd yw dychmygu bod yr ystafelloedd yr ochr arall i'r gwydrau hefyd yn wag, gyda'r llwch yn dew ar y lloriau pren a'r gwe pryf cop yn hongian yn drwchus o'r nenfwd. Teimlwn fod yr aer yn dew ac yn llawn llwch a blynyddoedd o ochneidiau trymion.

Y drws nesaf i'r siop wag mae siop arall: gallwn weld ei ffenestri'n aneglur drwy ffenestr gefn y bwyty. Meddyliwn i ddechrau bod ffenestri hon yn llawn nwyddau, ond o graffu'n fwy gofalus dechreuwn ofni nad yw hynny'n wir wedi'r cwbl a bod y ffenestri'n cynnwys dim byd ond posteri sydd wedi cael eu plastro dros y gwydr.

Ac mae'r stryd a'r palmentydd yn annaturiol o lân a thaclus, heb yr un papur na photel na hyd yn oed stwmp sigarét i'w gweld yn unman.

Nid yw'r bwyty, y *diner* hynod Americanaidd hwn, yn edrych fel petai'n perthyn yma – ddim yma, o bobman, ar y stryd hynod Americanaidd hon. Llwydda, rywsut, i edrych yn estron, fel capsiwl o oleuni a lliw annaturiol mewn byd o dywyllwch. Mae'n ymddangos, os rhywbeth, fel petai wedi ei blannu yma'n gyfrwys er mwyn denu'r diniwed, er mwyn ei dwyllo i feddwl fod yma groeso iddo. Ond o'i astudio'n ofalus, gwelwn nad oes unrhyw groeso i'w gael yn y bwyty hwn: nid oes iddo ddrws nac unrhyw fynedfa arall.

Eto, mae pobol y tu mewn iddo. Gŵr ifanc sydd y tu ôl i'r cownter, a'i wallt golau wedi'i dorri'n gwta iawn. Dros ei grys glas a'i dei tywyll gwisga siaced wen, ac mae ganddo gap gwyn ar ei gorun. Mae wedi hanner plygu'r tu ôl i'r cownter, gyda'i ddwylo o'r golwg a'i gefn fel bwa, a chawn yr argraff ei fod wrthi'n golchi rhywbeth mewn sinc. Edrycha i fyny ar gwpwl, dau gwsmer, sydd yn eistedd ar ddwy stôl uchel yr ochr arall i'r cownter, a meddyliwn am eiliad ei fod yn dweud rhywbeth wrthynt – rhyw sylw, efallai, am y tywydd, neu am y ffaith ei bod yn ofnadwy o ddistaw heno.

Craffwn eto.

Efallai nad yw'n edrych arnynt o gwbl, ond yn hytrach yn rhythu heibio iddynt ar rywbeth yn y stryd y tu allan a gipiodd ei sylw – rhyw symudiad, efallai, rhyw gysgod tywyllach na'r cysgodion eraill a symudodd yn nüwch y siop gyferbyn ac na ddylai fod yno.

A beth am y cwpwl? Dydyn nhw ddim yn ifanc, y ddau yma. Gwisga'r dyn siwt (fel y dyn ifanc sydd y tu ôl i'r cownter; mae gan hwn hefyd grys glas a thei tywyll) a het Fedora; gorffwys ei fraich dde ar y cownter, ei benelin yn agos iawn at fwg coffi, ac mae ganddo sigarét rhwng ei fysedd. Nid yw'n edrych fel y math o ddyn a fyddai'n gwneud ymdrech i helpu rhywun. Ymddengys ei drwyn, dan gysgod ei het, fel pig greulon hebog (sydd wrth gwrs yn adleisio enw'r darlun: hebogiaid y nos yw'r cwsmeriaid hyn).

Wrth ei ochr mae dynes bengoch mewn ffrog goch. Mae hithau hefyd wedi gweld dyddiau gwell ac amhosib yw dweud beth fyddai lliw naturiol ei gwallt. Mae iddo ryw olwg sych a bregus, fel pe buasai'n troi'n llwch coch petaech yn ei rwbio rhwng eich bys a'ch bawd. A'r nefoedd! – mae ei hwyneb yn un caled! Ni fu hon erioed yn un o'r merched yn yr haul, teimlwn; mae bywyd wastad wedi'i siomi ac nid yw bellach yn disgwyl unrhyw beth gwell oddi wrtho. Er bod blaenau bysedd ei llaw chwith yn hynod o agos at law'r dyn wrth ei hochr, teimlwn fod hyn yn ddamweiniol ac nad yw hi'n disgwyl unrhyw gyffyrddiad hoffus ganddo. Yn hytrach, mae'n brysur yn astudio ei llaw dde – ei hewinedd, efallai. Fel un y dyn sydd yno gyda hi, mae ei thrwyn hithau hefyd fel pig aderyn ysglyfaethus.

Ni fedrwn weld wyneb y trydydd cwsmer. Dyn ydyw, ac eistedda a'i gefn atom, ymhell oddi wrth y cwpwl ac ar ei ben ei hun. Fel y dyn arall, mae gan hwn hefyd siwt a het, ac er ei fod i bob pwrpas yn wynebu'r cwpwl, cawn y teimlad nad yw ei lygaid arnynt – eu bod yn hytrach yn rhythu'n ddall un ai ar y cownter neu ar y mẁg coffi sydd ganddo yn ei law dde. Mae'r ffaith ei fod yma ar ei ben ei hun yn gwneud i ni feddwl ei fod yn ddyn unig iawn – ond efallai'n wir fod hyn yn wir am y ddau arall hefyd; wedi'r cwbwl, nid ydynt yn edrych fel petaent yn siarad rhyw lawer efo'i gilydd.

Tybed pam maen nhw yma, yr hebogiaid hyn? Oherwydd nad oes unlle gwell ganddynt i fynd iddo? Neu hwyrach fod heno'n noson anghysurus o boeth – mae breichiau noethion y ddynes mewn coch yn awgrymu hynny – a'u bod yn ofni cael trafferth i gysgu petaent yn mynd adref?

Neu efallai oherwydd mai'r nos yw eu hamser hwy, ac y byddant oll wedi diflannu pan gyfyd yr haul ac y bydd y bwyty, fel y siopau sydd o'i gwmpas, yn llawn o ddim byd ond tywyllwch a llwch, a hen, hen ochneidiau.

Dyfi Jyncshiyn, 4 Medi 2005

Caeaf fy llygaid a gwrando ar sŵn y môr, ar fy mhedwar fel buwch ddall.

Dwi yma. O'r diwedd, dwi yma eto.

Ond does yna ddim byd croesawgar ynglŷn â'r hyn dwi'n ei glywed. Dim byd cysurus a fyddai'n dileu'r degawdau diwethaf, hyd yn oed petai ddim ond dros dro. Fel yr hen golomennod 'na yn sgwâr Marble Arch, mae'r gwylanod yn fy ngwawdio, a'u sgrechfeydd yn adleisio'r cymeradwyo coeglyd hwnnw sy'n dal i lenwi fy mhen. Swnia'r môr hefyd fel torf a gafodd ei siomi yn sibrwd a grwgnach – a pha syndod? Yn hytrach na chamu'n urddasol a hyderus ymlaen i'r llwyfan, roedd yr actores fawr wedi baglu a syrthio ar ei hyd.

A'i drama fawr, yn syth bìn, wedi troi'n ffars.

Arhosaf lle rydw i am funud neu ddau, ymhell ar ôl i sŵn y trên gael ei sugno o'm clyw. Rydw i'n dal i allu gweld y fraich a'r llaw a ymwthiodd allan o'r trên a chau'r drws, a'r pen a'r wyneb a rythodd yn ôl arna i. Pen dyn ynteu pen dynes oedd o, ys gwn i? Dim ots. Mae fy nychymyg wedi paentio glaswen watwarus ar yr wyneb, a dirmyg a ffieidd-dod yn y llygaid. Fe'i gwelaf o neu hi'n dychwelyd i'w sedd, y pen rŵan yn ysgwyd gyda'r cyfuniad hwnnw o benbleth ac anobaith a ddaw pan fo rhywun yn gweld rhywun dieithr yn ymddwyn yn wallgof. Digwyddiad i sôn amdano wrth fynd heibio – dros de, efallai, neu dros beint neu wydraid o win, neu fel rhywbeth i liwio sgwrs ffôn yn nes ymlaen heno.

Dyna'r cwbwl ydw i.

Dwi'n hanner disgwyl clywed sŵn traed yn prysuro tuag

ata i, a theimlo dwylo caredig yn fy helpu i godi, ond pan edrychaf dros f'ysgwydd, gwelaf fy mod i yma ar ben fy hun bach.

Diolch i'r drefn.

Dechreuaf chwerthin, a chlywed y chwerthin yn troi'n grio uchel, ac mae hwnnw rŵan yn troi'n sgrech sy'n dychryn y gwylanod uwchben a'r piod môr sy'n brysur yn pigo yn y llaid.

* * *

Mae fy nghês dillad y tu ôl i mi. Trof a chropian fel babi tuag ato, a theimlo dwy wiallan boeth yn saethu drwy fy mhennau gliniau. Gorffwysaf a'm breichiau ar wyneb y cês, cyn stryffaglu i'm gwthio fy hun i fyny a sefyll.

Dwi'n edrach fel dynas feddw.

Ac yna clywaf sŵn y môr. Cyffyrddaf fy ngwefusau â blaen fy nhafod a dychmygu imi fedru'i flasu, hefyd, wedi'i gludo yma gan y glaw.

Syllaf yn hurt ar yr holl gerrig mân, llwyd a du sy'n edrach fel tasan nhw wedi tyfu allan o groen cledrau fy nwylo. Sychaf hwy ar goesau fy jîns. Mae dau batshyn gwlyb ar fy mhennau gliniau, ond gwlybaniaeth y glaw sydd wedi'u creu nhw, nid gwaed, er gwaetha'r boen a deimlaf yn fy nghoesau. Daliaf fy nwylo'n agored i'r glaw, ond dydi o ddim yn ddigon trwm eto i leddfu 'run tamaid ar y llosgi.

Plant sydd yn eu brifo'u hunain fel hyn, nid dynes yn ei chwedegau. Byddaf yn gwisgo cleisiau a chrafiadau plentynnaidd am ddyddiau rŵan.

Edrychaf o'm cwmpas.

Mae rhai o'r gwylanod wedi dychwelyd i'r toeau a'r pyst gan setlo arnyn nhw'n ddisgwylgar fel tasan nhw'n aros am fy mherfformiad nesaf. Trof yn f'unfan fel actores ar lwyfan anghyfarwydd – rhywun sydd yn y theatr gywir, ond bod y set yn ddieithr.

'O, na . . .'

Mae'r hen ystafell aros wedi diflannu. Yn ei lle, mae rhywbeth tebyg i gysgodfa bysys hyll, plastig a simsan ei golwg, a gwn y byddai sŵn y glaw ar hon yn swnio'n fygythiol yn hytrach nag yn lliniarol. Nid ymochel ynddi rhag y gwynt faswn i ychwaith, ond yn hytrach crynu mewn cornel yn disgwyl iddi gael ei chwythu i ffwrdd unrhyw funud.

Ond does gen i ddim dewis ond ymlusgo tuag ati gyda'm cês. Eisteddaf ar fainc gul, galed ac anghyffordus a rhowlio gwaelodion fy jîns i fyny dros fy mhennau gliniau. Ydyn, mae'r ddwy ben-glin wen ac esgyrnog wedi'u crafu'n o hegar ac yn teimlo fel llosgiadau dail poethion pan gyffyrddaf â hwy'n ofalus â blaenau fy mysedd. Pryd ces i'r fath godwm ddiwethaf? Pan o'n i'n blentyn – ac yn yr ysgol gynradd hefyd, dwi ddim yn amau. Mae fy nghalon yn carlamu a theimlaf gur anferth yn chwyddo yn fy mhen, a sylweddolaf fy mod yn crynu trwof ac yn igian crio'n uchel.

Dwi'n rhy hen i gael codymau fel hyn.

Dwi'n rhy hen.

A rŵan dyheaf am gael teimlo dwy fraich gref yn cau amdanaf yn dyner a chlywed y llais yn sibrwd: 'O, Mari, rw't ti mor . . . dwn i'm. Jest, y chdi.'

Ond does dim byd i'w glywed ond fy llais i fy hun yn crio, a'r gwylanod, a sŵn y môr.

* * *

Alla i ddim aros yma ar fy mhen fy hun, drwy'r nos.

Alla i ddim.

Dwi'n rhy hen.

Mi ddois i'n agos iawn at lewygu gynna ond dwi'n teimlo'n well rŵan – yn ddigon o gwmpas fy mhethau i sylweddoli nad oes *raid* i mi eistedd yma fel delw nes . . .

Nes be?

I mi weld John Griffiths yn camu i lawr i'r platfform oddi ar y trên olaf o Bwllheli?

Os daw o . . .

'Mi ddaw o yma,' meddaf yn uchel.

Dwi'n ei feddwl o, hefyd. Mae'n od, ond dydi o ddim wedi hyd yn oed groesi fy meddwl, y posibilrwydd na fydd John Griffiths yn cofio am yr 'heddiw' hwn o ddeugain mlynedd yn ôl.

'*Wnei di ddim anghofio, mi gei di weld,*' fe'm clywaf fy hun yn dweud, yma ar y platfform hwn, falla hyd yn oed ar yr union fan lle mae fy nhraed i'n gorffwys rŵan, hyd y gwn i – mae'r lle 'ma wedi newid cymaint. '*Does 'na neb byth yn anghofio'i ffwc gynta.*'

Cofiaf fel roedd y sioc wedi llenwi'i wyneb ac fel ro'n i wedi teimlo'n flin efo fo am hynny, yn enwedig yn sgil yr hyn oedd wedi digwydd y noson cynt. Roedd y gair wedi gwneud iddo gochi.

'Dwi ddim yn synnu, wir, fod y cradur wedi cochi,' meddai Mam. 'Bechod.'

Ochneidiaf. 'Doswch o'ma, plis.'

'Neis iawn. Does 'na ddim pum munud ers pan roeddat ti'n crio a nadu, yn dyheu am ga'l clywad llais dy dad.' Mae Mam yn eistedd wrth f'ochr ar y fainc ddi-ddim hon, yn ei dillad Sul, ei bag llaw ar ei glin a'i dwylo wedi'u plethu amdano fel tasa'r lle yn berwi o ladron. 'Sbia ar dy benglinia di, mewn difri calon. Dynas o d'oed di . . . Tynna'r trowsus 'na i lawr drostyn nhw, Marian, cyn i neb dy weld di.'

'Does 'na neb yma. A dach chitha ddim yma chwaith,' ychwanegaf.

'Rhag dy gywilydd di am ddeud y fath beth,' meddai. Ond nid fy nwrdio am yr hyn rydw newydd ei ddweud amdani *hi* mae Mam, sylweddolaf, ond cyfeirio at yr hyn a ddywedais wrth John Griffiths. 'Siarad fel 'na efo'r hogyn, fel tasat ti wedi ca'l dy fagu mewn rhyw slym coman. Ddaw o ddim ar dy gyfyl di eto, siŵr – roedd o'n falch o dy weld di'n mynd allan o'i fywyd o, a wela i ddim bai arno fo.'

'Mi *fydd* o yma, Mam.'

Daw arogl Lily of the Valley yn gryf i'm ffroenau. Hwyrach, os gwrthodaf sbio arni, yr aiff hi . . . ond yna cofiaf nad oedd hynny wedi gweithio'n wych iawn yng ngorsaf Trebedr, yn nag oedd?

Ochneidiaf eto.

'Be dach chi'i *isio*, Mam?'

'Isio i chdi dynnu dy drowsus i lawr dros dy goesa.'

Gwnaf hynny ag ebychiad diamynedd. 'Hapus rŵan?'

'Ddoist ti ddim adra'r Dolig hwnnw, hyd yn oed.'

Er fy mod i'n gwybod yn iawn at ba Ddolig mae hi'n cyfeirio, gofynnaf: 'Pa Ddolig?'

Ei thro hi ydi o rŵan i dwtian yn ddiamynedd. 'Na'r un Dolig arall, chwaith.'

'Naddo.' Siaradaf yn ddigalon. 'Naddo, dwi'n gwbod.' Gallaf ddweud oddi wrth ei distawrwydd ei bod yn aros am ragor. 'Do'n i ddim yn gallu, Mam.'

Ar ôl ychydig eiliadau, meddai: 'Ond . . . roeddat ti *isio* dŵad, yn doeddat, Marian?'

Mor braf yw gallu dweud y gwir.

'O'n, Mam.'

Lloegr, 1965

'This has to go,' meddai Derek.

. . . ac yn ufudd, yn llywaeth fore trannoeth, euthum a thorri fy ngwallt. Wedyn, sefais yn nrws ystafell fyw fy nghartref newydd yn fy nghôt nes iddo sbio i fyny a nodio, unwaith ac yn swta, cyn dychwelyd at ei bapur.

Ond erbyn hynny, wrth gwrs, mi faswn i wedi gwneud unrhyw beth iddo fo – ro'n i eisoes wedi rhoi'r gorau i smocio, a ddim ond yn gwrando ar gerddoriaeth bop pan oedd o allan yn gweithio. Nid bod hynny'n anodd, ar y pryd: gallwn wneud heb y rheiny.

Ond credwn na fedrwn i fodoli hebddo fo.

Roedd hyd yn oed ei nòd fach swta yn werth y byd i mi. Duw a'm helpo, ond teimlais yn *hapus* y bore hwnnw wrth dynnu fy nghôt, yn hapus fy mod wedi ei blesio er fy mod i wedi crio wrth wylio fy ngwallt yn syrthio fesul tipyn ar lawr y *salon*. Edrychai rŵan fel yr edrychai eich gwallt chi, Mam, ar ôl i chi fod yn cael ei neud o yn Vanity Fayre.

*   *   *

Doedden ni ddim wedi cysgu efo'n gilydd, na hyd yn oed wedi rhannu'r un gwely.

*   *   *

Doedd y Dolig hwnnw ddim yn un hawdd, Mam, dwi ddim isio i chi feddwl hynny am funud. Pan gefais fy rhyddhau o'r ysbyty o'r diwedd, aeth Derek â fi i'w fflat yn Greenwich, fflat sydd erbyn heddiw'n werth cannoedd o filoedd, synnwn i ddim.

Euthum efo fo yn llywaeth.

Ydi, mae'r gair 'llywaeth' yn ymddangos yn aml, am y rheswm syml mai dyna'n union be o'n i. Doedd gen i mo'r egni na'r amynedd na'r awydd i frefu protest wan am unrhyw beth; yr unig beth y medrwn i ei wneud oedd derbyn popeth. Derbyniais y ffaith fod fy nghôt a'm radio wedi diflannu efo Sandie i'r nos; derbyniais fod yn rhaid i mi dorri fy ngwallt a stopio smocio a gwrando ar gerddoriaeth bop, a derbyniais mai 'adra' i mi bellach oedd fflat Derek. Derbyniais y cwbwl heb unwaith feddwl am ofyn *pam*.

Y felan oedd o – dwi wedi dŵad i ddallt hynny ers blynyddoedd. Y ci du hwnnw sydd wastad wrth eich sawdl, ac sydd bob tro yn gweld ei gyfle i neidio ar eich glin ac anadlu'i wynt drewllyd i'ch wyneb. Hwnnw, ynghyd â'r tabledi di-rif ro'n i'n eu llyncu er mwyn cadw'r ci oddi ar fy nglin, oedd yn fy rhwystro rhag gofyn pam. Roedd yn haws derbyn, Mam, yn haws o beth wmbrath. Dwi ddim yn cofio llawer, ar wahân i gysgu'n drwm a hanner deffro, ddim ond i edrych ymlaen at gael mynd yn ôl i gysgu eto.

Be'n union ddudis i wrthoch chi a Dad? Rwbath i'r perwyl 'mod i wedi 'cyfarfod rhywun', ia? A'i fod o'n feddyg ac yn gorfod gweithio dros y Dolig a'r Flwyddyn Newydd? Cymysgedd o'r gau a'r gwir, felly. Wnes i ddim siarad rhyw lawer efo chi dros y misoedd hynny, yn naddo, a do'n i byth yn edrach ymlaen at ein sgyrsiau, os sgyrsiau hefyd. Ro'n i'n gorfod gwneud i mi fy hun godi'r ffôn, yn crynu fel deilen am ddyddiau cyn gwneud ac yn crio fel babi am ddyddiau wedyn.

O'n, ro'n i isio dŵad adra, ond yn gwrthod â chydnabod hynny. Doedd Derek ddim isio i mi fynd, ond mi fuodd o'n ofalus iawn i beidio â dweud hynny'n blwmp ac yn blaen o gwbwl, dim ond rhyw led awgrymu na fasa hynny'n beth doeth iawn yn fy nghyflwr i. Ond ro'n i isio bod yn ôl yn fy ngwely i fy hun; ro'n i isio mynd am dro ar hyd y Cob a gwylio'r elyrch yn fwndeli crynedig a gwyn ar lannau afon Glaslyn, a cherdded drwy goed y Nyrsyri ac i fyny Creigiau'r Dre, neu ar hyd y cei ac eistedd wrth yr hen gwt carreg amsar rhyfal hwnnw ym Morth-y-gest.

A dyna pam, mae'n siŵr, y gwrthodais feddwl amdanyn nhw ac amdanoch chithau, Mam – chi a Dad a hyd yn oed Sulwen, a derbyn pob dim. Pob dim roedd Derek yn ei ddweud ac yn gwneud i mi ei wneud.

Un flwyddyn ar ôl y llall.

Dyfi Jyncshiyn, 4 Medi 2005

'Sori, Mam,' meddaf.

'Mi ddylat ti fod wedi dŵad adra.'

'Wn i.'

'Ne' hyd yn oed *aros* adra, yn y lle cynta.'

'Wn i – rŵan. Ond dydi hi byth yn rhy hwyr, yn nac'di, Mam?'

A rŵan mae hi'n dweud y geiriau diwethaf y mae arna i eisiau eu clywed. Yr hen eiriau cyfarwydd rheiny.

'Dydi adra ddim yno ddim mwy.'

'Be . . .?'

'Rw't ti wedi'i gadael hi'n rhy hwyr, Marian fach. Ond dyna fu dy hanas di erioed, yndê? Gadael pob dim tan roedd hi'n rhy hwyr – a dyma chdi, wedi gneud yr un peth eto fyth.'

Nodiaf. Fedra i ddim anghytuno efo hi. Sut medrwn i, mewn difrif calon? Ond yn rhy hwyr i *bopeth*?

'Dyna pam dwi yma heddiw,' meddaf. 'I weld John Griffiths. Dwi ddim yn rhy hwyr i hynny, o leia.'

Distawrwydd.

'Yn nac'dw, Mam?'

Trof ati'n wyllt ond mae hi wedi mynd. 'Be dach chi'n feddwl?' gwaeddaf. 'Ydi o wedi marw? Mam! Ydi o wedi marw . . .?'

Cwyd haid o wyddau gwylltion o'r cae corslyd yr ochr arall i'r cledrau a sylweddolaf fy mod ar ganol y platfform unwaith eto, yn y glaw mân ac yn troi i bob cyfeiriad.

'Mi fydd o yma, Mam,' sibrydaf.

Mae'r glaw mân yn fy ngwlychu. Dychwelaf o dan y gysgodfa.

Lloegr, 1965–1966

Trwy ffenestr fflat bychan Derek, gwyliais y gaeaf yn troi'n wanwyn. Meddyliwn mai Eddie oedd pob dyn mawr a barfog a welwn yn croesi'r stryd oddi tanaf, a dychmygwn mai ei fysedd tewion ef a ganai'r piano ar bob un record bop a glywn yn slei ar y radio. Wylwn yn aml wrth feddwl amdano

– eto, dim ond yn ystod y dydd – a meddyliwn hefyd am Mrs Mac, a thybed a oedd hi wedi byw, a beth oedd ei hanes hi a'i gŵr gyda'r wyneb bach trist erbyn hynny.

Oedd, roedd Jenny hefyd wedi ei hanafu'n ddrwg pan gafodd Eddie ei ladd gan bwy bynnag fu yn Drumnadrochit. Yn ôl Derek, doedd gen i ddim lle i'm beio fy hun: doedd ganddo ddim i'w wneud hefo mi, pwysleisiodd, ond ro'n i'n methu'n glir â'i goelio. Credwn fod yr heddlu wedi llwyddo i gael gafael ar Sandie yn sgil f'erthyliad anghyfreithlon, a bod hynny yn ei dro wedi denu eu sylw at y bobol amwys hynny oedd yn rheoli genod y nos.

A bod y rheiny, wedyn, wedi . . .

Ond nid yn ôl Derek. Merch arall, nid Sandie, oedd wedi denu'r ffigurau amwys yna i Drumnadrochit. Efallai'n wir nad oedd unrhyw ladd i fod i ddigwydd ond fod pethau wedi mynd dros ben llestri, a bod Eddie wedi ceisio ymyrryd . . .

Cofiaf gau fy llygaid yn erbyn y ddelwedd o fflach y gyllell a'r gwaed yn ffrwydro ac yn ffrydio. Roedd rhai o eiriau'r ditectif wedi dechrau dod yn ôl i mi, geiriau oedd wedi chwythu drosof pan glywais hwy gyntaf: mai yn y parlwr am ychydig wedi pump y digwyddodd popeth – yn ystod hanner awr sanctaidd Jenny efo Eddie. Gallwn ei weld yn gorweddian yn y gadair freichiau, ei llygaid ar gau wrth i nodau'r sonata honno gan Mozart ei hanwesu fel hen, hen gariadon tyner.

Yna'r lleisiau cras yn gweiddi, y drws yn saethu'n agored, y ddau'n edrych i fyny, Eddie'n codi i geisio ymresymu . . .

Fflach y gyllell a'r gwaed yn ffrwydro a ffrydio.

'It had nothing to do with you, Marian. Nothing at all.'

Ond wylais serch hynny, y diwrnod cyntaf hwnnw, a theimlais freichiau'n cau amdanaf, breichiau esgyrnog a thenau, a llanwyd fy ffroenau ag arogl sebon a chlywais lais yn fy nghlust unwaith eto'n sibrwd, 'Sshh . . . sshh . . .'

Bûm yn ddigon dewr un diwrnod i sleifio allan a dychwelyd i Sussex Gardens, a gweld gyda chic yn fy nghalon fod y tŷ ar gau, gyda bordiau pren yn y ffenestri. Brysiais yn f'ôl ar draws y ddinas ag alaw'r sonata yn llenwi fy mhen, er mwyn cael bod yn ôl yn y fflat cyn i Derek gyrraedd adref, er mwyn cael digon o amser i lonyddu fy nghalon a sychu fy nagrau a gwneud i'r lle edrych a theimlo fel na fûm i allan o gwbl drwy gydol y dydd.

'Eddie,' dywedais wrth y taclusrwydd o'm cwmpas. 'Eddie . . .' – gan wybod na fyddwn i byth eto'n dychwelyd i Sussex Gardens.

Roedd Derek wedi dod â'm stwff oddi yno ar ôl i'r heddlu orffen: un cês dillad ac un bocs cardbord. Doedd dim golwg o'm côt aeaf orau, nac o'm radio fechan, a welais i mo Sandie eto.

* * *

Nid oedd Derek wedi fy nghusanu na hyd yn oed gyffwrdd ynof.

* * *

Tua diwedd y gwanwyn, aethom i fwrw'r Sul yn Norwich, cartref Derek, a dwi'n cofio meddwl ar y pryd: fedrwn i ddim bod llawer iawn pellach o'r Port.

Erbyn hynny hefyd ro'n i wedi dechrau meddwl: *Pam? Pam ydw i yma?*

Ei feddwl, ond nid ei ofyn.

Mynd yno'n llywaeth wnes i, yng nghynffon gwanwyn llwyd a llaith. Hoffwn petawn i'n gallu deud yn onest fy mod wedi teimlo casineb tuag at y ddinas yn syth bìn, efo'i bysys melynion a'r tir gwastad, diflas a chorslyd o'i chwmpas yn berwi efo llysywod.

Taswn i ond wedi gallu teimlo'r casineb hwnnw ar y pryd.

Taswn i ond wedi gallu teimlo.

Meddyg oedd tad Derek hefyd, dyn mawr a thawedog gyda dwylo fel rhawiau, a dyn a welodd bethau ofnadwy pan oedd yn feddyg gyda'r fyddin yng ngogledd Affrica drwy gydol y rhyfel, ac a dreuliai ei oriau hamdden ar ei ben ei hun yn crwydro'r morfeydd ac yn pysgota am lysywod.

Do'n i ddim, siarsiodd Derek fi, i'w holi o gwbwl ynglŷn â'r rhyfel, ond cefais hi'n anodd iawn i sgwrsio efo fo am unrhyw beth.

Gweithio iddo fel derbynyddes oedd ei fam – dynes fain, welw a dihiwmor, a hoffai arddio a cherddoriaeth glasurol a nofelau Georgette Heyer a Dorothy L. Sayers. Mr a Mrs Hartley oedden nhw i mi, a chefais i erioed unrhyw wahoddiad i ddefnyddio'u henwau cyntaf, anaddas braidd – Herbert a June.

Pobol anodd iawn cymryd atyn nhw, a phobol oedd yn ei chael yn anodd i gymryd at neb arall.

Fy nerbyn i wnaethon nhw – derbyn fy mhresenoldeb ym mywyd eu hunig blentyn, heb ddangos nemor ddim diddordeb ynof nac yn fy nheulu a'm cefndir. Roeddynt yn gwrtais, oeddynt, ond nid oeddynt yn glên. Bron fel taswn i ddim ond yn rhyw 'basio trwodd'. Murmur annaturiol oedd pob un sgwrs a ddigwyddai dros brydau bwyd; eisteddwn yno'n fud, a'r lleill fel tasan nhw'n chwilio am rywbeth i'w ddweud dim ond oherwydd eu bod yn teimlo y dylen nhw wneud *rhyw* ymdrech.

Neu felly roedd Derek a'i dad, beth bynnag. Hofran a wnâi ei fam, fel ysbryd bregus, ar ymylon y sgyrsiau a'r prydau poenus, ac erbyn eu diwedd heb gyfrannu nemor ddim ond y bwyd a'i phresenoldeb rhithiol.

Roedd eu tŷ – hen ficerdy Fictoraidd ar gyrion Norwich, wedi'i greu o friciau cochion solet – wastad yn oer a'r ystafelloedd i gyd yn dywyll, diolch yn bennaf i'r coed a

240

dyfai'n fygythiol yn eu gerddi ffrynt a chefn, ond hefyd i'r dodrefn derw, tywyll a thrwm a lenwai'r lle. Roedd yn amhosib imi fedru dychmygu'r Derek ifanc yn chwarae yng nghanol y cysgodion hyn, gyda'u 'sawr disinffectant ac alcohol' tragwyddol, gan fod y feddygfa'n rhan o'r tŷ. A do, daeth yr hen gerdd honno o'm dyddiau ysgol – 'Disgwyl eu Tro' – i aflonyddu arna i eto o'r eiliad y camais i mewn dros y rhiniog.

Ond wedi dweud hynny, ro'n i'n ei chael hi'n anodd iawn dychmygu'r Derek ifanc yn y lle cyntaf. Oedd 'na luniau ohono'n fabi, yn hogyn ac yn laslanc yn llechu'r tu mewn i gypyrddau'r seidbord? Dim ond un llun ohono oedd allan yn y golwg, ar ben y teledu yn y gornel, llun a dynnwyd pan raddiodd o'r brifysgol, yn ei gap a'i ŵn ddu ac yn edrych i mewn i'r camera yn ddiamynedd, fel petai'n gwneud ffafr enfawr â'r ffotograffydd drwy eistedd yno yn y lle cyntaf.

Nid oedd unrhyw arwydd o'i blentyndod yn ei ystafell wely ychwaith, dim ond rhyw ddwsin o'i lyfrau coleg, sych ar ei silffoedd llyfrau. 'My mother got rid of them as soon as I outgrew them,' meddai, pan ofynnais iddo lle roedd ei deganau a'i lyfrau. 'I had some Biggles books,' cyfaddefodd, gan rwbio'r carped gyda blaen ei esgid, fel petai'n sôn am gylchgronau pornograffig o dan ei wely.

Ond roedd 'na un llun ysgol ohono, y tu mewn i ddrôr y ddesg ger y ffenestr: un o'r lluniau hirion hynny o'r ysgol gyfan, mewn tiwb sy'n agor allan fel tafod anferth ac sydd angen pwysau ar bob cornel i'w gadw rhag ymdiwbio yn ei ôl tra bo rhywun yn ei astudio.

'Can you spot where I am?'

Edrychais i lawr ar y rhesi o wynebau du a gwyn, gannoedd ohonynt, gyda'r athrawon brawychus o sych eu golwg yn eistedd yn eu canol. Dechreuais gyda'r rhes gefn, a thrwy ffliwc gwelais Derek yn syth, yn sefyll reit ar ben y rhes. Gosodais flaen bys dros yr wyneb gwyn gyda'r gwallt wedi'i bartio i'r ochr.

'Right. Now, look again,' meddai.

'Sorry . . .?'

'Look again, somewhere else . . .'

Dwi ddim yn dallt, meddyliais, ond syllais eilwaith ar y llun. Crwydrodd fy llygaid ar hyd y rhes gefn nes dod i'r pen arall, a dyna lle roedd Derek eto. Ro'n i wedi eistedd digon ar gyfer un o'r lluniau hyn ddigon i wybod ei bod yn bosib i rywun a safai ym mhen y rhes ymddangos ddwywaith yn yr un llun, drwy aros nes bod y camera wedi dechrau symud i'r cyfeiriad arall, yna neidio i lawr o'r rhes gefn a gwibio'r tu ôl i'r rhesi i'r pen arall, gan hen gyrraedd erbyn i'r camera trwm orffen ei daith araf o un pen i'r llall.

'You did that . . .?'

Nodiodd Derek ac ymosod eto ar y carped gyda blaen ei droed.

'You?'

Ro'n i'n methu'n glir â choelio'r dyn. Oedd *Derek* – hwyrach am yr unig dro yn ei fywyd – wedi'i lenwi â digon o ddireidi i fedru gwneud rhywbeth fel hyn?

'I was caned for it, too.'

Rhythais arno, ac yna, am y tro cyntaf ers wythnosau lawer, ers misoedd, dechreuais chwerthin. Ymhen eiliadau, ro'n i'n chwerthin yn afreolus, yn hysterig; safai Derek gan edrych fel ci oedd newydd gael cweir, a basa rhywun yn meddwl ei fod o newydd gyfaddef rhyw bechod ofnadwy yn hytrach na thric bach diniwed. Gorfu i mi eistedd ar y gwely, a theimlwn ef yn cipio'r llun rhwng fy mysedd. Edrychais i fyny a'i weld drwy fy nagrau a'i gefn ata i, yn stwffio'r llun – oedd wedi rhowlio'n diwb unwaith eto – yn ei ôl i mewn i'r dror.

'It wasn't that funny, Marian,' meddai, ei wegil yn goch fel bitrwtsan. 'My parents failed to find it at all amusing.'

Wrth gwrs, achosodd hynny i mi chwerthin fwy fyth. Trodd y Derek fflamgoch a gwgu arna i'n ffyrnig. Ceisiais ymddiheuro – ro'n i hyd yn oed yn ymwybodol bod fy chwerthin yn gwbl afresymol – ond prin y medrwn gael y gair 'Sori' o'm ceg.

Yna clywais sŵn cledr ei law yn taro fy moch. Theimlais i ddim poen, ddim am ychydig eiliadau, beth bynnag: dim ond clywed y sŵn, yn clecian yn uchel yn fy mhen. Swniai'n union fel y slasan y mae rhywun yn ei chael mewn ffilm. Y meddyg ifanc ac egwyddorol Robert Donat yn waldio'r ddynes gyfoethog, hysterig yn *The Citadel*; Robert Newton yn slapio Deborah Kerr yn *Major Barbara*; Joan Crawford yn mynd i'r afael efo Osa Massen yn *A Woman's Face* – dwi ddim yn amau na fu i'r golygfeydd hyn i gyd fflachio drwy fy meddwl wrth i mi rythu i fyny ar Derek, wrth i Derek rythu'n ôl i lawr arna i, ac wrth i'r glec fain lithro'n gyndyn allan drwy'r ffenestr.

'I'm sorry . . .'

('Y ffycin hŵr!' gwaeddodd Maldwyn i fyny o'r ardd.)

Ac *roedd* Derek yn 'sorry' – gallwn weld hynny'n glir ar ei wyneb gwyn. Eisteddodd wrth f'ochr ar y gwely a dim ond pan roes ei fraich am f'ysgwydd y dechreuodd fy moch losgi.

Ro'n i'n crynu, sylweddolais.

'Marian, I'm sorry. But you were . . .'

Nodiais.

Cytunais.

Yna teimlais ei wefusau sychion yn crafu yn erbyn fy moch. Am y tro cyntaf erioed.

Neidiais a throi ato mewn syndod, ddim ond i deimlo'i wefusau'n cau dros fy rhai i, un eiliad yn sych fel hancas bocad ond y nesaf yn llac ac yn wlyb. Roedd ei ddwylo ar f'ysgwyddau yn fy ngwthio yn f'ôl; symudais yn rhy sydyn, dwi'n cofio, a gwibiodd fy mhen-ôl dros yr eidyrdown llithrig nes i mi daro cefn fy mhen yn erbyn y pared.

'Derek . . .!'

Ond sylwodd Derek ddim. Roedd o'n anadlu fel tasa fo newydd redeg ras, a'i ddwylo bellach yn crancio dros fy mronnau, ei wefusau fel dwy falwan wlyb ar fy ngheg, fy wyneb, fy ngwddf.

Ceisiais brotestio dros y tafod yn fy ngheg a phinsiodd y crancod fy mronnau'n boenus. Roedd o'n pwyso'n galed yn f'erbyn, yn fy ngwthio, a doedd gen i ddim dewis ond symud nes fy mod yn gorwedd ar fy hyd ar ei wely, ar wely ei blentyndod a'i laslencyndod, y gwely bach sengl a chul efo'r dillad wedi'u lapio'n dynn am y fatres nes ei fod fel bwrdd smwddio. Teimlais ei law'n sgrialu i fyny fy sgert a'i fysedd yn plycio gwaelodion fy nicyrs ond doedd dim symud arnyn nhw. Roedd pwysau Derek arna i – ynghyd â'r ffaith fod fy nghoesau wedi'u cloi, bron, yn erbyn ei gilydd – yn ei rwystro rhag gwneud llawer iawn mwy na'r plycio diamynedd hwnnw.

Dechreuodd ei rwbio'i hun yn galed yn f'erbyn: gallwn ei deimlo, hyd yn oed drwy ddefnydd ei ddillad, yn galed ac yn boeth yn erbyn fy nghlun. Doedd arna i ddim eisiau hyn, ddim o gwbl, ro'n i'n rhy sych a llipa ac yn bell o fod yn barod. Fy mwriad oedd ei wthio oddi arna i ond doedd gen i mo'r nerth. Ymdrechais i godi fy nghorff oddi ar y gwely fel reslar dan bwysau un arall ac efallai fod Derek wedi tybio mai ymateb iddo fo ro'n i, oherwydd symudodd oddi arna i er mwyn agor ei drowsus a'i falog. Manteisiais ar hyn i geisio tynnu gwaelodion fy sgert yn ôl i lawr dros fy nghluniau ond wrth wneud hynny teimlais flaenau fy mysedd yn cyffwrdd â'i goc, a thrwy drugaredd roedd hynny'n ddigon iddo, yn ormod. Teimlais ef yn ffrwydro'n boeth dros fy mysedd a'm

244

llaw, a chlywais ef yn griddfan fel tasa fo newydd gael ymadael â'r boen fwyaf ofnadwy ond hefyd fel tasa fo newydd gael newyddion drwg, y newyddion gwaethaf posib, a rhowliodd i ffwrdd oddi arna i ac oddi wrtha i a chau'i drowsus efo'i gefn ata i, a mynd o'r ystafell heb hyd yn oed sbio unwaith i'm cyfeiriad.

* * *

Wedi iddo fo fynd, gallwn glywed sŵn 'tshyc-tshyc' prysur yn dŵad o'r tu allan, a chofiais gael cip yn gynharach ar ei fam allan yn yr ardd gefn, ar ei gliniau gerbron ei borderi gyda thrywel yn ei llaw. Dwi'n cofio gorwedd yno ar y gwely cul, anghyfforddus hwnnw am hydoedd, ymhell ar ôl imi ei deimlo'n cremstio'n gyflym rhwng fy mysedd, fy sgert i fyny at fy nghanol o hyd yn hollol goman a'r awel fechan, gynnes a ddeuai i mewn drwy'r ffenestr yn anwesu fy nghluniau.

'Tshyc-tshyc-tshyc . . .'

Yn yr ystafell ymolchi, golchais fy nwylo a thaflu dŵr oer dros fy wyneb. Alla i ddim mynd i lawr y grisiau rŵan, ddim eto, dwi'n cofio meddwl, a mynd i orwedd ar fy ngwely i yn un o'r ystafelloedd sbâr – gwely haearn, henffasiwn ac uchel – a thrwy'r ffenestr agored meddyliwn fy mod yn gallu clywed sŵn y môr. Ond roedd hynny'n amhosib, wrth gwrs – roedden ni filltiroedd o'r môr, a dim ond yn fy mhen yr oedd y môr yn ochneidio.

Cysgais, a deffro'n sydyn i glywed rhywun yn curo wrth y drws.

'Yes?'

Derek.

Eisteddais ar erchwyn y gwely a'i wylio'n sefyll wrth y ffenestr â'i gefn tuag ataf. Mae gen i gof amdanaf fy hun yn cychwyn paldaruo – ymddiheuro, decini, gan mai felly ro'n i'r dyddiau hynny, yn ymddiheuro am bob dim dan haul. Ro'n i am ddatgan fy mwriad o bacio fy nghês a mynd, Duw

245

a ŵyr i ble, ond torrodd Derek ar fy nhraws. Roedd o wedi bod am dro, meddai, wedi cerdded am dros awr yn ddigyfeiriad cyn eistedd ar fainc yn y parc, ac o'n i'n cofio'r parc yn Llundain lle siaradon ni gyntaf, go iawn?

Nodiais. Trodd ac edrych arna i, efo'r goleuni'r tu ôl iddo: fedrwn i ddim gweld ei wyneb yn glir.

'I think . . . I think we should perhaps . . . get married. Yes?' meddai.

* * *

A dyna i ti, John Griffiths, pryd y dechreuais ar fy mywyd fel y ddynes yn y llun *Office at Night*.

Mor bell, bell yn ôl.

* * *

'Dach chi'n gweld, Mam? Dydi hi ddim yn rhy hwyr, byth.'

Ond dydi Mam ddim yn f'ateb. Cwyd haid o wyddau gwylltion o'r cae corslyd yr ochr arall i'r cledrau a sylweddolaf fy mod ar ganol y platfform unwaith eto, yn y glaw mân ac yn troi i bob cyfeiriad.

'Byth yn rhy hwyr,' sibrydaf.

Mae'r glaw mân yn fy ngwlychu. Dychwelaf i'r gysgodfa.

Dyfi Jyncshiyn i Fachynlleth, 4 Medi 2005

Daw trên arall i mewn – trên sydd wedi dŵad o'r Port, ac o Bwllheli. Codaf ar fy nhraed, fy stumog yn troi fel coblyn a'm llygaid yn neidio o ddrws i ddrws i ddrws wrth iddyn nhw agor, yn ôl ac ymlaen, cyn sylweddoli fy mod i'n rêl hen hurtan wirion oherwydd chwilio rydw i am gyw athro efo llond pen o wallt trwchus a du.

'O!' ebychaf gan droi a rhythu'n wyllt ar y bobol sydd newydd ddod oddi ar y trên, pob un â rhywle penodol i fynd iddo ond dydyn nhw ddim *yn* mynd, go damia nhw, maen nhw'n loetran yma ar fy mhlatfform i, ein stesion ni. Mae gormod ohonyn nhw yma, yn troi a throsi ymysg ei gilydd fel y sianis carpiog yna y byddai Dad yn arfer tyllu amdanynt yn y mwd ger y Cob cyn mynd i bysgota.

Alla i ddim gweld a w't ti yma ai peidio, John Griffiths; mae gormod o ddynion yma sy ymhell dros eu trigain ond does yr un ohonyn nhw fel tasa fo yma ar ei ben ei hun, fel tasa fo'n chwilio amdana i.

Ond mae'n rhy gynnar, yn dydi? Dyna be sy – *dwi'n rhy gynnar*, Mam, nid yn rhy hwyr. Ar y trên olaf y bydd o, yr un olaf o Bwllheli, a rŵan, a'r giard yn sbio arna i'n ymholgar cyn cau'r drws, dyma fi'n nodio a llusgo fy nghês ar f'ôl dros y platfform ac i mewn i'r trên.

Clywaf glep y drws o'r tu ôl i mi, a rhy'r trên ei herc arferol wrth gychwyn cyn i mi fedru cyrraedd fy sedd yn ddiogel. O ganlyniad, dyma fi'n baglu i mewn iddi fel taswn i wedi meddwi.

Rydan ni wedi mynd o Ddyfi Jyncshiyn heb i mi sylwi, bron, a dwi'n reit falch am hyn: mae'r lle wedi fy siomi. Wedi newid lot, ond heb altro o gwbwl. Ro'n i isio iddo fo fod yr un fath ond mae o'n hyll rŵan, yn hyll ac yn ddigymeriad.

'Nefi, ma'r lle 'ma 'di newid!' dywedaf wrth y giard. Dyn ifanc ydi hwn, fawr mwy na hogyn, ac mae'r peiriant tocynnau sydd ganddo'n hongian oddi ar ei wddf yn edrych yn rhy fawr ac yn rhy drwm iddo fo, ac yn gwneud i mi feddwl am albatros yr Ancient Mariner. Sbio arna i'n hurt y mae o pan ofynnaf iddo fo, 'Pam na fedar petha aros fel roeddan nhw?' Isio gweld fy nhocyn i mae o, ac ar ôl un edrychiad sydyn arno mae'n nodio a brysio i ffwrdd, ei wyneb yn ddifynegiant ond ei lygaid yn dawnsio'n nerfus.

Tocyn a fyddai, petawn i'n dewis hynny, yn mynd â fi i Aberystwyth. Gallwn alw i weld Sulwen – petawn i ond yn gwybod lle mae hi'n byw. Dwi ddim wedi torri gair efo hi ers diwrnod cynhebrwng Mam. Mae gen i frith gof o gerdyn Dolig yn cyrraedd rywbryd a'i chyfeiriad newydd wedi'i sgwennu arno, ond lle'r aeth o, does wybod. Dwi'n cymryd ei bod hi'n dal ar dir y byw: siawns na fyddai *rhywun* wedi meddwl am ddweud wrtha i tasa hi wedi marw . . .

Porthmadog, Mawrth 1976

'Ma'n nhw i gyd mor *hen*,' meddwn wrthi.

Trodd ac edrych ar ffrindiau Mam a hynny o'r perthnasau oedd wedi ymlusgo i'r cynhebrwng, cyn troi yn ei hôl a syllu arna i.

'Debyg iawn eu bod nhw'n hen,' meddai Sulwen. 'Roedd Mam yn hen. Ond wrth gwrs, welist ti mohoni hi'n heneiddio, yn naddo.'

Llanwodd fy llygaid.

'O, plis!' meddai Sulwen.

Teimlwn fy hun yn cochi. Codais fy nghwpan i'm ceg. Cododd Sulwen a mynd i ffarwelio gyda chefnder i Mam o rywle yn nhopiau Nant Gwynant. Edrychais i ffwrdd yn frysiog pan drodd ef a'i wraig i'm cyfeiriad, a chymryd arnaf fy mod yn astudio'r hen luniau o'r dref a'r harbwr oedd yn hongian ar furiau'r bwyty: llong yn cael ei hadeiladu yn Greaves' Wharf, y Stryd Fawr efo cloc neuadd y dref (oedd erbyn hynny wedi'i ddymchwel am resymau hurt bost, cofiais fy rhieni'n cwyno) i'w weld yn glir, y rowndabowt wrth geg lôn Penamser a hen swyddfa'r heddlu, honno hefyd wedi mynd bellach a rhyw anghenfil modern a hyll o'r enw Thedford House yn ei le . . .

Dychwelodd Sulwen. 'Well i chdi frysio os w't ti isio chwanag o fwyd. Does 'na ddim llawar ar ôl.'

'Na, dwi'n . . .'

Rhythais ar fy mhlât. Roedd yn wag, heblaw am ddau bricyn pigog oedd, y tro diwethaf i mi eu gweld, yn ymwthio allan o ddwy sosej fach dew. Roedd y brechdanau wedi diflannu hefyd, a'r sosej rôls a'r folafonts.

'Dwi'n llawn,' meddwn, er fy mod yn teimlo'n hollol wag. Yna, 'Cofia fod arna i bres i chdi am hannar hyn i gyd, a'r cnebrwng.'

'Mi wna i, paid â phoeni.'

'Ac unrhyw beth arall sy 'na . . .'

Ysgydwodd ei phen yn ddiamynedd.

'Does 'na ddim byd arall, Marian.'

'Ti'n siŵr?'

Cymrodd lwnc o'i the a thynnu ystumiau. 'Ma' hwn 'di oeri. W't ti isio un arall?'

Ysgydwais fy mhen. Troais i roi fy sylw eto i'r lluniau ar y muriau, fy nwylo wedi'u gwthio'n ddwfn i bocedi fy nghôt. Ro'n i'n falch ohoni tra o'n i yn y fynwent. Chwythai gwynt milain a miniog dros y Cob a'r Traeth Mawr – gwynt gaeafol er gwaetha'r cennin Pedr a wnâi eu gorau i ddawnsio ynddo. Ro'n i'n falch ohoni rŵan hefyd, er bod y bwyty'n hynod o glòs – côt fawr, drwchus, un hawdd ymgolli ac ymguddio ynddi.

'Doedd hi ddim yn fy nabod i, 'sti,' dywedais pan ddychwelodd Sulwen efo'i phanad ffres. 'Roedd hi'n mynnu mai y chdi o'n i, ac yn fy ngalw i'n Sulwen bob gafa'l.'

Syllodd Sulwen arna i fel tasa hi'n trio penderfynu be i'w ddweud, neu sut i'w ddweud o.

'Mi a'th hi i lawr yn ofnadwy ar ôl i Dad fynd,' meddai o'r diwedd. 'Ro'n i'n meddwl mai felly y basan nhw – na fasa'r un oedd ar ôl yn para'n hir iawn heb y llall. Na fasan nhw *isio* gneud.'

* * *

Doedd dim dwy flynedd ers i Dad fynd yn dawel yn ei gwsg un noson – diwedd taclus i ddyn oedd erioed wedi dioddef o unrhyw afiechyd mawr. Yn ystod y gwasanaeth yn y capel, ac wedyn ar lan y bedd, roedd Mam wedi gofalu bod Sulwen wastad rhyngddi hi a fi. Ym mraich Sulwen yr oedd hi wedi cydio drwy'r cwbwl.

Yn y te wedyn, clywais rywun yn cyfeirio ataf wrth rywun arall fel 'yr hogan fenga – honno a'th i ffwrdd'. Ar y pryd daeth imi'r syniad annheg mai dyfynnu fy mam yr oedd y person hwnnw. Roedd nifer wedi rhyw gil-edrych arna i'r diwrnod hwnnw a gallwn ddychmygu sawl un yn sibrwd, 'Lle ma'i gŵr hi?' Roedd rhieni Derek wedi marw mewn damwain car ychydig dros flwyddyn ar ôl i mi eu cyfarfod am y tro cyntaf, ac ychydig fisoedd ar ôl i Derek a minnau briodi, a defnyddiais hynny fel esgus dros ei absenoldeb, sef na fedrai wynebu angladd arall mor fuan ar ôl colli ei ddau riant.

*   *   *

'Mi fasa'n dda gen i tasa'r rhein i gyd yn mynd,' meddai Sulwen dan ei gwynt am yr hanner dwsin o ffrindiau Mam oedd yn dal ar ôl. 'Dwi isio mynd yn ôl i Lanbadarn heno 'ma.'

'Heno 'ma?'

'Yno mae 'nghartra i, Marian.'

'Ia, wn i, ond . . .'

'Be?'

Codais f'ysgwyddau. Wyddwn i ddim be.

'Dwi'n gwithio fory. Fedra i ddim cymryd chwanag o wylia.'

'Chei di ddim *compassionate leave* ganddyn nhw, hyd yn oed?'

'Dwi'm *isio* cymryd chwanag o wylia.' Ochneidiodd. 'Dwi isio mynd yn ôl, Marian – dwi *angan* mynd yn ôl, iawn? Dwi wedi ca'l digon.'

Sylwais fod ganddi hances boced laith wedi'i gwthio dan lawes ei siwmper ddu. Er hynny, doedd hi na minnau ddim wedi crio llawer. Dywedodd Sulwen yn gynharach ei bod wedi blino gormod i grio: wedyn y deuai'r dagrau, meddai, ar ôl iddi gael y cyfle i ddadflino a chael ei gwynt ati. Fe'i dychmygwn yn eistedd mewn cadair esmwyth gartref yn Llanbadarn (er nad o'n i erioed wedi bod ar gyfyl y lle), yn crio'n ddistaw bach efo'i miloedd o lyfrau o'i chwmpas ym mhob man a 'run ohonyn nhw'n gallu cynnig unrhyw gysur iddi.

Ro'n i wedi crio dipyn mwy yng nghynhebrwng Dad, ond fy mod wedi brwydro i guddio hynny fel tasa Derek yno wrth f'ochr efo'i wefusau'n teneuo fwy a mwy gyda phob deigryn, a'i gorff yn symud yn bellach a phellach oddi wrthyf â phob ebychiad.

Hyd y gwyddwn i, chollodd o 'run deigryn pan laddwyd ei dad a'i fam. Ond ro'n i ar dabledi cryfion iawn yr adeg hynny.

* * *

'Dwi'n siŵr dy *fod* ti wedi cael digon hefyd,' dywedais wrth Sulwen. 'Mi faswn i wedi dy helpu di taswn i'n gwbod, 'sti. Mi faswn i wedi gneud fy siâr.'

Syllodd arnaf dros wefus ei chwpan.

'Wnes i ddim sylweddoli fod petha cynddrwg,' ategais.

'Mi wnes i ddeud, Marian. Fwy nag unwaith. Mi ddudis i'n union sut roedd hi – yn union be ddudodd y doctor, tasa hi'n dŵad i hynny, gan ddefnyddio llond ceg o eiria oedd i bob pwrpas yn hollol ddiarth i mi.'

'Do, wn i. Felly roeddat ti'n deud . . .'

'Ro'n i'n meddwl, duwcs, mae o'n feddyg 'i hun, siawns na fydd o'n dallt fod petha'n o seriws – mi wneith o egluro'n iawn i Marian.'

'Mi wna'th o drio.'

'Trio?'

Pam o'n i'n ei amddiffyn o?

'Y fi sy . . . dwi fel 'swn i ddim yn gallu . . . dwn i'm, ddim yn gallu cymryd petha i mewn yn dda iawn y dyddia yma.'

251

Roedd hynny'n wir, ond dim ond i raddau. Ddywedodd Derek yr un gair ei fod o wedi siarad efo Sulwen pan ffoniodd hi'r tŷ – bum gwaith, yn ôl Sulwen. Mae'n siŵr fy mod wedi clywed y ffôn yn canu o'm llofft, ond wedi cymryd mai galwadau i Derek oedden nhw. Doedd neb byth yn fy ffonio i, ac ro'n innau, erbyn hynny, wedi dysgu peidio â'i holi.

'Arna i ma'r bai, Sulwen,' dywedais wrth y plât gwag o'm blaen. 'Wnes i'm sylweddoli nes . . . nes i chdi ffonio'r syrjyri'r wsnos dwytha.' Edrychais i fyny ati. 'Mi ddois i wedyn, yn do? Yn syth bìn.'

Syllodd Sulwen arna i am eiliadau hirion.

'Do,' cytunodd o'r diwedd.

'A dwi'n gwbod 'mod i ddim wedi gallu crio rhyw lawar,' fe'm clywais fy hun yn parablu, 'ond dwi *yn* teimlo bod heddiw . . .' Ymbalfalais am y geiriau, a Sulwen yn eistedd yn llonydd gyferbyn â mi, yn disgwyl yn amyneddgar, '. . . bod colli Mam yn . . . dwn i'm . . . yn *fwy*, rywsut, na phan a'th Dad . . .'

'Ma'r ddau wedi mynd rŵan, yn dydyn.'

Edrychais ar fy chwaer.

'Sori?'

'Ei farwolaeth *o* oedd marwolaeth Dad. Ma' *nhw* wedi mynd heddiw.'

Trodd i weld hynny o bobol oedd ar ôl yn codi ac yn gwisgo eu cotiau. 'Well i mi ddeud ta-ta . . .'

Pan ddaeth yn ei hôl, roedd ei chôt hithau ganddi dros ei braich.

'Ti'm am fynd *rŵan*, Sulwen?'

'Gora po gynta – ma' nhw'n bygwth eira. Cofia 'mod i isio mynd i lawr bwlch Tal-y-llyn cyn y galla i ymlacio. Ma' pawb arall wedi mynd, beth bynnag.'

'Ond ro'n i wedi rhyw feddwl y basan ni'n dwy yn . . .'

Ro'n i'n syllu ar fy mhlât unwaith eto. Pan sbiais i fyny, roedd Sulwen yn ysgwyd ei phen yn araf.

'Dwi ddim yn meddwl, Marian.'

'Ond be am . . .' cychwynnais.

'Be am be?'

'Be am y tŷ?'

'Dwi wedi'i roid o yn nwylo'r twrna. Mi ddudis i hynny wrthot ti.'

Y twrna. Maldwyn. Cefais gip arno yn y fynwant, cip sydyn cyn i mi sbio i ffwrdd ac i lawr ar y bedd. Wnes i ddim sbio i fyny yn ôl nes imi beidio â theimlo'i lygaid arna i.

Trawodd rhywbeth fi, a gofynnais yn gynhyrfus: 'Dydi o ddim yn debygol o gysylltu efo fi, yn nac'di?'

Y ffycin hŵr . . .

'Nac'di. Mi wna i hynny – pan fydd raid.' Gwthiodd ei breichiau i mewn i'w chôt. 'Os oes 'na unrhyw beth rw't ti'i angan o'r tŷ . . .'

Ysgydwais fy mhen.

'Dim byd o gwbwl?'

'Nag oes.' Fasa wiw i mi fynd ag unrhyw beth yn ôl i Norwich. 'Be amdanat ti? Dw't *ti* ddim isio rhwbath?'

'Amball i lyfr, falla, dim byd mawr. Dwi 'di mynd â bob dim ro'n i 'i angan fesul tipyn, dros y blynyddoedd.'

Meddyliais mor drist oedd hyn – Dad a Mam wedi treulio oes gyfan yn casglu pethau efo'i gilydd, wedi prynu'r rhan fwyaf efo'i gilydd, a rŵan neb eu heisiau. Coblyn o neb.

Newidiais y sgwrs. 'Ydi'r llun o'r boi 'na'n dal gen ti?'

'Pa foi?'

'Hwnnw wna'th amdano'i hun – neidio drw'r ffenast cyn iddo orfod gwatshiad y Natsis yn difa'i lyfrgell o. Egon rwbath?'

Gwenodd Sulwen. 'Egon Friedell. Yndi, mae o 'di ca'l 'i

fframio rŵan, ar wal fy swyddfa. Es i â fo efo fi pan es i i'r coleg – dw't ti'm yn cofio?'

Nag o'n.

'Be wna'th i chdi feddwl am hwnnw, Marian?'

Codais f'ysgwyddau.

Tynnodd Sulwen allweddi'i char o'i bag. 'Wel, os w't ti'n digwydd cofio am rwbath ti 'i angan . . .'

'Ocê.'

'Ei ditha'n d'ôl fory?'

Nodiais.

'Sulwen – pan fyddi di'n ffonio . . . galwa'r syrjyri, iawn? Dwi allan lot y dyddia yma gyda'r nosa . . . ma' gynnon ni beth wmbrath o ffrindia.' Chwarddais. 'Do's wbod lle i ga'l gafa'l arna i.'

'Marian . . .'

'Well i chdi 'i throi hi, cyn iddi ddechra bwrw eira. Mi fydd Egon Friedell yn gweld dy golli di.'

Nodiodd. Meddyliais am eiliad fod ei llygaid yn sgleinio, ond na – gwydrau ei sbectol oedd wedi dal y golau. Plygodd a chusanu fy moch.

'Lle'r ei di heno 'ma – yn ôl i'r Sportsman?'

'Ia. Meddylia faint o weithia fuos i yno'n yfad ers talwm, a hwn ydi'r tro cynta rioed i mi ga'l ista yn y residents lownj. A mynd i fyny'r grisia, tasa hi'n dŵad i hynny. Ma' gynnyn nhw delifishiyn lliw yn y lownj.'

Caeodd Sulwen ei chôt. Gallwn ei gweld yn meddwl.

'Roedd Mam . . .' meddai, 'roedd hi yn ffwndro'n ofnadwy, at y diwadd. Os ydi hyn o unrhyw gysur i chdi, roedd hi wedi drysu'n lân rhyngthon ni'n dwy. Roedd hi'n fy ngalw inna'n Marian drw'r amsar, ac yn fy holi'n dwll ynglŷn â Llundain.'

Nodiais. Gwenais.

'Mi ffonia i pan fydd rhwbath,' meddai.

Edrychodd hi ddim yn ei hôl wrth fynd drwy'r drws.

Eisteddais yno yn fy nghôt, a'r staff yn sibrwd o'm cwmpas wrth glirio'r byrddau. Ymhen hir a hwyr, codais innau a mynd allan.

* * *

Cerddais o gwmpas Port y noson honno. Symudwn fel ysbryd, bron, drwy'r strydoedd a'r cefnau, yn dweud yr un gair wrth neb a phawb yn f'anwybyddu fel pe na bawn yno o gwbwl.

Ro'n i'n crwydro drwy'r dref am y tro olaf – ond a o'n i'n ymwybodol o hynny? Efallai'n wir fy mod i, mai rhyw bererindod o ffarwél oedd yr holl gerdded i fyny ac i lawr y Stryd Fawr 'o'r Queen's i'r Harbwr', chwedl William Jones Tremadog erstalwm, ac yn ôl wedyn; ar hyd Ochor y Cỳt a thrwy'r Iard Lechi, heibio i'r Gaswyrcs a rownd y Cob Crwn. Dim ots ei bod erbyn hynny yn nos ddu; dim ots am y llygod mawr a glywn yn sgrialu o'm ffordd dros y cerrig a thrwy'r mieri. Ar hyd y Cob ei hun wedyn, ond nid yr holl ffordd i orsaf Boston Lodge – na, dim ond cyn belled â'r signal, cyn troi yn f'ôl a dychwelyd dros bont yr harbwr ac ymlaen heibio i'r Parc, gan anwybyddu'r ffordd i Bencei oherwydd yno roedd y tŷ yn aros amdanaf, yn wag ac – fe deimlwn – yn gyhuddgar.

Yn hytrach, cerddais i fyny'r rhiw heibio i'r eglwys Gatholig a Gelli Fair ac i lawr yr ochr arall i Forth-y-gest, a thrwy'r pentref nes dod at y fainc sydd wrth yr hen gwt bach cerrig hwnnw. Yno'r eisteddais, yn ymwybodol am y tro cyntaf o faint yn union ro'n i wedi'i gerdded a finnau ddim wedi arfer, ac yn syllu dros y dŵr ar oleuadau Harlech yn wincian arnaf yn y pellter.

Ro'n i adra. Ond doedd adra ddim yn teimlo fel Adra, ddim bellach. Roedden nhw wedi mynd – Taid a Nain, Mam a Dad ac, i raddau llai, Sulwen – ac mi aethon nhw ag 'Adra' efo nhw, pob un yn mynd â thalp bychan fesul un, dan eu ceseiliau. Doedd dim ohono fo ar ôl i mi erbyn rŵan. Doedd arna i mo'i eisiau pan oedd o yno i mi, felly mi aethon nhw â fo i gyd i ffwrdd efo nhw.

Tybed a fuasen nhw wedi gadael rhywfaint ohono fo i mi taswn i ond wedi aros yma – taswn i wedi derbyn Maldwyn a'i gynnig? Cofiais am y cip a gefais arno yn y fynwent. Yn yr ennyd cyn i mi edrych i ffwrdd oddi wrtho, gwelais fod rhywun yno wrth ei ochr, efo fo: dynes ifanc, feichiog, ei llaw chwith wedi'i chladdu ym mhlyg ei fraich. Gwelais hefyd fod ei llygaid hi ar y gweinidog, ond bod rhai Maldwyn wedi'u hoelio arna i.

Ddaethon nhw ddim i'r te. Roedd hynny'n drugaredd, penderfynais; rhyw hen bigyn plentynnaidd yng ngwaelod fy mol yn sibrwd wrtha i nad oedd arna i eisiau ei weld o'n hapus. Roedd o i fod yn dal i fynd o gwmpas y lle yn ochneidio ar f'ôl i. Delwedd felly ohono oedd wedi bod gen i yn fy meddwl, petawn i'n bod yn onest – delwedd o ddyn oedd wedi methu'n lân â charu neb arall oherwydd ei fod o'n dal dros ei ben a'i glustiau mewn cariad efo fi. A gwyddwn yn iawn, tasa fo wedi dŵad o'r fynwent i'r te cnebrwng ar ei ben ei hun, ac wedi crefu arna i, unwaith eto, i aros yma efo fo, yna mi faswn i wedi cytuno yn y fan a'r lle, oherwydd y peth olaf roedd arna i eisiau ei wneud oedd dychwelyd i Norwich, i'r hen ficerdy bach tywyll ac oeraidd hwnnw, ac at Derek. Cenfigen oedd wedi fy ngyrru i edrych i ffwrdd oddi wrth Maldwyn yn y fynwent, cydnabyddais i mi fy hun. Yn rhy hwyr, ro'n i eisiau bod yno'n sefyll wrth ei ochr efo'm llaw ym mhlyg ei fraich; ro'n i eisiau bod Adra a'm bol yn grwn ac yn llawn.

Aeth rhyw gryndod rhyfedd trwof, dwi'n cofio, fel tasa 'na ysbryd wedi anadlu ar fy ngwar. Trawodd fi'n sydyn mai tlysni twyllodrus sydd gan y llanw yma ym Morth-y-gest – fod peth wmbrath o ymdrochwyr wedi boddi ynddo dros y blynyddoedd, ac roedd y dŵr heddiw i'w weld mor dywyll a llonydd ac esmwyth â llen felfed. Meddyliais pa mor drom a thrwchus oedd fy nghôt . . .

Ond ro'n i'n ormod o fabi. Mae'n debyg na fyddai'r dŵr yn ddigon dwfn i mi suddo i mewn iddo, mai torri fel wy y baswn i ar y creigiau a lechai dan y tonnau bas a chael marwolaeth hir, oer a phoenus. Codais oddi ar y fainc a throi'n f'ôl tua'r dref lle roeddwn, un tro, yn arfer byw.

* * *

Cefais drafferth cysgu'r noson honno, er gwaethaf tabledi Derek. Gorweddais mewn gwely esmwyth – mor od oedd bod yn y Port ac yn aros rhwng muriau dieithr.

Ychydig iawn feddyliais i amdanat *ti*'r noson honno, John Griffiths, ond mi feddyliais gryn dipyn am Dad a Mam.

A Maldwyn a'i wraig – a chymryd mai ei wraig oedd y ddynes ifanc honno oedd mor gyndyn o ollwng ei fraich ym mynwent Minffordd. Edrych i ffwrdd oddi wrthyn nhw wnes i, yndê, ond yn fy nychymyg fe'm gwelwn fy hun yn rhythu'n ôl arno dros y bedd, fy llygaid yn llwyddo i wneud iddo anghofio popeth am bresenoldeb y llygoden fach lwyd honno wrth ei ochr. Anwybyddodd hi ymhellach yn ystod y te: roedd ei sylw i gyd arna i o'r eiliad y cerddodd i mewn a'm gweld yn eistedd yno. Ingrid Bergman a Humphrey Bogart yn *Casablanca*. Ond pharodd y ffantasi hon ddim yn hir iawn: doedd hyd yn oed fy nychymyg i ddim yn gallu fy mhortreadu i fel *femme fatale* o unrhyw fath.

Erbyn i mi fedru cysgu o'r diwedd, roedd fy ngobennydd yn wlyb socian. Wylais ar ôl Dad a Mam, ar ôl Eddie a Jenny McGregor, a Sandie hefyd, ble bynnag roedd y greadures fach; wylais oherwydd Sulwen a'i chelwydd caredig – ro'n i wedi hen weld trwyddi, ac wedi dyfalu fwy neu lai'n syth bìn na chamgymrodd Mam erioed mohoni hi amdana i, na'i galw hi'n 'Marian' fel roedd wedi fy ngalw i'n 'Sulwen' – a wylais

wrth feddwl am y nofel gan Thomas Wolfe oedd ar silff
lyfrau rhieni Derek yn Norwich, gyda'r teitl sbeitlyd ond gwir
hwnnw, *You Can't Go Home Again*.

Wylais oherwydd Maldwyn, ei wraig a'i hapusrwydd
newydd, a wylais hefyd o'th herwydd di, John Griffiths, ac
oherwydd yr hyn a gafodd ei rwygo ohonof mewn llofft
ddigroeso yng ngheubal prifddinas Lloegr.

Ond wylais fwyaf wrth hiraethu am yr hogan ifanc honno
oedd, ddim ond ychydig o flynyddoedd yn ôl a dim ond
ychydig lathenni o'r lle 'ro'n i'n gorwedd ynddo, yn arfer
croesawu pob bore newydd trwy sefyll o flaen ei ffenestr a
dawnsio yn yr haul.

Machynlleth, 4 Medi 2005

'O, dwi ddim yn byw yma,' dywedaf wrth y giard. ''Mond
lladd amsar ydw i, nes y bydd hi'n amsar i mi fynd yn ôl i
Ddyfi Jyncshiyn.'

Ond dydi'r bwbach ddim yn fy nallt i: Sais ydi o. Dim ond
tri gair ddywedodd o wrtha i – 'Good night, love' – ond roedd
ei acen Gocni gref i'w chlywed yn glir. Yn glir fel cloch. Fel
clychau Bow. A dwi ddim yn byw yn bell o Bow Street.
Gwenaf fel giât wrth feddwl am hyn wrth sgrialu am y
geiriau Saesneg – ond wyddost ti be, John Griffiths? Dydyn
nhw ddim yn dŵad. Ar f'enaid i. A minnau wedi siarad dim
byd *ond* Saesneg am bron i ddeugain mlynedd, ddim wedi
meiddio hyd yn oed *feddwl* yn Gymraeg. Fasa waeth i'r giard
'ma fod wedi dweud rhywbeth wrtha i mewn Serbo-Croat
ddim: dydi o ddim haws â disgwyl i mi ei ateb yn gall. Felly
eisteddaf ar fy nghês dillad yno ar y platfform yn gwylio'r
holl foliau yn llifo tuag ata i, o'm cwmpas a heibio i mi, nes
yn y diwedd dim ond y fi sydd yma ar ôl.

Mi fydd yna drên arall toc. Mae 'na wastad drên arall i
Ddyfi Jyncshiyn. A thrên arall yn dŵad i'w gwfwr o Bwllheli.

Dwi'n gobeithio mai ar y trên y deui di, John Griffiths, ac na fyddi di wedi difetha pob dim drwy yrru yma a gadael dy gar wrth geg y llwybr sy'n arwain at y gyffordd. Mi fydda i'n flin iawn efo chdi os mai dyna ydi dy blania di, y cythral bach.

Ond mae 'toc' yn amser hir a dwi isio bwyd, felly allan â fi, allan o'r orsaf wag yma – does nunlle'n wacach na gorsaf pan fo'r trên wedi mynd, dw't ti ddim yn meddwl? Ond mae olwynion fy nghês yn flinedig ac yn biwis erbyn hyn ac yn mynnu crwydro oddi ar y pafin ac i mewn i'r gwter. Rhoddaf blwc milain i'r handlen.

'Bihafia!'

Alla i ddim peidio â meddwl am y genod powld 'na ar y trên yn gynharach, go damia nhw: roedd yn rhaid iddyn nhw gael difetha heddiw. Ond na, dwi ddim am adael iddyn nhw wneud hynny. Fy nrama i ydi hi, a chawn nhw mo'i dwyn hi.

'Yn na chawn, John Griffiths?'

Sbiaf o'm cwmpas yn frysiog rhag ofn fod rhywun wedi fy nghlywed yn siarad efo chdi'n uchel fel'na ac yn meddwl bod rhywbeth mawr yn bod arna i. Ond does neb o'm cwmpas – neb o gwbwl. Mae'r strydoedd yn hollol wag. Mae'r awyr uwch fy mhen yn ddu ac yn llawn glaw ac mae'r strydoedd yn wag fel tasa pawb ym Machynlleth wedi cael rhybudd i aros yn eu cartrefi, fel tasa rhyw Noa wedi dweud wrthyn nhw fod yna goblyn o ddilyw ar ei ffordd. Ac yn wir, mae yna haid o wylanod yn cadw sŵn yn rhywle, eu twrw'n swnio fel tasan nhw'n gweiddi 'glaw glaw glaw'!

O'm blaen, gwelaf ffenestr fawr a hirsgwar ar gornel y stryd, pren ei ffrâm yn wyrdd a goleuni melyn, croesawgar yn tywynnu ohoni. Ond gwelaf hefyd, wrth nesáu, nad ydi'r goleuni neis hwn yn gallu *llifo* allan drwy'r ffenestr a thros y pafin: mae'r cysgodion tywyll o gwmpas y gornel yn rhy drwchus iddo. Maen nhw fel triog, bron, yn cadw'r goleuni yn ei le, a symudaf drwyddyn nhw at y goleuni fel actores yn ymbalfalu drwy'r llenni trwchus yng nghefn theatr, yn methu'n lân â dod o hyd i'w ffordd i'r llwyfan er ei bod yn medru gweld y goleuadau'n glir o'i blaen.

Ond cyrhaeddaf yno o'r diwedd. Bar ydi'r adeilad, gwelaf rŵan, efo un dyn yn eistedd wrth y bar, a'i gefn at y ffenestr. Wela i neb yn gweini y tu ôl i'r bar, chwaith, ond dim ots – i mewn â fi.

'Ty'd, damia chdi!' dywedaf wrth fy nghês anniddig.

I mewn i'r goleuni, ac eistedd ar stôl uchel yng nghornel y bar gan sodro'r cês yn solet wrth goesau'r stôl, coesau sy'n edrych cyn deneued â choesau Twiggy, myn coblyn i. A phan sbiaf i fyny mae 'na ddyn ifanc efo gwallt golau, cwta wedi ymddangos o rywle. O rywle yng nghefn yr adeilad, decini. Fel y digwyddodd efo'r giard ar y trên, mae gwefusau hwn hefyd yn symud ffwl sbid ond chlywa i'r un gair. Yn wahanol i'r giard, mae'r hogyn ifanc yma'n nodio ac yn gwenu arna i'n gyfeillgar, felly nodiaf innau gan wenu arno'n ôl a phwyntio at bentwr bychan o fwydlenni sydd ar silff o dan y cownter.

'Ah . . .!' medd ei geg wrth iddo droi a phlycio un o ben y pentwr a'i roi imi. Dechreua'i wefusau symud eto ond mae'r blydi gwylanod yna rŵan yn swnio fel tasan nhw reit uwch ben y bar, a neidiaf gan droi'n nerfus at y ffenestr gan ddisgwyl eu gweld nhw'n trio crafu i mewn ata i drwy'r gwydr . . .

Tippi Hedren yn *The Birds*.

. . . ond uwchben y maen nhw, o'r golwg, ac yn swnio'n flin gythreulig fy mod i wedi ymguddio oddi wrthyn nhw am ychydig.

Yna gallaf glywed llais y dyn ifanc yn dweud, '. . . drink?' Gwenaf arno'n llydan. Mae dau reswm dros hyn. Y cyntaf, wrth gwrs, yw fod y gwylanod wedi dechrau rhoi'r ffidil yn y to a hedfan i ffwrdd, oherwydd gallaf glywed llais y dyn ifanc rŵan. Yr ail yw fy mod i newydd weld fod y sefydliad ardderchog hwn yn gwneud brechdanau – brechdanau wy a letys.

'Coffi,' meddaf wrth y dyn ifanc. 'Coffi, plis, a . . .' Pwyntiaf at y brechdanau ar y fwydlen.

Nodia'r dyn ifanc a diflannu yn ei ôl i'r cefn. Mi ddois i o fewn dim i gyfeirio at y brechdanau fel 'John Griffiths Specials', ond mi fasa'r hogyn druan yn meddwl fy mod i'n colli arna i.

Cyfle, rŵan, i sbio o'm cwmpas. Lle digon moel ydi'r bar hwn, sylweddolaf, er gwaethaf ei oleuni croesawgar. A rhyw greadur digon surbwch ydi'r unig gwsmer arall, y dyn hwnnw sy'n eistedd ym mhen arall y bar efo'i gefn at y ffenestr: dydi o ddim wedi sbio arna i, hyd yn oed.

'Wel – ti-di iddo fo felly, yndê, Marian?' medd Nain.

'Ia, Nain,' chwarddaf. 'Ti-di iddo fo. Twll 'i din o . . .'

Mae'r hogyn wedi dychwelyd efo fy mhanad – sut goblyn mae o'n gallu mynd a dŵad heb i mi ei weld o'n mynd a dŵad? – ac yn gwenu eto, fel tasa fo'n dallt i'r dim yr hyn sy gan Nain a fi dan sylw.

'Aaaahhh . . .' ochneidiaf yn hapus, wrth i'r llwnc cyntaf o'r coffi bendigedig hwn lithro'n gynnes i lawr fy ngwddf. Ond nid yw'r perfformans hwn, hyd yn oed, yn gwneud i'm cyd-gwsmer godi'i ben a sbio arna i, er bod f'ebychiad wedi swnio'n uchel iawn gan fod y blwmin gwylanod 'na wedi tewi'n llwyr am y tro. Gallaf glywed, hefyd, fod 'na gerddoriaeth yn chwarae'n dawel yn y cefndir – Lena Horne yn canu 'Stormy Weather'.

A dyma fy mrechdanau, wedi ymddangos dan fy nhrwyn heb i mi sylwi. Ochneidiaf yn uchel a sbio'n gam ar y dyn ifanc fel tasa fo newydd chwarae tric pryfoclyd. Gwena arna i eto. Reit, meddyliaf, mi ga i chdi rŵan, washi.

'Sgynnoch chi bupur a halan?' gofynnaf, gan ddisgwyl ei weld yn symud, ond yn lle hynny mae'n amneidio i gyfeiriad fy mhlât. Gwelaf fod potiau pupur a halen yno, wrth ei ochr, a syrfiét bach gwyn.

'Dwn i'm, dwn i'm wir . . .' meddaf. Ond mae'r brechdanau, fel y coffi, yn fendigedig, a chladdaf hwy bob un.

Mae'r dyn ifanc yn golchi gwydrau dan y bar o'm blaen; arhosaf nes ei fod yn sbio i fyny arna i cyn gofyn iddo fo am blatiad arall a chwanag o goffi. Wrth i mi wneud hyn, clywaf y drws yn agor y tu ôl i mi ac wrth gwrs trof i weld pwy sydd yno. Yna cofiaf a throi'n ôl yn wyllt at y dyn ifanc ond mae'r cythral wedi'i neud o eto – wedi diflannu heb i mi ei weld o'n mynd.

Trof yn ôl at y drws.

Dad sydd yno. Mae'n cau'r drws ar ei ôl yn ofalus cyn dod ac eistedd ar y stôl wag wrth f'ochr. Dydi o ddim yn sbio arna i'n llawn, ond gallaf weld hanner gwên yn dawnsio ar ei wefus.

Rhythaf arno, a gweld ei wên yn lledu.

'Dad . . .?'

Chwardda.

'Argol, dach chi'n edrach yn dda!' rhyfeddaf. 'Ond be ydi *hon*?'

Cyffyrddaf â'r sigarét sydd ganddo rhwng ei fysedd: mae o i fod wedi rhoi'r gorau i smocio ers 1955, pan o'n i'n dair ar ddeg oed.

'Mi wnest ti'n dda i fy nabod i, Mari,' medd fy nhad.

'Dwi ddim yn ddwl, ychi. Dwi'n nabod y siwt. Dwi'n cofio'r llun oedd ar ben y cabinet gwydr yn y parlwr ffrynt. 'Ych llun priodas chi a Mam.'

Ei siwt briodas sydd ganddo amdano, ac mae o'n gwisgo het hefyd, un lwyd efo band glas tywyll am ei chanol. Rhythaf ar Gwil Glo wrth iddo wenu'n dawel a chwibanu rhwng ei ddannedd efo'r gân yn y cefndir – recordiad Artie Shaw o 'Begin the Beguine'.

Edrychaf eto ar ei fysedd. 'Be sy 'di digwydd i'ch modrwy briodas chi?'

'Be haru ti'r gloman?' medd fy nhad. 'Dwi ddim 'di priodi eto. Ar fy ffordd i gyfarfod dy fam ydw i rŵan. Am y tro cynta. Ma' hi 'di cytuno i ddŵad allan efo fi o'r diwadd, ar ôl wsnosa o hefru arni.'

Mae fy nhad, sylweddolaf, yn ddyn del – fel actor mewn hen ffilm *noir*.

'Ond . . .' dechreuaf.

'Ond be, hogan?'

Dwi ddim yn sicr a ydw i isio gofyn, a ydw i isio gwbod, ond gofyn rydw i er hynny.

'Machynllath ydi fan'ma. Pobol Port ydach chi a Mam.'

'Yndê, 'fyd?'

Yna dechreuaf dybio fy mod yn dallt.

'Wedi dŵad i fy nôl i rydach chi?' gofynnaf. 'I fynd â fi adra?'

Ond mae Dad yn ysgwyd ei ben dan chwerthin.

'Be sy, Dad ?'

'Y chdi, yndê, Mari. Rw't ti mor . . . dwn i'm . . . jest y chdi.'

'Dad – *be*?'

'Rw't ti'n disgwl ca'l dŵad adra rŵan, w't ti? Ar ôl yr holl flynyddoedd o neud i dy fam a finna fodloni ar amball i alwad ffôn bob hyn a hyn. Byth yn ca'l dy weld di o un flwyddyn i'r llall.'

'Do'n i ddim yn *ca'l*, Dad, yn nag o'n?'

Ebycha Dad yn ddiamynedd a syrthia lwmpyn o lwch oddi ar flaen ei sigarét ar bren gloyw'r bar. Gorwedda yno fel pryf lludw tew.

'O leia mi ddoist ti i'n claddu ni.'

'Do.'

'Dŵad adra yn syth bìn oedd isio i ti 'i neud, yndê? A Maldwyn wedi dŵad yr holl ffordd i Ddyfi Jyncshiyn i dy nôl di. Doedd dim isio i chdi fynd i Lundan a gneud yr hyn wnest ti.' Teimlaf ei law ar fy mol. Pan sbiaf i lawr, gallaf weld fod ei ewinedd yn ddu o lwch glo. 'Mi fasa dy fam a finna wedi dallt, 'sti.'

Mae Artie Shaw'n tewi a daw Glenn Miller yn ei le efo 'In the Mood'.

'Mi fasa'r hen Faldwyn wedi dallt hefyd, 'sti, Marian.'

Y fi sy'n ebychu rŵan. *Y ffycin hŵr . . .!*

'Dach chi'n meddwl?'

'O, yndw. Hen hogyn iawn ydi Mal.'

'Dda'th o ddim i'ch cnebrwng chi, 'mond i chi ga'l dallt,' dywedaf yn blentynnaidd o sbeitlyd.

'Naddo, wrth reswm, a fynta ym Mhortiwgal,' medd Dad. 'Mi a'th o ar y dydd Sadwrn, ac ro'n i wedi rhoid fy rhech ola a cha'l 'y nghladdu erbyn iddo fo gyrra'dd yn 'i ôl adra.'

Dechreua chwibanu 'In the Mood' rŵan, rhwng ei ddannedd. Unwaith eto, mae'r dyn ifanc yn ymddangos o nunlle y tu ôl i'r bar ac yn golchi rhagor o wydrau. Edrycha i fyny ar Dad. 'Sut ma'i heno, Gwil?'

'Ti'n o lew?'

'O'r argol . . .!' Dwi wedi dechrau colli amynedd rŵan efo hyn i gyd – dyn o'r Port sydd wedi marw ers deng mlynedd ar hugain yn cyfarch barman heno ym Machynlleth, fel tasa fo'n yfwr selog yn y lle 'ma. Ond er cymaint dwi'n gwylltio, sylweddolaf, dwi'n dal i fethu rhegi yng ngŵydd Dad. 'Dwi'm yn *dallt*, Dad!' cwynaf.

Tan rŵan mae o wedi bod yn eistedd yn sbio i lawr ar wyneb y bar a blaen ei het yn cysgodi'i wyneb. Edrycha i fyny'n araf rŵan, ac i fyw fy llygad am y tro cyntaf, ac yn ei lygaid gwelaf fy mhriodas fy hun, mor glir â phetawn i'n gwylio'r holl beth ar sgrin deledu. Y seremoni fach ddigymeriad a di-hwyl mewn swyddfa gofrestru, efo Mam a Dad yn sbio o'u cwmpas fel petaen nhw'n methu dallt pam eu bod nhw'n sefyll yn y fath le. A thad a mam Derek yn sbio ar fy rhieni i fel petaen nhwythau, hefyd, yn gofyn yr un cwestiwn ond mewn ffordd wahanol: be mae'r rhain yn ei wneud yma, a pham fod ein hunig fab yn ei glymu'i hun i'w merch nhw? Yna gwibia'r ffilm deledu yn ei blaen, a gwyliaf y pedwar rhiant yn marw – pedair deilen yn syrthio'n dawel oddi ar goeden oedd wedi hen bydru.

Y fi sy'n troi i ffwrdd, fy llygaid rŵan yn byrlymu dagrau. Sylwaf am y tro cyntaf ar ddarluniau wedi'u fframio ar fur pella'r adeilad, i gyd mewn rhes.

Edward Hopper . . .

Daeth 'In the Mood' i ben, ac yn ei lle, 'When You Wish upon a Star'.

'Sori, Dad,' sibrydaf.

'When you wish upon a star . . .' cydgana 'nhad efo Cliff Edwards ar y tâp, cyn taro wyneb pren y bar efo'i ddwy law. 'Reit, rhaid i mi 'i throi hi.'

Cwyd.

'Dad!'

'Ma' isio sbio dy ben di, Mari.'

Allan â fo i'r tywyllwch gwlyb.

'Dad!'

Sgrialaf ar fy nhraed. Llusgaf fy nghês efo fi tuag at y drws ac yna rydw inna hefyd allan ar y stryd, yn y glaw a'r tywyllwch.

'Dad . . . !' gwaeddaf.

Clywaf sŵn ei draed yn cerdded i ffwrdd oddi wrtha i ac alaw 'When You Wish upon a Star' yn dal i gael ei chwibanu rhwng ei ddannedd, ond mae sŵn fy llais i wedi deffro'r gwylanod ac maen nhw'n fy mlagardio o'r cafnau a'r toeau.

Sylwaf fod yna archfarchnad fechan hanner ffordd i lawr y stryd, rhyw ganllath reit dda o'r lle dwi'n sefyll y tu allan i'r bar. Mae hen ddyn blêr ei olwg – tramp, synnwn i ddim, os oes yna ffasiwn bethau yn dal ar ôl y dyddiau yma – newydd ddŵad allan ohoni, ac mae'n hanner troi i'm cyfeiriad wrth i mi weiddi ar ôl Dad. Ond dydi o ddim yn gallu fy ngweld: mae'r cysgodion o gwmpas y bar yn fwy trwchus rŵan nag erioed, a phan drof yn ôl mi welaf pam.

Mae'r bar ar gau, ac yn edrych fel tasa fo wedi'i gau ers blynyddoedd. Gwthiaf fy nhrwyn yn erbyn gwydr ysglyfaethus y ffenestr a gwelaf y llwch yn dew ar wyneb y bar ei hun a'r gwe pryf cop fel sêr sidan ym mhob cornel.

Trof yn ôl at y stryd. Mae'r hen ddyn hwnnw'n brysio i ffwrdd o'r golwg, a photeli diod yn taro yn erbyn ei gilydd yn gerddorol y tu mewn i'w rycsac wrth iddo ddiflannu i mewn i'r nos.

'Dad,' sibrydaf. 'Dad . . .'

* * *

Dydi o ddim yno, wrth gwrs, pan gyrhaeddaf yn ôl i'r orsaf. Does neb yno, dim ond y glaw yn cael ei sgubo dros y platfform, mor fân nes ei fod yn edrych bron fel eira yn erbyn goleuni'r lampau. A'r teimlad o wacter ofnadwy hwnnw y sylwais arno fo'n gynharach, ar ôl i'r trên adael. Yr un teimlad yn union.

Ond bydd trên arall cyn hir i Ddyfi Jyncshiyn. Mae yna wastad drên i Ddyfi Jyncshiyn.

Eisteddaf eto ar fy nghês.

''Sgwn i ydi Harold Lloyd yn dyfrio fy mlodau i heno?'

Wps, damia – dwi newydd gofio, wnes i ddim tynnu'r llenni yn y ffenestri cyn sgipian allan o'r tŷ am y tacsi'r bore 'ma. Ond dim ots, erbyn meddwl; does yna'r un affliw o ots rŵan.

'Dwi'n mynd rŵan,' dywedaf yn uchel. 'Dwi'n mynd.'

'Don't be silly,' ochneidia Derek yn oramyneddgar o'r tu ôl i mi.

Gwenaf. Allith o mo fy rhwystro rŵan a minnau bron iawn yno. Mae'n rhy hwyr.

'Sshh . . .' dywedaf wrtho. Dyna be ddywedais i wrtho echnos wrth iddo wneud yr hen synau mewian anghynnes yna; gafaelais amdano'n dynn a sibrwd 'Sshh . . .' yn ei glust, drosodd a throsodd, nes iddo o'r diwedd roi'r gorau i'w fewian a'i grynu dirdynnol. Dwi'n leicio meddwl bod hynny wedi'i gysuro, ei fod o wedi sylweddoli o'r diwedd mor braf ydi cael llais tyner yn sibrwd 'Sshh' yn eich clust.

Clywaf sŵn traed yn nesáu. Pan godaf fy mhen, mae dyn a dynes yn sefyll o'm blaen. Meddyliaf i ddechrau fod eu hwynebau'n las, ond rhyw oleuni sy'n gyfrifol am hynny, goleuni a ddaw o'r stryd y tu allan i'r orsaf.

'Mrs Hartley?'

Gwenaf arnynt.

EPILOG

Dyfi Jyncshiyn, 4 Medi 2005

Diolch i Dduw, meddyliodd John Griffiths.

Safai ar y platfform yn gwylio'r trên o Bwllheli yn gwagio. Roedd o'n crynu fel deilen, nid yn unig oherwydd y glaw, nac ychwaith oherwydd ei flinder. Gwnâi ei orau glas i beidio â syllu i wynebau'r teithwyr a ddeuai oddi ar y trên – cryn dipyn ohonyn nhw, mwy o lawer na'r llond dwrn oedd ar y trên olaf o Bwllheli ddeugain mlynedd ynghynt.

Syllai ar yr awyr, yna ar flaenau ei esgidiau, yn disgwyl – yn ofni – teimlo llaw ar ei fraich unrhyw funud, a llais dynes yn dweud, 'John . . .?'

Ond ddigwyddodd hynny ddim.

Diolch, meddyliodd. Diolch i Dduw.

Ddaeth hi ddim.

Cyrhaeddodd y trên am yr Amwythig, a gwagiodd y platfform. Gwrandawodd John ar y môr yn ochneidio yn y pellter, ac ar y glaw yn crafu yn erbyn to plastig y gysgodfa. Daeth sgrech uchel llwynoges o rywle yn y gwyll gan wneud iddo neidio.

Cyrhaeddodd y trên olaf. Os ydi hi ar y trên yma, meddyliodd, yna mi sgrechiaf yn uwch o lawar na sgrechiodd y bali llwynoges 'na gynna.

Ond ddisgynnodd neb oddi ar y trên.

Diolch i Dduw, meddyliodd eto.

Edrychai'r giard arno. Daliodd John ei fys i fyny gan nodio, yna tynnodd y poteli gwin o'i fag. Dododd hwy ochr yn ochr ar y fainc gul y tu mewn i'r gysgodfa.

Jest rhag ofn.

Brysiodd drwy'r glaw a dringo i fyny i'r trên. Eisteddodd, yn gynnes ac yn glyd am y tro cyntaf ers oriau.

Caeodd ei lygaid.

Teimlodd y trên yn rhoi herc wrth gychwyn allan o Ddyfi Jyncshiyn.

Gwenodd.

Two Comedians, Edward Hopper, 1965

Yn 1965 y paentiodd Edward Hopper ei ddarlun olaf, *Two Comedians*.

Dengys ddau glown yn sefyll ar lwyfan theatr o flaen llenni sydd ar gau. Maent yn sefyll law yn llaw ac yn moesymgrymu.

Teimlwn, rywsut, fod y theatr yn wag.

Y DIWEDD